#수학유형서
#리더공부비법
#한권으로유형올킬
#학원에서검증된문제집

수학리더
유형

Chunjae
Makes
Chunjae

▼

기획총괄	박금옥
편집개발	윤경옥, 김미애, 박초아, 조선현, 조은영, 김연정, 김수정, 김유림, 남태희
디자인총괄	김희정
표지디자인	윤순미, 박민정
내지디자인	박희춘
제작	황성진, 조규영

발행일	2021년 11월 15일 2판 2021년 11월 15일 1쇄
발행인	(주)천재교육
주소	서울시 금천구 가산로9길 54
신고번호	제2001-000018호
고객센터	1577-0902
교재 구입 문의	1522-5566

※ 정답 분실 시에는 천재교육 홈페이지에서 내려받으세요.

※ KC 마크는 이 제품이 공통안전기준에 적합하였음을 의미합니다.

※ 주의

책 모서리에 다칠 수 있으니 주의하시기 바랍니다.

부주의로 인한 사고의 경우 책임지지 않습니다.

8세 미만의 어린이는 부모님의 관리가 필요합니다.

수학 리더 유형 3-2

라이트 유형서 차례

구성과 특장

1 단원 도입

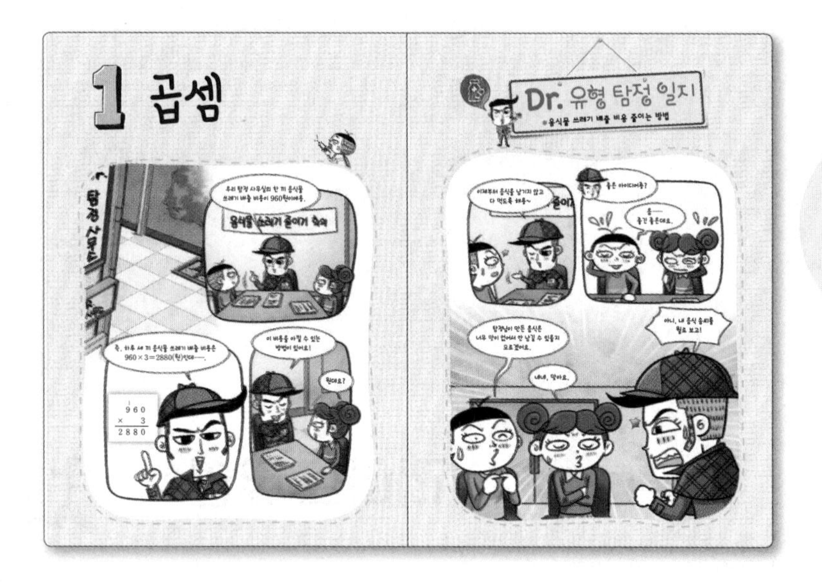

단원에서 중요한
핵심 개념이나 자주 틀리는
유형에 대해 재미있는
스토리로 진단해 주고
처방해 준다능~

2 기본 학습

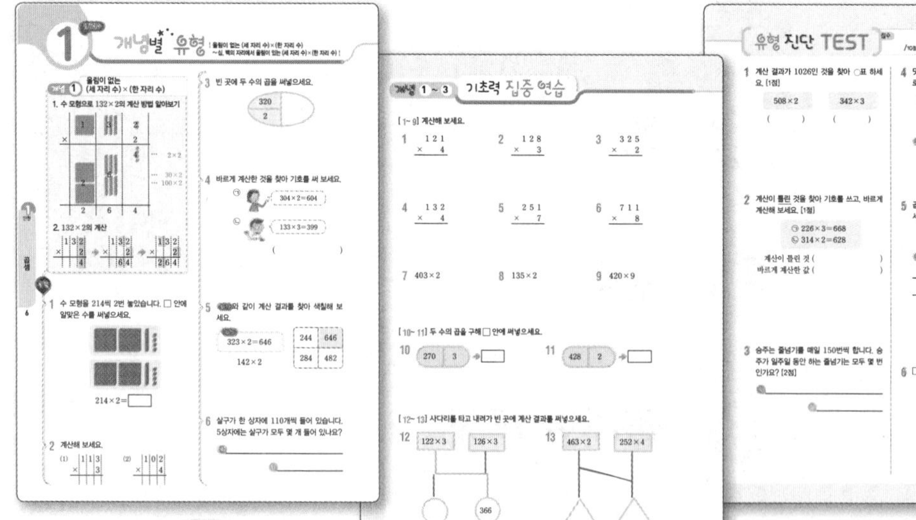

개념에 따른
교과서 유형
수록!

연산 • 이해
기초 문제
반복 연습

개념별 유형 중
핵심 유형을
진단하는 TEST

문제 해결력 강화 학습

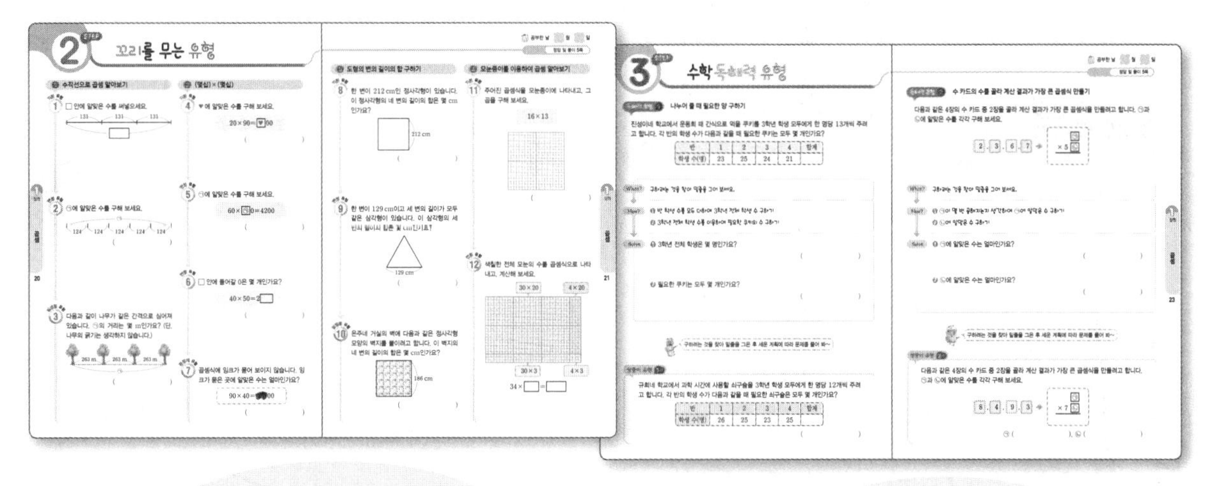

기본 → 변형 → 문장제
→ 실생활 유형으로
꼬리를 무는 유형

What → How →
Solve 단계로 문제를
분석하고 해결하는 유형

사고력 플러스 유형

하나의 유형을
반복해서 연습한 후
변형된 어려운 유형을
함께 익히는 **사고력을**
플러스 시켜주는 유형

특별 학습

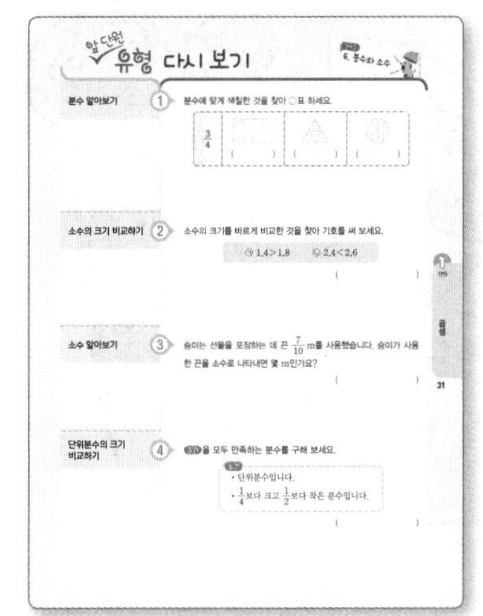

앞 단원 내용을
잊기 전에
다시 한번
풀어 보면서
기억하자!

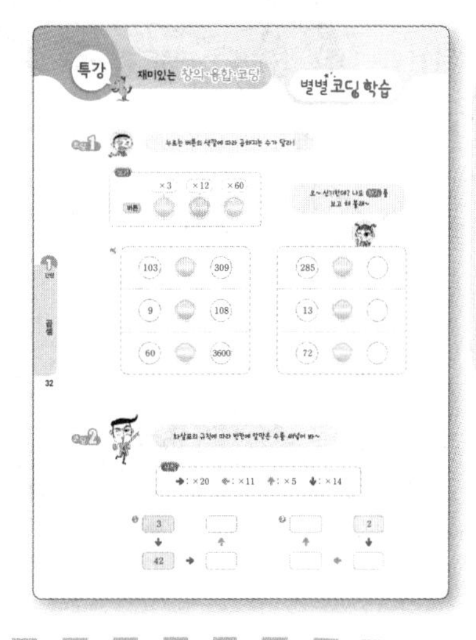

창의 • 융합 •
코딩 관련
문항이나
이야기를
접해 볼 수 있는
특별 코너!

1 곱셈

우리 탐정 사무실의 한 끼 음식물 쓰레기 배출 비용이 960원이에용.

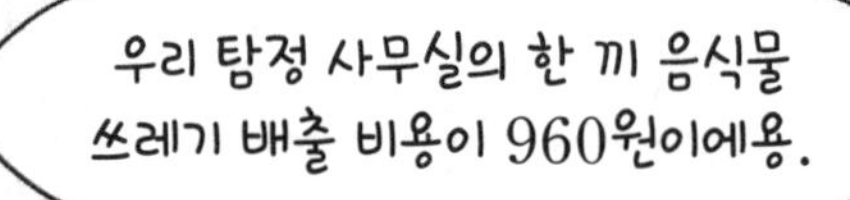

음식물 쓰레기 줄이기 회의

즉, 하루 세 끼 음식물 쓰레기 배출 비용은 960×3=2880(원)인데…….
1
960
× 3
2880

이 비용을 아낄 수 있는 방법이 있어요!
뭔데요?

Dr. 유형 탐정 일지
* 음식물 쓰레기 배출 비용 줄이는 방법

이제부터 음식을 남기지 않고 다 먹도록 해용~
좋은 아이디어죵?
음…… 좋긴 좋은데요.
탐정님이 만든 음식은 너무 맛이 없어서 안 남길 수 있을지 모르겠어요.
네네, 맞아요.
아니, 내 음식 솜씨를 뭘로 보고!

개념 1 올림이 없는 (세 자리 수)×(한 자리 수)

1. 수 모형으로 132×2의 계산 방법 알아보기

	1	3	2	
×			2	
			4	… 2×2
		6		… 30×2
	2			… 100×2
	2	6	4	

2. 132×2의 계산

$$\begin{array}{r} 132 \\ \times\ \ \ 2 \\ \hline 4 \end{array} \rightarrow \begin{array}{r} 132 \\ \times\ \ \ 2 \\ \hline 64 \end{array} \rightarrow \begin{array}{r} 132 \\ \times\ \ \ 2 \\ \hline 264 \end{array}$$

유형

1 수 모형을 214씩 2번 놓았습니다. □ 안에 알맞은 수를 써넣으세요.

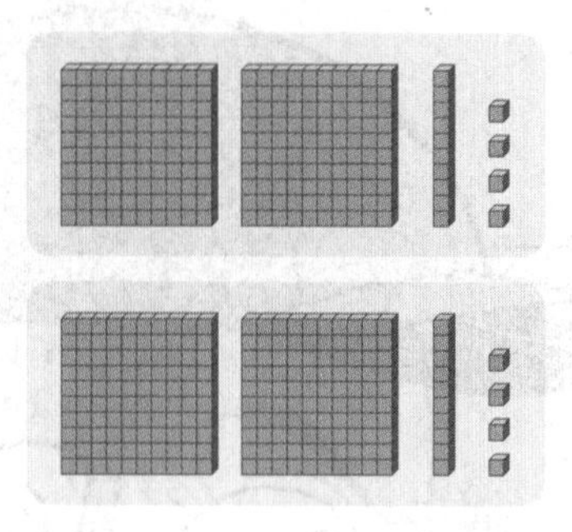

$214\times2=$ □

2 계산해 보세요.

(1)
$$\begin{array}{r} 113 \\ \times\ \ \ 3 \\ \hline \end{array}$$

(2)
$$\begin{array}{r} 102 \\ \times\ \ \ 4 \\ \hline \end{array}$$

3 빈 곳에 두 수의 곱을 써넣으세요.

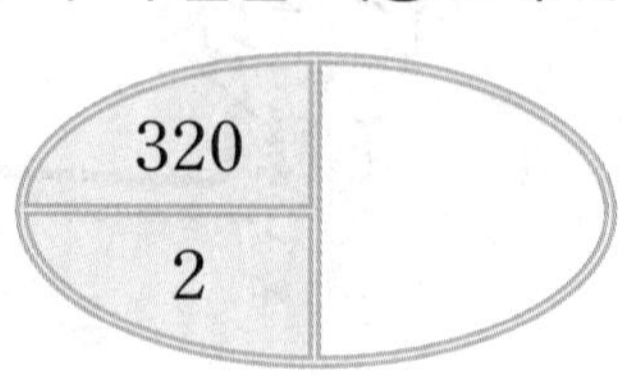

4 바르게 계산한 것을 찾아 기호를 써 보세요.

(   )

5 보기와 같이 계산 결과를 찾아 색칠해 보세요.

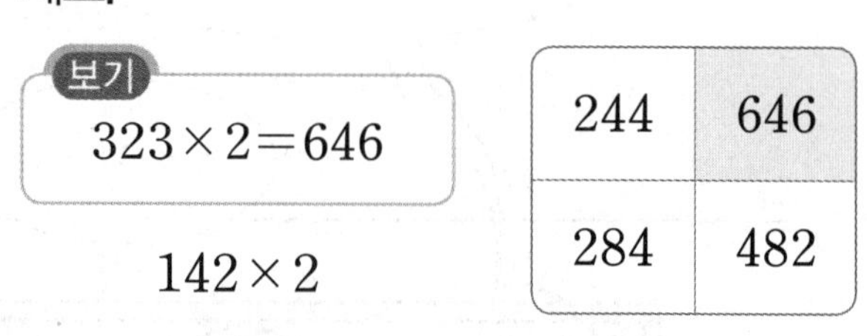

6 살구가 한 상자에 110개씩 들어 있습니다. 5상자에는 살구가 모두 몇 개 들어 있나요?

개념 2 일의 자리에서 올림이 있는 (세 자리 수)×(한 자리 수)

1. 수 모형으로 216×2의 계산 방법 알아보기

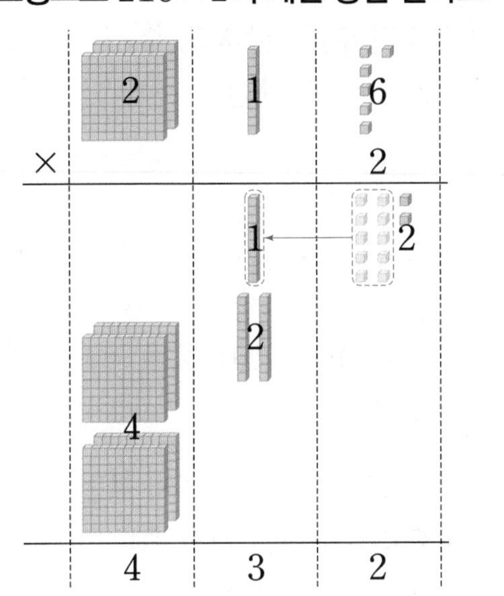

2. 216×2의 계산

$$\begin{array}{r} 2\,1\,6 \\ \times \quad\ \ 2 \\ \hline 1\,2 \\ 2\,0 \\ 4\,0\,0 \\ \hline 4\,3\,2 \end{array}$$

1 2 ⋯ 6×2
2 0 ⋯ 10×2
4 0 0 ⋯ 200×2

$$\begin{array}{r} {}^{1}\quad \\ 2\,1\,6 \\ \times \quad\ \ 2 \\ \hline 4\,3\,2 \end{array}$$

유형

7 수 모형을 보고 □ 안에 알맞은 수를 써넣으세요.

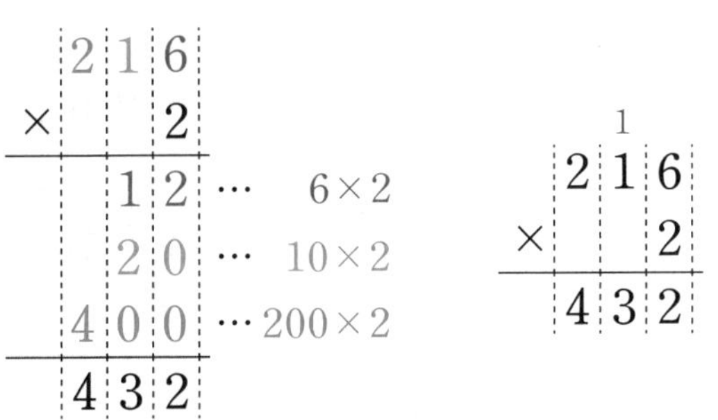

$117\times2=$□

8 보기 와 같이 계산해 보세요.

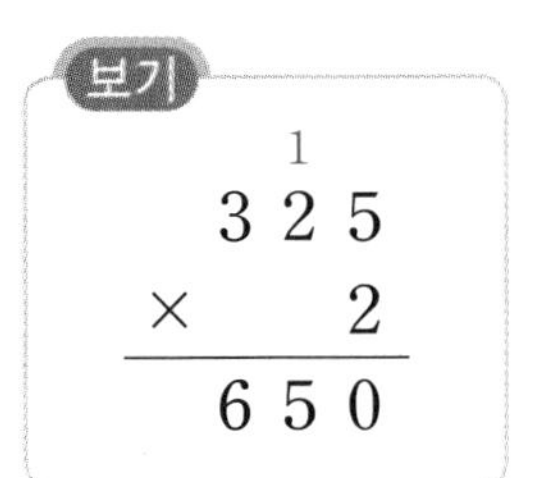
보기

$$\begin{array}{r} {}^{1}\quad \\ 3\,2\,5 \\ \times \quad\ \ 2 \\ \hline 6\,5\,0 \end{array}$$

$$\begin{array}{r} 4\,3\,9 \\ \times \quad\ \ 2 \\ \hline \end{array}$$

9 □ 안에 알맞은 수를 써넣어 보세요.

$$\begin{array}{r} 3\,1\,6 \\ \times \quad\ \ 3 \\ \hline 1\,8 \\ \square \\ 9\,0\,0 \\ \hline \square \end{array}$$

1 8 ⋯ 6×3
□ ⋯ 10×□
9 0 0 ⋯ □×3

10 빈칸에 두 수의 곱을 써넣으세요.

224	3

11 서아가 설명하는 수를 구해 보세요.

(　　　　　　　)

12 종이가 한 묶음에 215장씩 있습니다. 종이 4묶음은 모두 몇 장인가요?

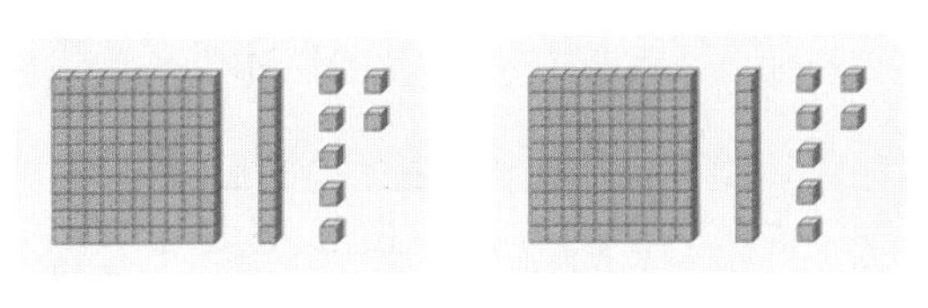

식 ____________________

답 ____________________

13 계산 결과를 찾아 이어 보세요.

108×6 •		• 651
217×3 •		• 608
		• 648

14 크기를 비교하여 ○ 안에 >, =, <를 알맞게 써넣으세요.

630  318×2

15 한 뭉치의 길이가 124 m인 털실이 있습니다. 이 털실 4뭉치의 길이의 합은 몇 m인가요?

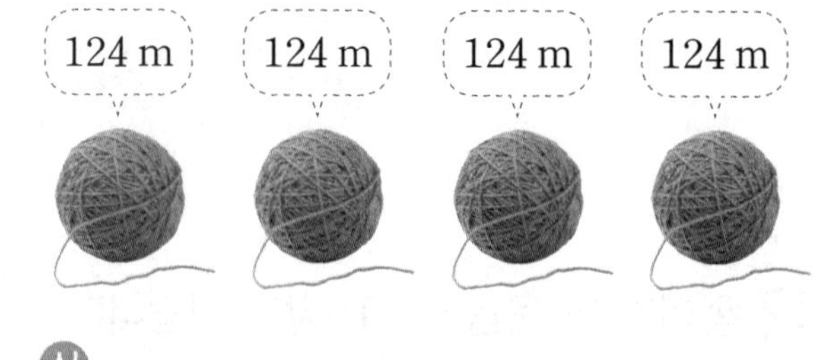

식 ________________

답 ________________

개념 3 십, 백의 자리에서 올림이 있는 (세 자리 수)×(한 자리 수)

1. 십의 자리에서 올림이 있는 (세 자리 수)×(한 자리 수)

예 141×3의 계산

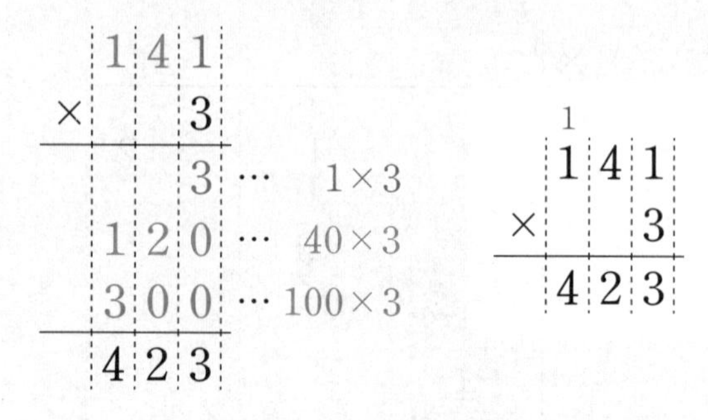

2. 십의 자리, 백의 자리에서 올림이 있는 (세 자리 수)×(한 자리 수)

예 863×2의 계산

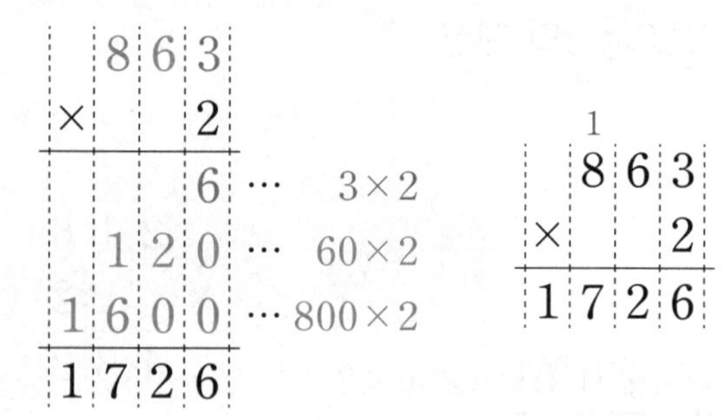

유형

16 □ 안의 숫자 3이 실제로 나타내는 수는 얼마인가요?

$$\begin{array}{r} \boxed{3} \\ 782 \\ \times\quad 4 \\ \hline 3128 \end{array}$$

( )

17 계산해 보세요.

(1) 273×2 (2) 560×9

정답 및 풀이 1쪽

18 덧셈을 곱셈식으로 나타내어 계산해 보세요.

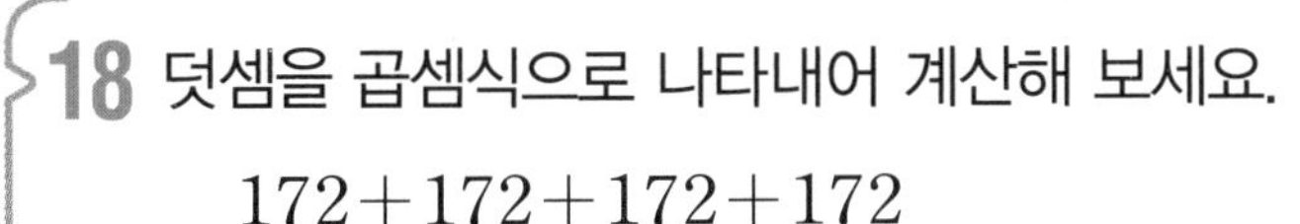

$172+172+172+172$

➜ 곱셈식 □ × □ = □

19 빈 곳에 알맞은 수를 써넣으세요.

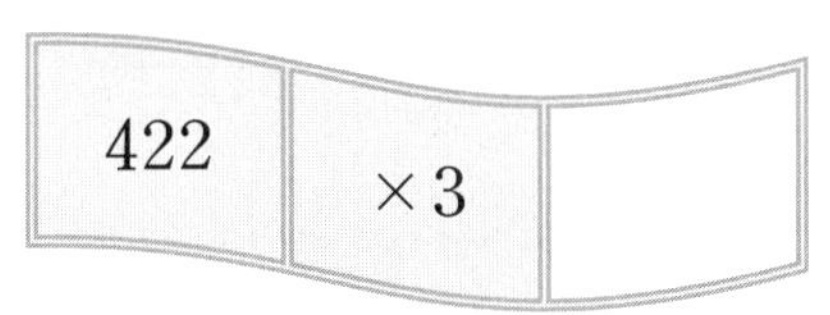

20 두 수의 곱을 구해 보세요.

293 3

(　　　　　　　　)

21 아라는 하루에 750원씩 8일 동안 모았습니다. 아라가 모은 돈은 모두 얼마인가요?

식 ______________________

답 ______________

22 바르게 계산한 사람은 누구인지 이름을 써 보세요.

(　　　　　　　　)

23 원에 적힌 수들의 곱을 구해 보세요.

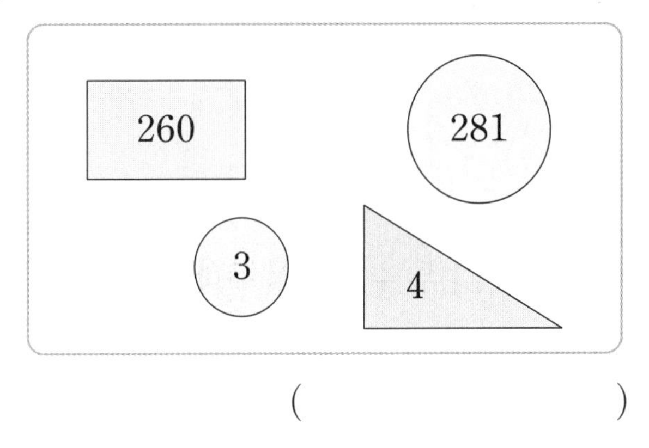

(　　　　　　　　)

24 대화를 보고 민서가 가지고 있는 구슬은 몇 개인지 구해 보세요.

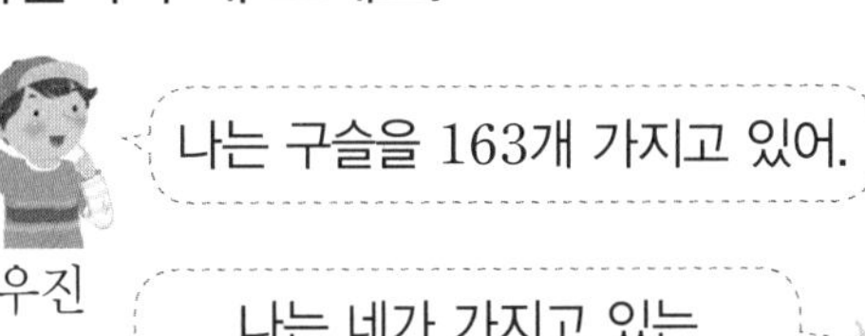

(　　　　　　　　)

개념 1 ~ 3 기초력 집중 연습

[1~9] 계산해 보세요.

1 $\begin{array}{r} 121 \\ \times \quad 4 \\ \hline \end{array}$

2 $\begin{array}{r} 128 \\ \times \quad 3 \\ \hline \end{array}$

3 $\begin{array}{r} 325 \\ \times \quad 2 \\ \hline \end{array}$

4 $\begin{array}{r} 132 \\ \times \quad 4 \\ \hline \end{array}$

5 $\begin{array}{r} 251 \\ \times \quad 7 \\ \hline \end{array}$

6 $\begin{array}{r} 711 \\ \times \quad 8 \\ \hline \end{array}$

7 403×2

8 135×2

9 420×9

[10~11] 두 수의 곱을 구해 □ 안에 써넣으세요.

10 270 | 3 → □

11

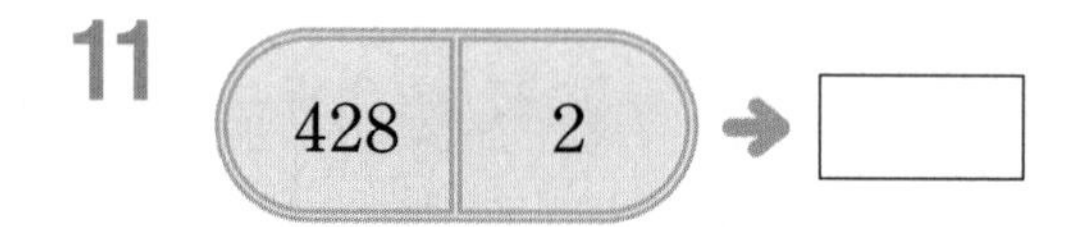

[12~13] 사다리를 타고 내려가 빈 곳에 계산 결과를 써넣으세요.

12

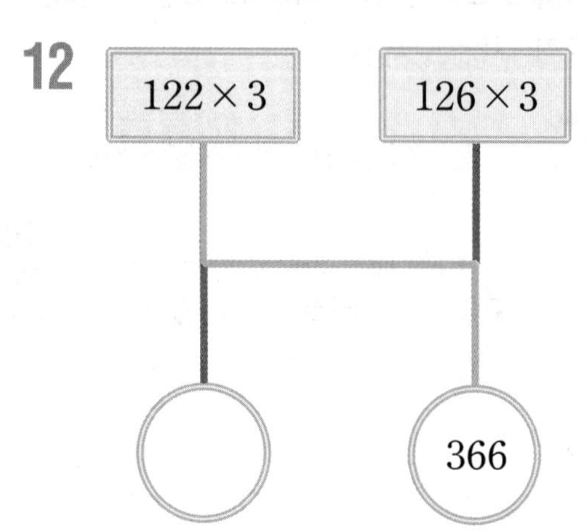

13

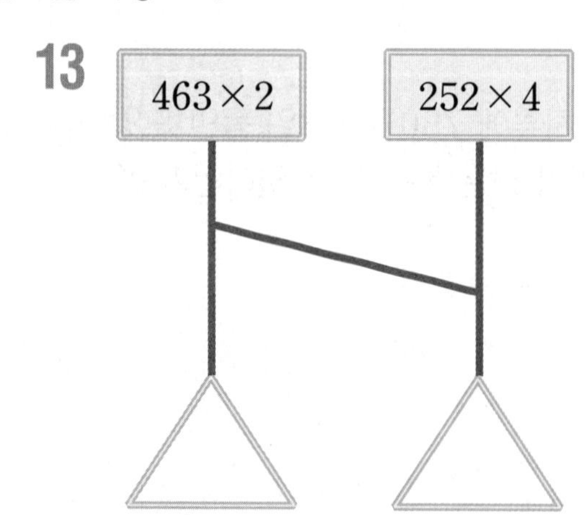

유형 진단 TEST

점수 /10점

정답 및 풀이 2쪽

1 계산 결과가 1026인 것을 찾아 ○표 하세요. [1점]

508×2 ( )　　342×3 ( )

2 계산이 틀린 것을 찾아 기호를 쓰고, 바르게 계산해 보세요. [1점]

㉠ $226 \times 3 = 668$
㉡ $314 \times 2 = 628$

계산이 틀린 것 ( )
바르게 계산한 값 ( )

3 승주는 줄넘기를 매일 150번씩 합니다. 승주가 일주일 동안 하는 줄넘기는 모두 몇 번인가요? [2점]

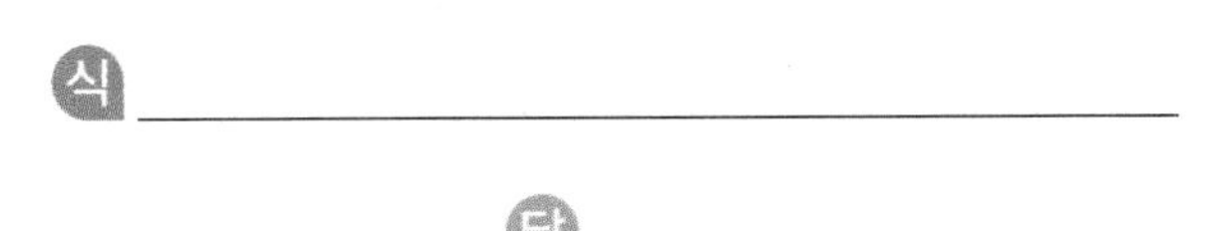

식 ______

답 ______

4 덧셈의 계산 결과를 어림해 보고, 곱셈식으로 계산해 보세요. [2점]

$410+410+410+410+410$

어림 ______

곱셈식 $\square \times \square = \square$

5 곱셈에 알맞은 문제를 만들고, 답을 구해 보세요. [2점]

423×2

문제 클립이 한 상자에 ______

답 ______

6 □ 안에 알맞은 수를 써넣으세요. [2점]

$$\begin{array}{r} 2\,\square\,1 \\ \times \quad\;\; 7 \\ \hline 1\,\square\,8\,7 \end{array}$$

개념 4 (몇십)×(몇십)

예 30×20의 계산

방법1 $30\times20=30\times2\times10$
$=60\times10$
$=600$

	3	0
×	2	0
6	0	0

방법2 $30\times20=3\times2\times10\times10$
$=6\times100=600$

개념 5 (몇십몇)×(몇십)

예 24×20의 계산

방법1 24에 10을 먼저 곱한 후 2를 곱하기
$24\times20=24\times10\times2$
$=240\times2=480$

방법2 24에 2를 먼저 곱한 후 10을 곱하기
$24\times20=24\times2\times10$
$=48\times10=480$

유형

1 □ 안에 알맞은 수를 써넣으세요.

$70\times50=70\times5\times$ □
$=350\times$ □
$=$ □

2 빈칸에 알맞은 수를 써넣으세요.

30 → ×40 → □

3 50원짜리 동전 30개는 얼마인가요?

식 ______________________

답 ______________________

유형

[4~5] 12×20을 계산하려고 합니다. 그림을 보고 □ 안에 알맞은 수를 써넣으세요.

4

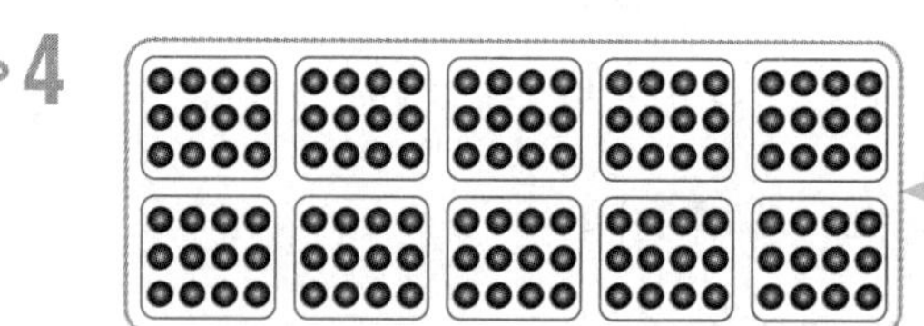

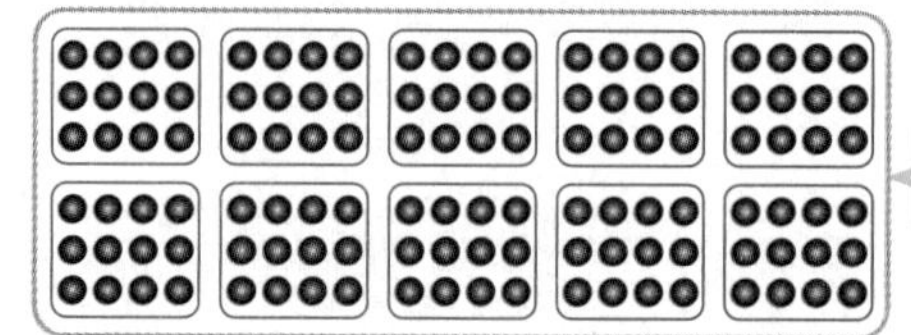

$12\times10\times2=$ □

5

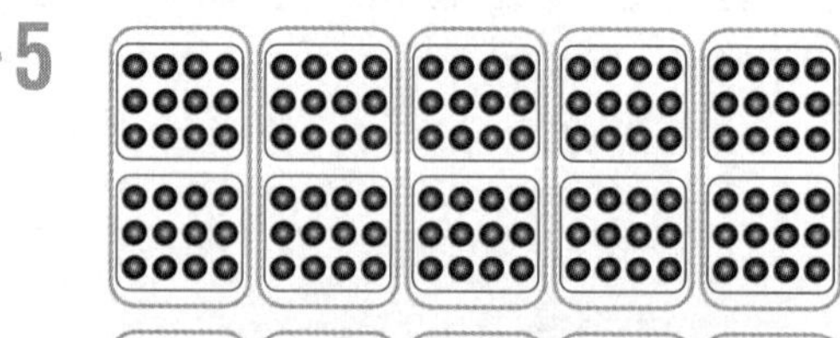

$12\times2=24$
$12\times2\times10=$ □

6 ㉠과 ㉡에 알맞은 수를 각각 구해 보세요.

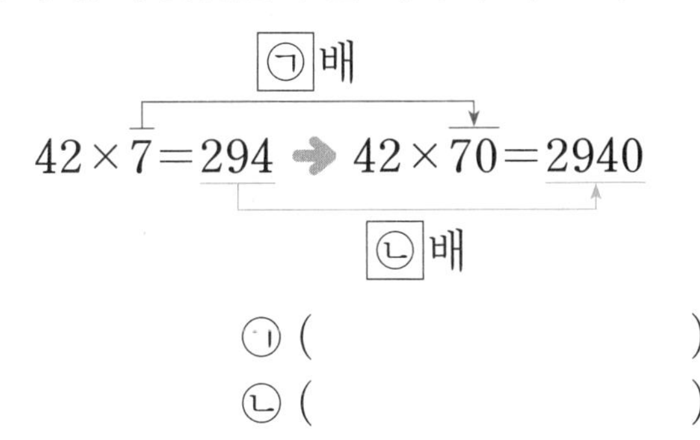

㉠ ( )
㉡ ( )

7 바르게 계산한 것에 색칠해 보세요.

$38 \times 40 = 152$	$43 \times 30 = 1290$

8 빈칸에 알맞은 수를 써넣으세요.

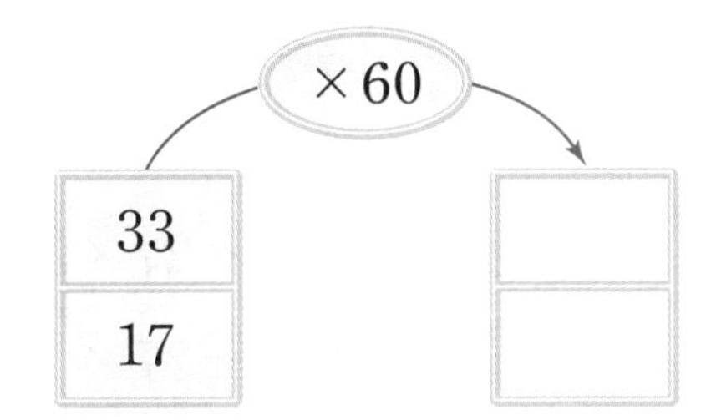

9 초콜릿이 한 봉지에 18개씩 들어 있습니다. 30봉지에는 초콜릿이 모두 몇 개 들어 있나요?

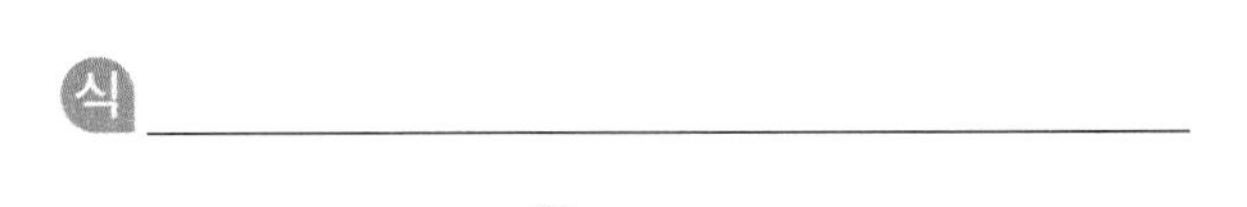

개념 6 (몇)×(몇십몇)

1. 모눈종이로 9×13의 계산 방법 알아보기

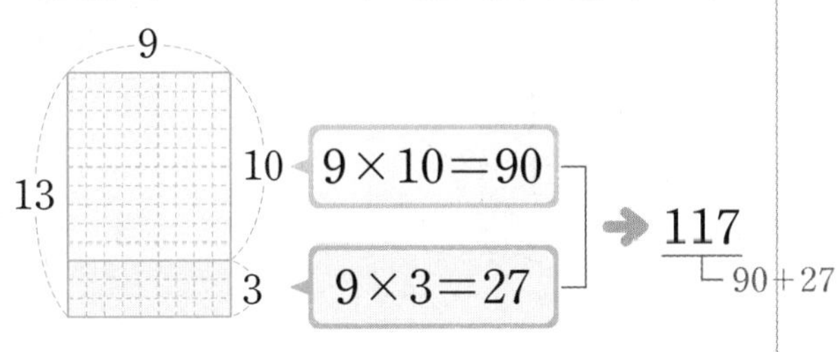

2. 9×13의 계산

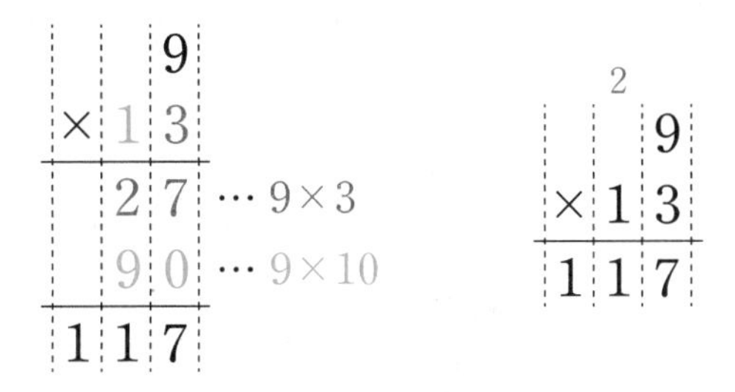

유형

10 □ 안에 알맞은 수를 써넣으세요.

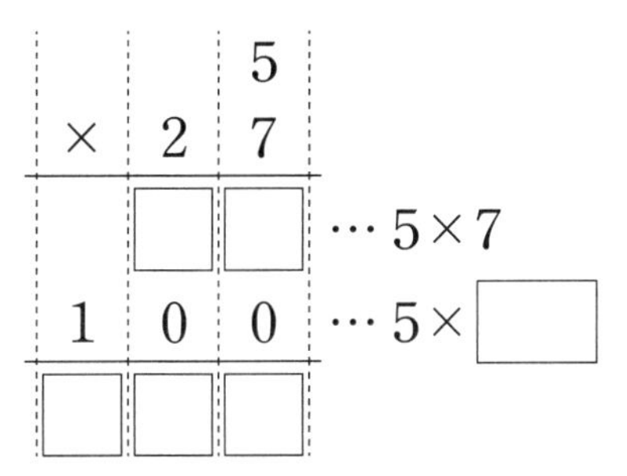

[11~12] 계산해 보세요.

11
$$\begin{array}{r} 4 \\ \times\ 53 \\ \hline \end{array}$$

12
$$\begin{array}{r} 2 \\ \times\ 86 \\ \hline \end{array}$$

13 빈 곳에 알맞은 수를 써넣으세요.

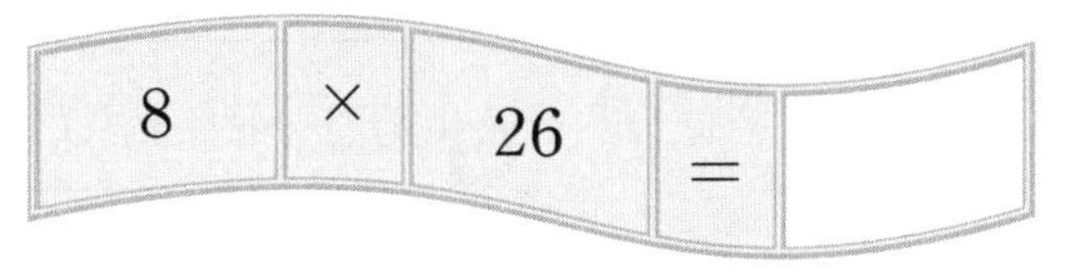

14 잘못 계산한 곳을 찾아 바르게 계산해 보세요.

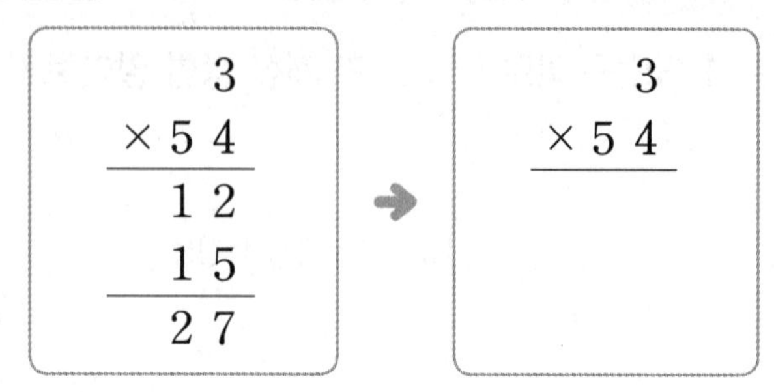

15 우진이가 설명하는 수를 구해 보세요.

(　　　　　　　　)

16 가장 작은 수와 가장 큰 수의 곱을 구해 보세요.

6　　30　　45

(　　　　　　　　)

17 실 한 도막의 길이는 9 cm입니다. 실 21도막의 길이의 합은 몇 cm인가요?

개념 7 올림이 한 번 있는 (몇십몇)×(몇십몇)

1. 14×26의 계산 원리 이해하기

14×26 →
$14\times20=280$
$14\times6\ =\ 84$
$14\times26=364$

2. 14×26의 계산

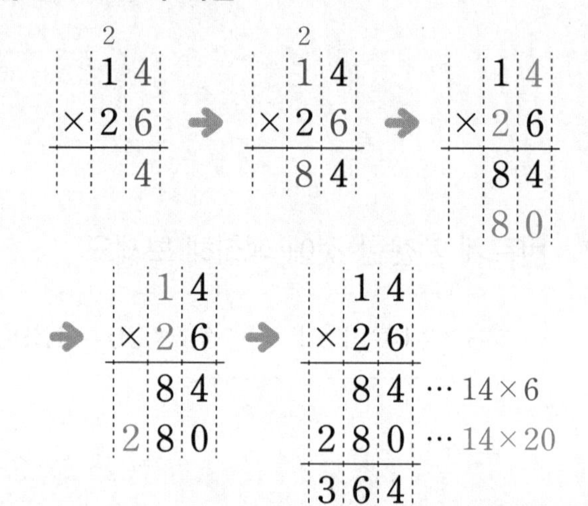

유형

18 □ 안에 알맞은 수를 써넣으세요.

	2	7	
×	1	3	
	□	1	… 27×3
2	7	□	… 27×□
□	□	□	

19 계산해 보세요.

(1)
$$\begin{array}{r} 16 \\ \times\ 14 \\ \hline \end{array}$$

(2)
$$\begin{array}{r} 35 \\ \times\ 21 \\ \hline \end{array}$$

20 □ 안에 알맞은 수를 써넣으세요.

$$15\times16=15\times10+15\times\square$$
$$=\square+\square$$
$$=\square$$

21 계산 결과를 찾아 이어 보세요.

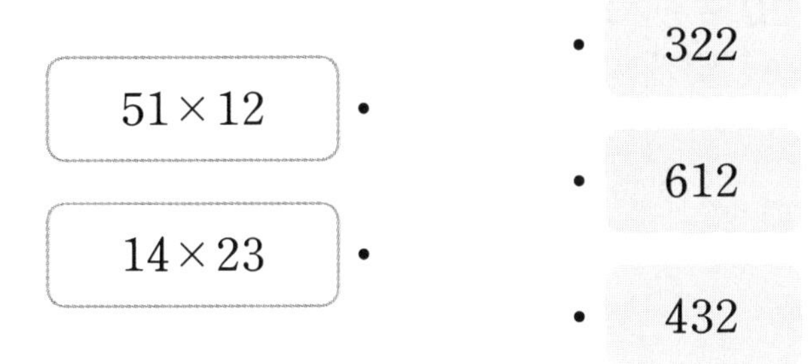

22 더 많은 것을 찾아 이름을 써 보세요.

참외	250개
귤	한 상자에 18개씩 15상자

( )

23 젤리를 한 사람에게 52개씩 나누어 주려고 합니다. 13명에게 나누어 줄 때 필요한 젤리는 모두 몇 개인가요?

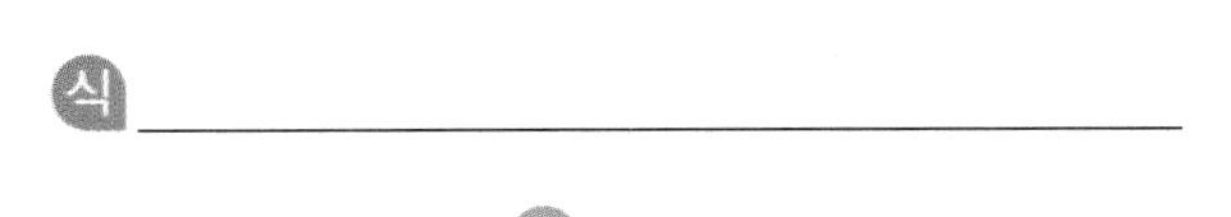

개념 8 올림이 여러 번 있는 (몇십몇)×(몇십몇)

1. 모눈종이로 35×23의 계산 방법 알아보기

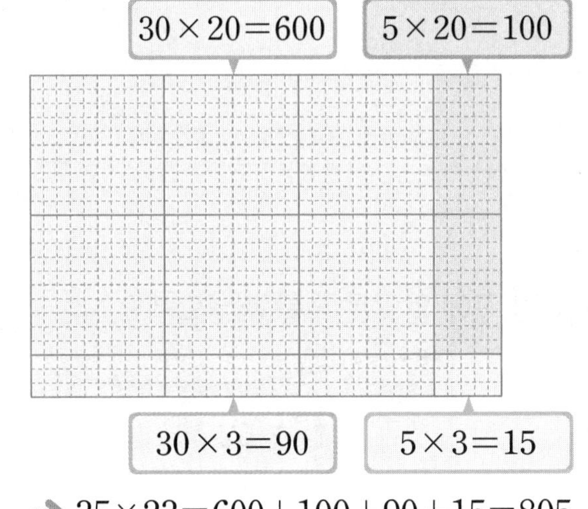

➔ $35\times23=600+100+90+15=805$

2. 35×23의 계산

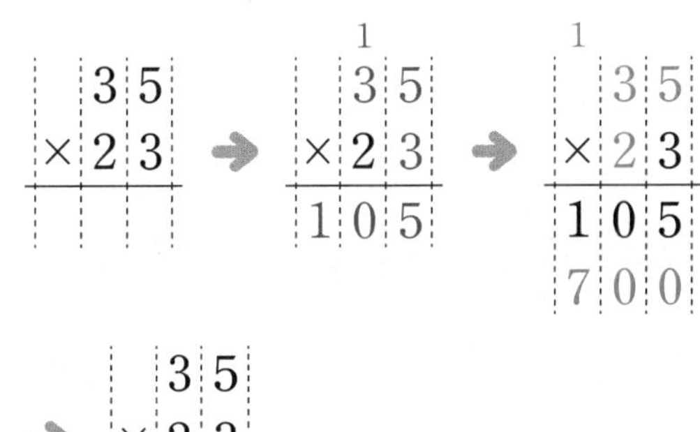

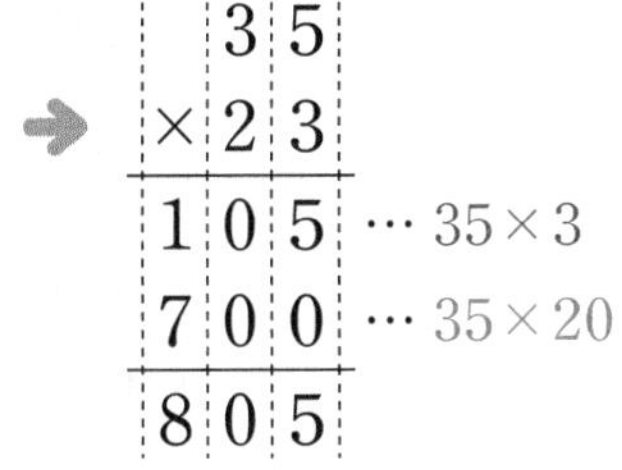

유형

24 곱셈식에서 □ 안의 숫자끼리의 곱이 실제로 나타내는 값은 얼마인가요? …… ( )

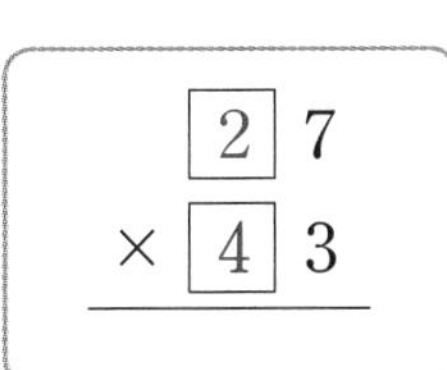

① 8 ② 80 ③ 600
④ 800 ⑤ 8000

25 계산해 보세요.

(1) $\begin{array}{r} 53 \\ \times\ 32 \\ \hline \end{array}$　　(2) $\begin{array}{r} 15 \\ \times\ 34 \\ \hline \end{array}$

26 빈 곳에 알맞은 수를 써넣으세요.

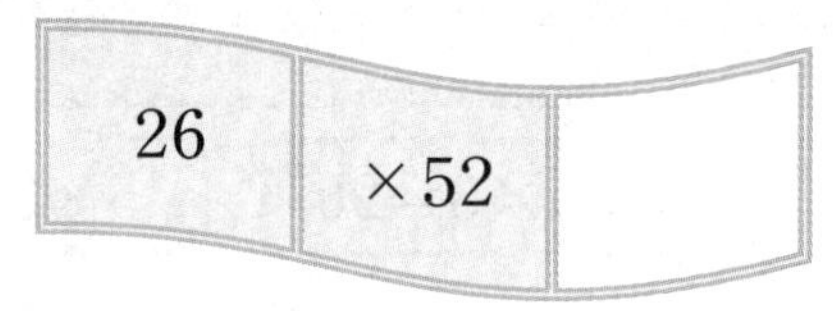

27 바르게 계산한 것을 찾아 ○표 하세요.

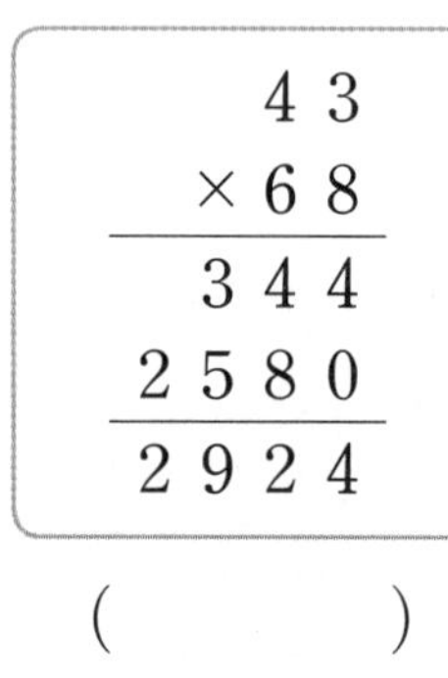

$\begin{array}{r} 43 \\ \times\ 68 \\ \hline 344 \\ 2580 \\ \hline 2924 \end{array}$

$\begin{array}{r} 35 \\ \times\ 29 \\ \hline 315 \\ 600 \\ \hline 915 \end{array}$

(　　　)　　(　　　)

28 두 사람이 말한 수의 곱을 구해 보세요.

33　　77

(　　　　　　)

29 설명하는 수는 얼마인가요?

24의 36배

(　　　　　　)

30 크기를 비교하여 ○ 안에 >, =, <를 알맞게 써넣으세요.

39×24 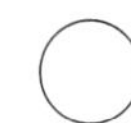 930

31 계산 결과가 2390보다 큰 것을 찾아 기호를 써 보세요.

㉠ 85×28　　㉡ 46×52

(　　　　　　)

32 수희는 하루에 수학 문제를 35개씩 매일 풉니다. 수희가 24일 동안 푸는 수학 문제는 모두 몇 개인가요?

9 곱셈 활용하기

구하려는 것과 조건을 살펴본 후 식을 세워 답을 구해 봐~

진주네 반 학생들에게 공책을 3권씩 주려고 합니다. 진주네 반 학생이 25명일 때 필요한 공책은 몇 권인가요?
(조건) (구하려는 것)

식 $3\times25=75$

답 75권

[33~34] 하윤이는 어머니와 함께 시장에 갔습니다. 물음에 답해 보세요.

33 어머니께서 다음과 같이 멸치를 사셨습니다. 어머니께서 사신 멸치는 모두 몇 마리인가요?

한 봉지에 45마리씩 들어 있는 멸치 20봉지

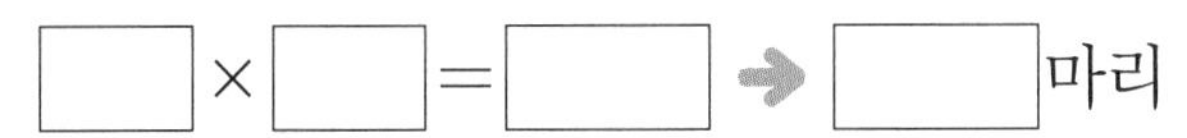

□ × □ = □ ➜ □마리

34 하윤이는 친구들에게 주려고 다음과 같이 사탕을 샀습니다. 하윤이가 산 사탕은 모두 몇 개인가요?

한 상자에 4개씩 들어 있는 사탕을 18상자 샀어~

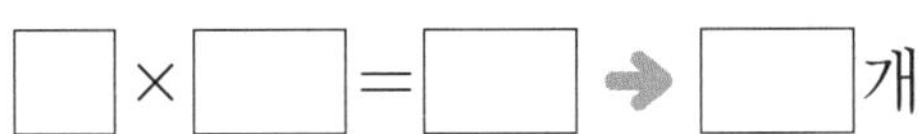

□ × □ = □ ➜ □개

35 운동용품이 들어 있는 상자 한 개의 무게가 14 kg입니다. 똑같은 상자 75개의 무게는 모두 몇 kg인가요?

식 ____________________

답 ____________________

36 어느 날 캐나다 돈 1달러는 우리나라 돈 884원과 같았습니다. 이날 캐나다 돈 8달러는 우리나라 돈으로 얼마인가요?

캐나다 돈 1달러	=	우리나라 돈 884원

식 ____________________

답 ____________________

[37~38] 객실 한 량의 좌석 배치가 다음과 같은 열차가 있습니다. 물음에 답해 보세요.

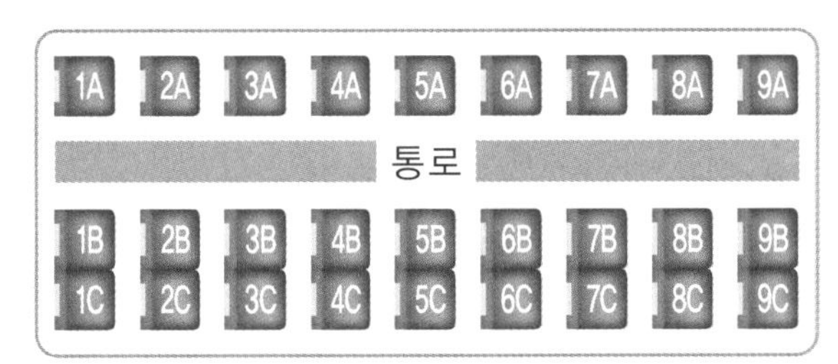

37 객실 한 량의 좌석은 몇 개인가요?

( )

38 객실 13량의 좌석은 모두 몇 개인가요?

( )

개념 4 ~ 9 기초력 집중 연습

[1~9] 계산해 보세요.

1

$$\begin{array}{r} 4 \\ \times\ 9\ 3 \\ \hline \end{array}$$

2

$$\begin{array}{r} 7 \\ \times\ 6\ 2 \\ \hline \end{array}$$

3

$$\begin{array}{r} 5 \\ \times\ 3\ 4 \\ \hline \end{array}$$

4

$$\begin{array}{r} 2\ 9 \\ \times\ 1\ 3 \\ \hline \end{array}$$

5

$$\begin{array}{r} 2\ 4 \\ \times\ 2\ 3 \\ \hline \end{array}$$

6

$$\begin{array}{r} 3\ 5 \\ \times\ 2\ 6 \\ \hline \end{array}$$

7 80×40

8 45×30

9 37×25

[10~11] 빈칸에 알맞은 수를 써넣으세요.

10

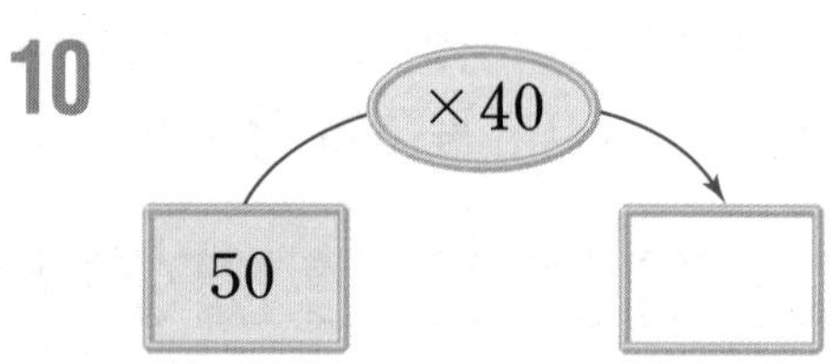

11

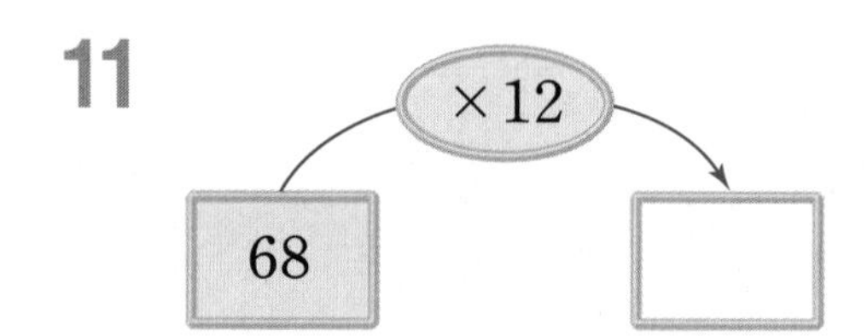

[12~13] 방울토마토가 한 상자에 다음과 같이 들어 있습니다. 방울토마토는 모두 몇 개인지 구해 보세요.

12

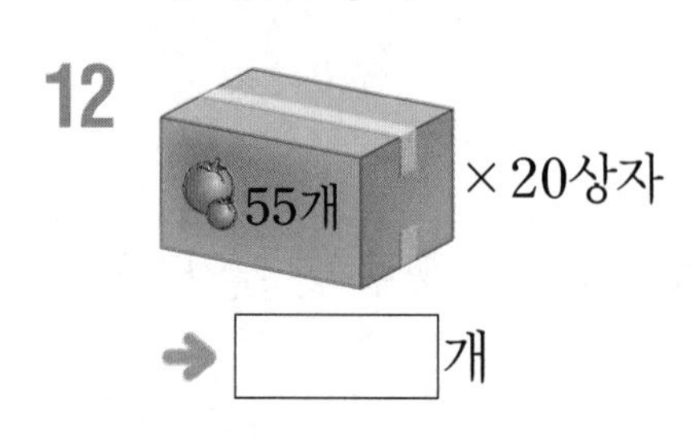

➔ ☐개

13

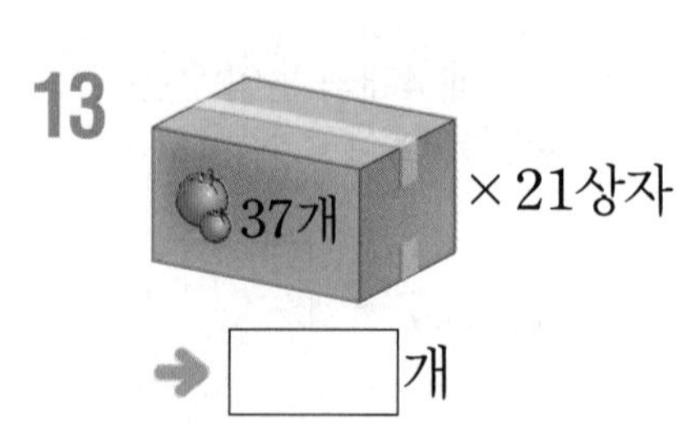

➔ ☐개

유형 진단 TEST

점수 /10점

정답 및 풀이 4쪽

1 ㉠과 ㉡에 각각 알맞은 수를 구해 보세요. [1점]

- $80 \times 20 = \boxed{㉠}00$
- $80 \times 50 = \boxed{㉡}00$

㉠ (　　　　　　　　)
㉡ (　　　　　　　　)

2 바르게 계산한 사람을 찾아 이름을 써 보세요. [1점]

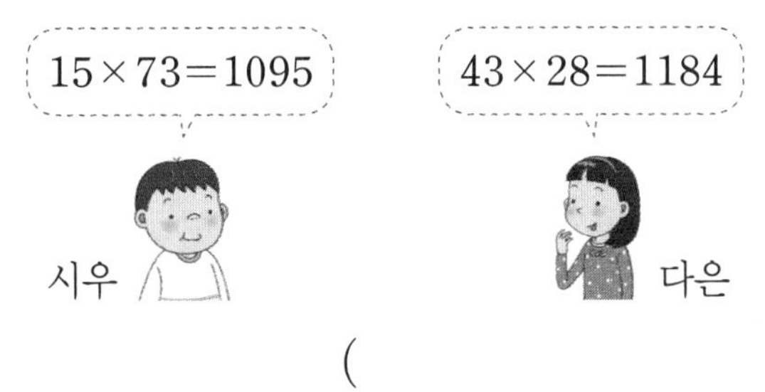

(　　　　　　　　)

3 재준이는 종이배를 하루에 14개씩 접었습니다. 재준이가 15일 동안 접은 종이배는 모두 몇 개인가요? [2점]

4 호떡이 한 봉지에 5개씩 18봉지 있습니다. 호떡은 모두 몇 개 있는지 두 가지 방법으로 계산하고, 답을 구해 보세요. [2점]

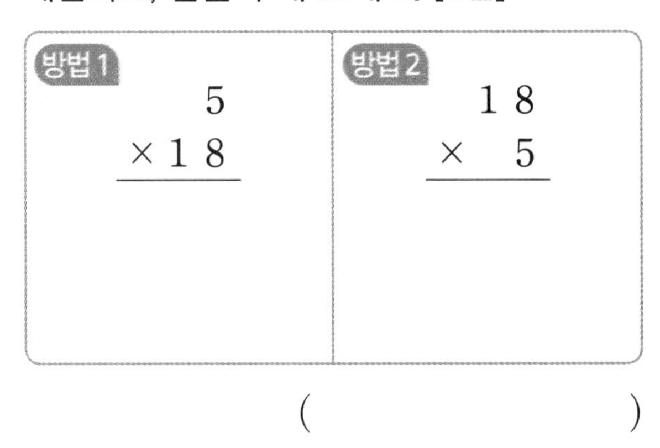

(　　　　　　　　)

5 □ 안에 알맞은 수를 써넣으세요. [2점]

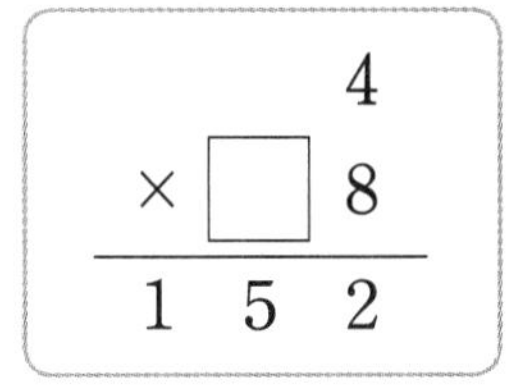

6 어떤 수에 30을 곱해야 할 것을 잘못하여 뺐더니 42가 되었습니다. 바르게 계산한 값은 얼마인지 구해 보세요. [2점]

(1) 어떤 수는 얼마인가요?

(　　　　　　　　)

(2) 바르게 계산한 값은 얼마인가요?

(　　　　　　　　)

STEP 2

꼬리를 무는 유형

❶ 수직선으로 곱셈 알아보기

기본 유형

1 □ 안에 알맞은 수를 써넣으세요.

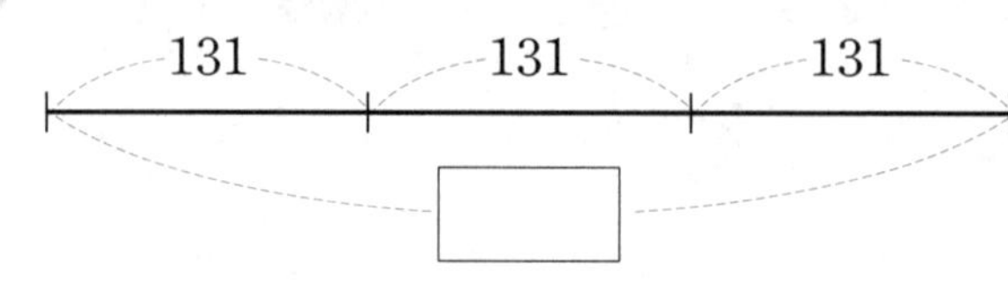

변형 유형

2 ㉠에 알맞은 수를 구해 보세요.

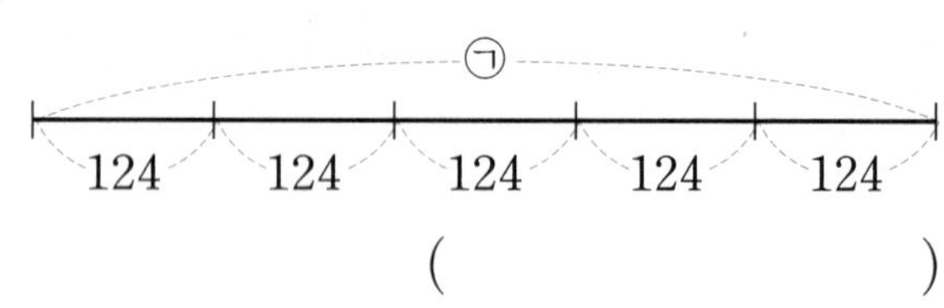

( )

실생활 유형

3 다음과 같이 나무가 같은 간격으로 심어져 있습니다. ㉠의 거리는 몇 m인가요? (단, 나무의 굵기는 생각하지 않습니다.)

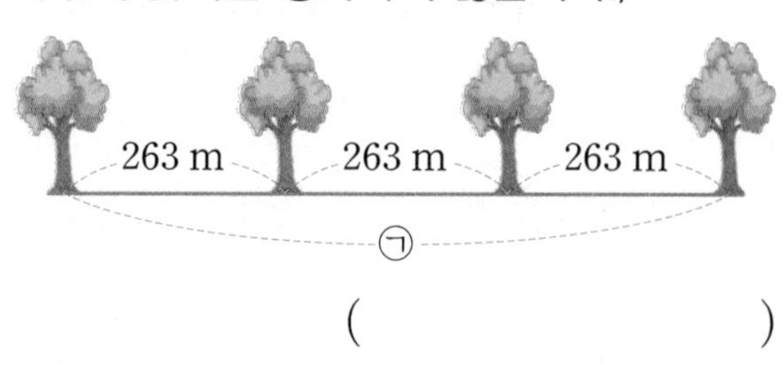

( )

❷ (몇십)×(몇십)

기본 유형

4 ♥에 알맞은 수를 구해 보세요.

$20\times 90=$ ♥ 00

( )

변형 유형

5 ㉠에 알맞은 수를 구해 보세요.

$60\times$ ㉠ $0=4200$

( )

변형 유형

6 □ 안에 들어갈 0은 몇 개인가요?

$40\times 50=2$ □

( )

문장제 유형

7 곱셈식에 잉크가 묻어 보이지 않습니다. 잉크가 묻은 곳에 알맞은 수는 얼마인가요?

$90\times 40=$ ■00

( )

③ 도형의 변의 길이의 합 구하기

기본 유형 **8** 한 변이 212 cm인 정사각형이 있습니다. 이 정사각형의 네 변의 길이의 합은 몇 cm인가요?

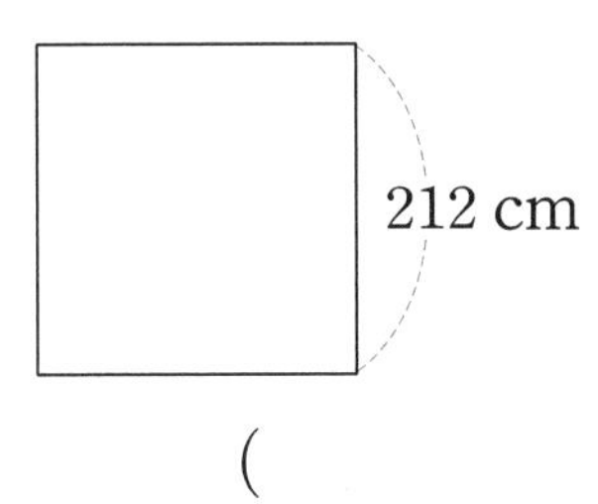

( )

변형 유형 **9** 한 변이 129 cm이고 세 변의 길이가 모두 같은 삼각형이 있습니다. 이 삼각형의 세 변의 길이의 합은 몇 cm인가요?

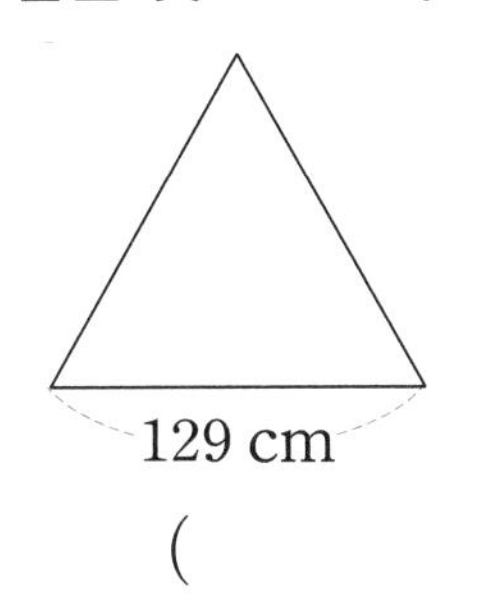

( )

실생활 유형 **10** 은주네 거실의 벽에 다음과 같은 정사각형 모양의 벽지를 붙이려고 합니다. 이 벽지의 네 변의 길이의 합은 몇 cm인가요?

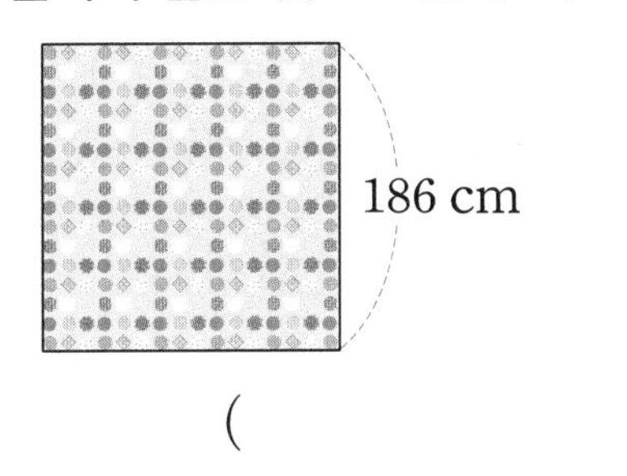

( )

④ 모눈종이를 이용하여 곱셈 알아보기

기본 유형 **11** 주어진 곱셈식을 모눈종이에 나타내고, 그 곱을 구해 보세요.

16×13

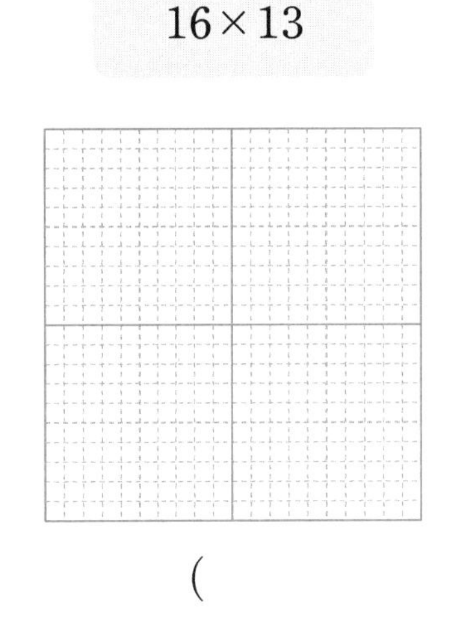

( )

변형 유형 **12** 색칠한 전체 모눈의 수를 곱셈식으로 나타내고, 계산해 보세요.

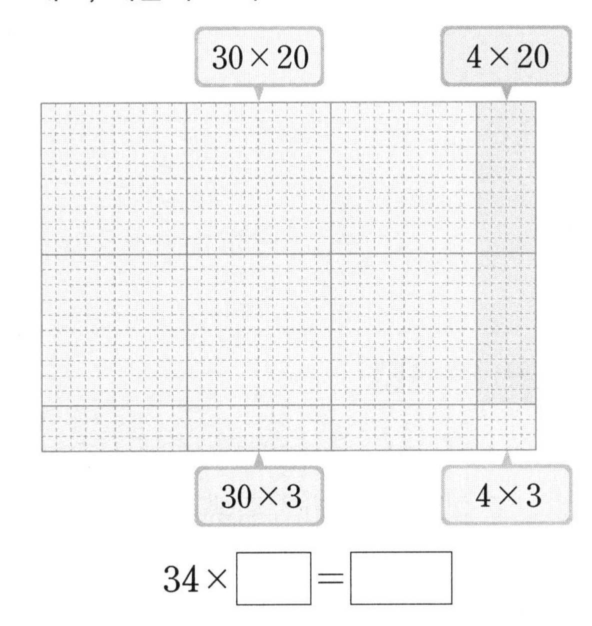

$34 \times \square = \square$

STEP 3

수학 독해력 유형

독해력 유형 1 나누어 줄 때 필요한 양 구하기

진성이네 학교에서 운동회 때 간식으로 먹을 쿠키를 3학년 학생 모두에게 한 명당 13개씩 주려고 합니다. 각 반의 학생 수가 다음과 같을 때 필요한 쿠키는 모두 몇 개인가요?

반	1	2	3	4	합계
학생 수(명)	23	25	24	21	

What? 구하려는 것을 찾아 밑줄을 그어 보세요.

How? ❶ 반 학생 수를 모두 더하여 3학년 전체 학생 수 구하기

❷ 3학년 전체 학생 수를 이용하여 필요한 쿠키의 수 구하기

Solve ❶ 3학년 전체 학생은 몇 명인가요?

( )

❷ 필요한 쿠키는 모두 몇 개인가요?

( )

구하려는 것을 찾아 밑줄을 그은 후 세운 계획에 따라 문제를 풀어 봐~

쌍둥이 유형 1-1

규희네 학교에서 과학 시간에 사용할 쇠구슬을 3학년 학생 모두에게 한 명당 12개씩 주려고 합니다. 각 반의 학생 수가 다음과 같을 때 필요한 쇠구슬은 모두 몇 개인가요?

반	1	2	3	4	합계
학생 수(명)	26	25	23	25	

( )

독해력 유형 2 수 카드의 수를 골라 계산 결과가 가장 큰 곱셈식 만들기

다음과 같은 4장의 수 카드 중 2장을 골라 계산 결과가 가장 큰 곱셈식을 만들려고 합니다. ㉠과 ㉡에 알맞은 수를 각각 구해 보세요.

2, 3, 6, 7 →

$$\begin{array}{r} ㉠ \\ \times\ 5\ ㉡ \\ \hline \end{array}$$

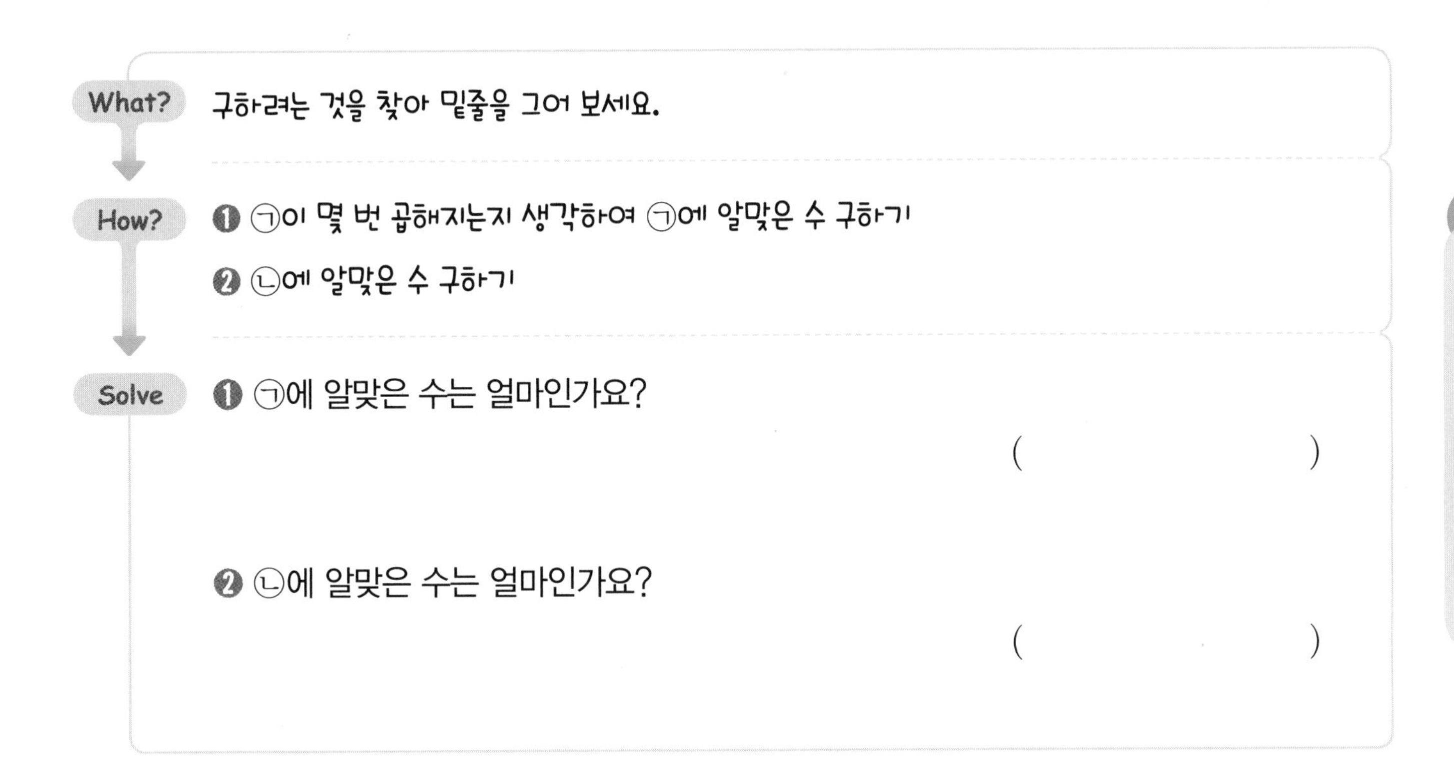

구하려는 것을 찾아 밑줄을 그은 후 세운 계획에 따라 문제를 풀어 봐~

쌍둥이 유형 2-1

다음과 같은 4장의 수 카드 중 2장을 골라 계산 결과가 가장 큰 곱셈식을 만들려고 합니다. ㉠과 ㉡에 알맞은 수를 각각 구해 보세요.

8, 4, 9, 3 →

$$\begin{array}{r} ㉠ \\ \times\ 7\ ㉡ \\ \hline \end{array}$$

㉠ ( ), ㉡ ( )

4 STEP 사고력 플러스 유형

플러스 유형 ❶ 잘못 계산한 곳을 찾아 바르게 계산하기

1-1 잘못 계산한 곳을 찾아 바르게 계산해 보세요.

```
    4              4
  × 7 3    ➜     × 7 3
  -----          -----
    1 2
    2 8
  -----
    4 0
```

1-2 잘못 계산한 곳을 찾아 바르게 계산해 보세요.

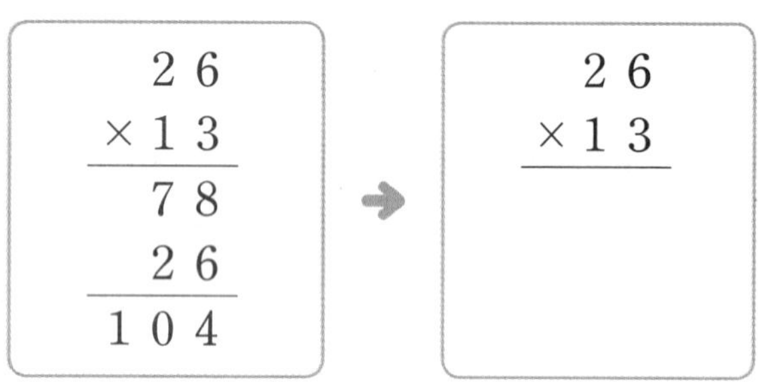

```
    2 6            2 6
  × 1 3    ➜     × 1 3
  -----          -----
    7 8
    2 6
  -----
  1 0 4
```

1-3 잘못 계산한 것을 찾아 기호를 쓰고, 바르게 계산해 보세요.

```
㉠    1          ㉡    1
    2 1 5            5 7 3
  ×     3          ×     2
  -------          -------
    6 4 5          1 0 5 6
```

잘못 계산한 것 (　　　　　　)

바르게 계산한 값 (　　　　　　)

플러스 유형 처방전

윗자리로 올림하는 수에 주의하여 곱셈을 계산해 봐용~

플러스 유형 ❷ 수의 크기를 비교하여 두 수의 곱 구하기

2-1 가장 큰 수와 2의 곱을 구해 보세요.

428　　432　　387

(　　　　　　)

2-2 가장 큰 수와 23의 곱을 구해 보세요.

72　　74　　87

(　　　　　　)

2-3 가장 큰 수와 가장 작은 수의 곱을 구해 보세요.

45　　50　　30

(　　　　　　)

2-4 가장 큰 수와 가장 작은 수의 곱을 구해 보세요.

20　　42　　98

(　　　　　　)

플러스 유형 3 덧셈을 곱셈식으로 계산하기

3-1 ㉠은 26을 18번 더한 수입니다. ㉠은 얼마인지 구해 보세요.

$$㉠ = \underbrace{26+26+\cdots\cdots+26+26}_{18번}$$

( )

3-2 ㉠은 21을 25번 더한 수입니다. ㉠은 얼마인지 구해 보세요.

$$㉠ = \underbrace{21+21+\cdots\cdots+21+21}_{25번}$$

( )

3-3 설명하는 값을 구해 보세요.

273을 5번 더한 값

( )

플러스 유형 처방전

$$\underbrace{■+■+\cdots\cdots+■+■}_{▲번} \rightarrow ■\times▲$$

플러스 유형 4 나타내는 수의 몇 배 구하기

4-1 설명하는 수의 5배는 얼마인가요?

100이 2개, 10이 4개, 1이 3개인 수

( )

서술형

4-2 설명하는 수의 7배는 얼마인지 풀이 과정을 쓰고 답을 구해 보세요.

100이 9개, 10이 2개, 1이 5개인 수

풀이

답

사고력 유형

4-3 수 모형이 나타내는 수의 3배는 얼마인가요?

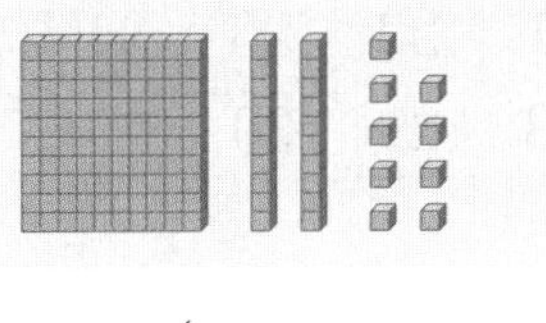

( )

플러스 유형 처방전

설명하는 수 또는 수 모형이 나타내는 수를 구한 후 ■배를 계산해용~

플러스 유형 5 달력을 보고 문제 해결하기

5-1 문규가 한 달 동안 매주 화요일, 수요일, 목요일에 수영을 각각 45분씩 했습니다. 문규가 한 달 동안 수영을 한 시간은 모두 몇 분인가요?

일	월	화	수	목	금	토
			1	2	3	4
5	6	7	8	9	10	11
12	13	14	15	16	17	18
19	20	21	22	23	24	25
26	27	28	29	30	31	

( )

서술형

5-2 지수가 한 달 동안 매주 월요일, 수요일, 금요일에 영어 단어를 각각 15개씩 외웠습니다. 지수가 한 달 동안 외운 영어 단어는 모두 몇 개인지 풀이 과정을 쓰고 답을 구해 보세요.

일	월	화	수	목	금	토
	1	2	3	4	5	6
7	8	9	10	11	12	13
14	15	16	17	18	19	20
21	22	23	24	25	26	27
28	29	30				

풀이

답

플러스 유형 6 열량 구하기

6-1 식품별 열량이 다음과 같을 때 지호가 먹은 간식의 열량은 모두 얼마인가요?

간식	열량(킬로칼로리)
송편 1개	43
만두 1개	52

나는 간식으로 송편 12개와 만두 1개를 먹었어.

지호

( ) 킬로칼로리

서술형

6-2 식품별 열량이 다음과 같을 때 서아가 먹은 간식의 열량은 모두 얼마인지 풀이 과정을 쓰고 답을 구해 보세요.

간식	열량(킬로칼로리)
호빵 1개	225
방울토마토 1개	9

서아

나는 간식으로 호빵 1개와 방울토마토 18개를 먹었어.

풀이

답 킬로칼로리

플러스 유형 7 수 카드로 계산 결과가 가장 큰 곱셈식 만들기

독해력 유형

7-1 수 카드 4, 6, 8 을 한 번씩만 사용하여 계산 결과가 가장 큰 곱셈식을 만들어 보세요.

ㄱ ㄴ × 3 ㄷ

단계 1 ㄱ에 알맞은 수는 얼마인가요?

( )

단계 2 ㄴ과 ㄷ에 알맞은 수는 각각 얼마인가요?

ㄴ ( )

ㄷ ( )

7-2 수 카드 3, 7, 4 를 한 번씩만 사용하여 계산 결과가 가장 큰 곱셈식을 만들려고 합니다. □ 안에 알맞은 수를 써넣으세요.

□□ × 6□

플러스 유형 처방전

- 계산 결과가 가장 큰 곱셈식

가장 큰 수 → □□ ← 가장 작은 수

× □□ ← 두 번째로 큰 수

플러스 유형 8 약속과 같이 계산하기

독해력 유형

8-1 ㄱ♥ㄴ을 약속과 같이 계산할 때 23♥18을 계산해 보세요.

약속

ㄱ−ㄴ=ㄷ, ㄱ+ㄴ=ㄹ일 때

ㄱ♥ㄴ=ㄷ×ㄹ입니다.

단계 1 23−18은 얼마인가요?

( )

단계 2 23+18은 얼마인가요?

( )

단계 3 □ 안에 알맞은 수를 써넣으세요.

23♥18=□×□

단계 4 위 단계 3의 식을 계산하여 23♥18의 값을 구해 보세요.

( )

8-2 ㄱ★ㄴ을 약속과 같이 계산할 때 64★33을 계산해 보세요.

약속

ㄱ−ㄴ=ㄷ, ㄱ+ㄴ=ㄹ일 때

ㄱ★ㄴ=ㄷ×ㄹ입니다.

( )

플러스 유형 처방전

약속에 따라 계산할 때에는 기호가 어떤 식을 나타내는지 생각하여 계산해 보라능~

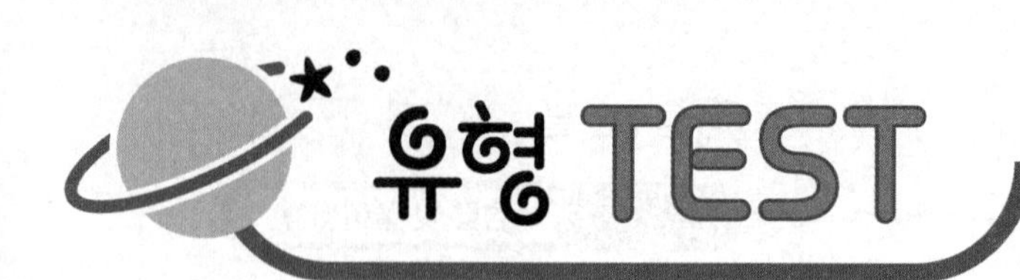

점수

1 색칠한 부분은 실제로 어떤 수의 곱인지 찾아 ○표 하세요.

$$\begin{array}{r} 4\,3\,7 \\ \times \quad\;\; 2 \\ \hline 1\,4 \\ 6\,0 \\ 8\,0\,0 \\ \hline 8\,7\,4 \end{array}$$

(색칠한 부분: 60)

3×2

30×2

300×2

2 보기와 같이 계산해 보세요.

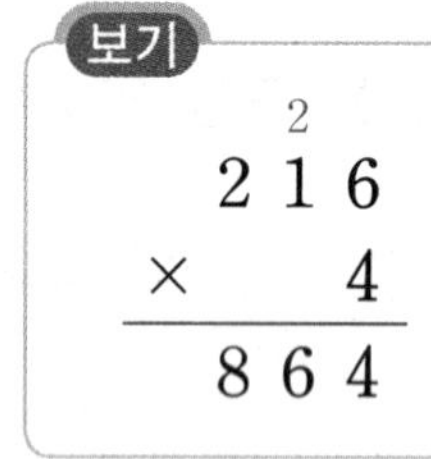

$$\begin{array}{r} 2\,2\,7 \\ \times \quad\;\; 3 \\ \hline \end{array}$$

3 빈칸에 알맞은 수를 써넣으세요.

4 두 수의 곱을 구해 보세요.

14　　25

(　　　　　　)

5 계산 결과가 396인 것을 찾아 기호를 써 보세요.

㉠ 6×66　　㉡ 122×3

(　　　　　　)

6 바르게 계산한 사람을 찾아 ○표 하세요.

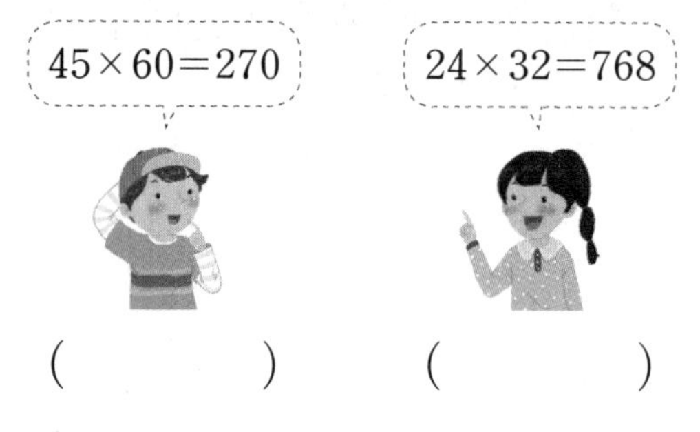

(　　　)　　(　　　)

7 덧셈을 곱셈식으로 나타내어 계산해 보세요.

$316+316+316+316+316+316$

➔ 곱셈식 $\square\times\square=\square$

8 사탕 한 개의 값은 90원입니다. 사탕 50개의 값은 얼마인가요?

(　　　　　　)

9 설명하는 수를 구해 보세요.

16의 80배

( )

10 보기와 같이 계산 결과를 찾아 색칠해 보세요.

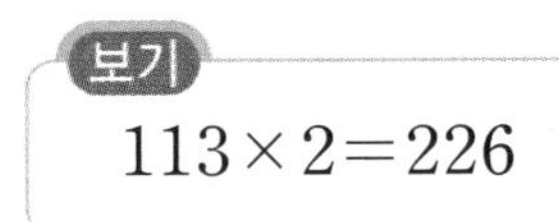

240×2

280	480
840	226

11 크기를 비교하여 ○ 안에 >, =, <를 써넣으세요.

240 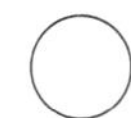 9×27

12 한 상자에 나무토막이 17개 들어 있습니다. 15상자에 들어 있는 나무토막은 모두 몇 개인가요?

( )

13 빈칸에 알맞은 수를 써넣으세요.

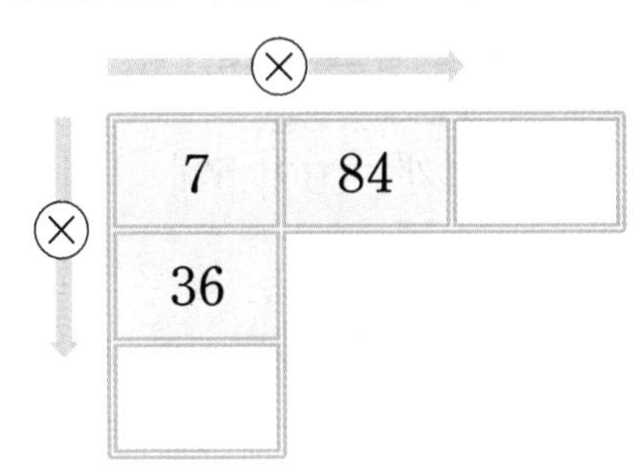

14 하루는 24시간이고 1시간은 60분입니다. 하루는 몇 분인가요?

( )

15 계산 결과가 400보다 큰 곱셈식을 찾아 기호를 써 보세요.

㉠ 12×27 ㉡ 25×16 ㉢ 202×2

( )

16 □ 안에 알맞은 수를 써넣으세요.

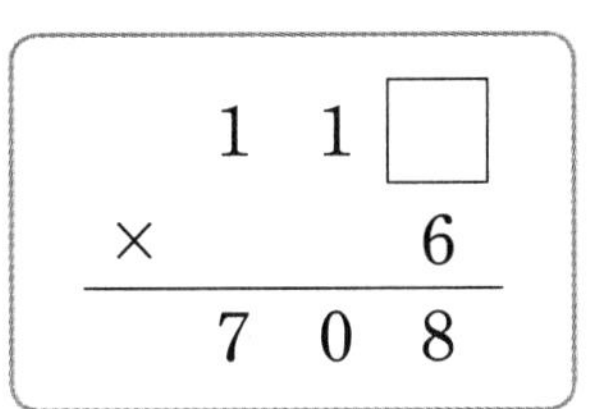

정답 및 풀이 7쪽

서술형 » 25쪽 4-2 유사 문제

17 설명하는 수의 9배는 얼마인지 풀이 과정을 쓰고 답을 구해 보세요.

100이 4개, 10이 5개, 1이 6개인 수

풀이

답

서술형 » 26쪽 5-2 유사 문제

18 혜리가 한 달 동안 매주 화요일, 수요일, 토요일에 동화책을 각각 37쪽씩 읽었습니다. 혜리가 한 달 동안 읽은 동화책은 모두 몇 쪽인지 풀이 과정을 쓰고 답을 구해 보세요.

일	월	화	수	목	금	토
				1	2	3
4	5	6	7	8	9	10
11	12	13	14	15	16	17
18	19	20	21	22	23	24
25	26	27	28	29	30	

풀이

답

서술형 » 26쪽 6-2 유사 문제

19 식품별 열량이 다음과 같을 때 시우가 먹은 간식의 열량은 모두 얼마인지 풀이 과정을 쓰고 답을 구해 보세요.

간식	열량(킬로칼로리)
도넛 1개	262
찐 고구마 1개	154

시우: 나는 간식으로 도넛 1개와 찐 고구마 2개를 먹었어.

풀이

답 ______ 킬로칼로리

독해력 유형 서술형 » 27쪽 7-1 유사 문제

20 수 카드 5, 3, 9를 한 번씩만 사용하여 계산 결과가 가장 큰 곱셈식을 만들려고 합니다. ㉠, ㉡, ㉢에 알맞은 수를 구하는 풀이 과정을 쓰고 답을 구해 보세요.

㉠㉡ × 4㉢

풀이

답 ㉠ ______, ㉡ ______, ㉢ ______

분수 알아보기

1 분수에 맞게 색칠한 것을 찾아 ○표 하세요.

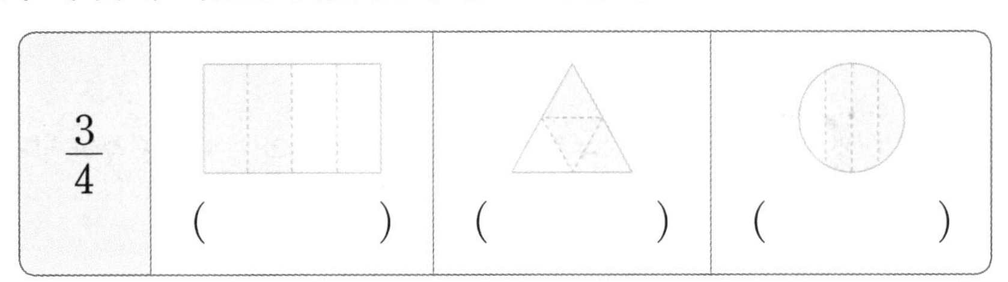

소수의 크기 비교하기

2 소수의 크기를 바르게 비교한 것을 찾아 기호를 써 보세요.

㉠ 1.4 > 1.8　　㉡ 2.4 < 2.6

( )

소수 알아보기

3 승미는 선물을 포장하는 데 끈 $\frac{7}{10}$ m를 사용했습니다. 승미가 사용한 끈을 소수로 나타내면 몇 m인가요?

( )

단위분수의 크기 비교하기

4 조건을 모두 만족하는 분수를 구해 보세요.

조건
- 단위분수입니다.
- $\frac{1}{4}$보다 크고 $\frac{1}{2}$보다 작은 분수입니다.

( )

별별 코딩 학습

코딩 1 누르는 버튼의 색깔에 따라 곱해지는 수가 달라!

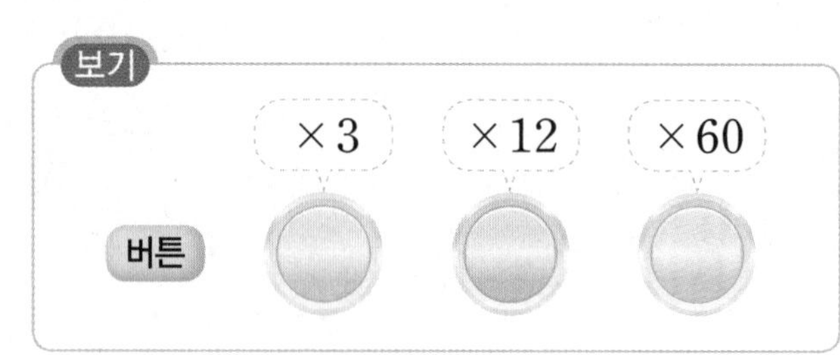

오~ 신기한데? 나도 보기를 보고 해 볼래~

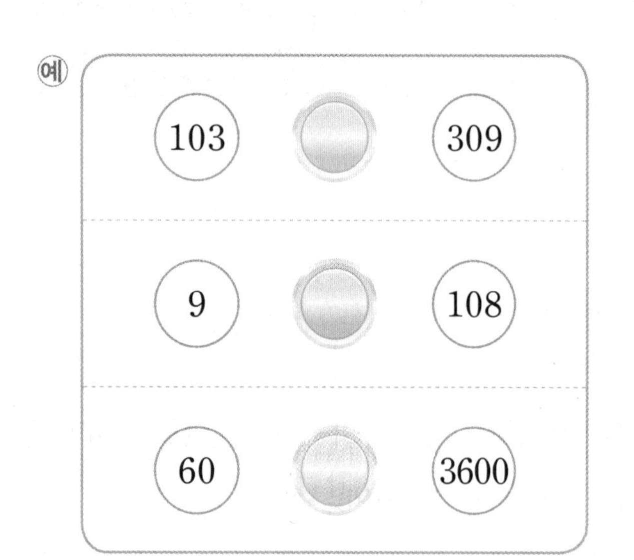

코딩 2 화살표의 규칙에 따라 빈칸에 알맞은 수를 써넣어 봐~

격자 곱셈법을 알아보자!

창의 3

격자 곱셈법은 복잡한 곱셈식의 수를 격자에 써서 계산하는 곱셈 방법이야!

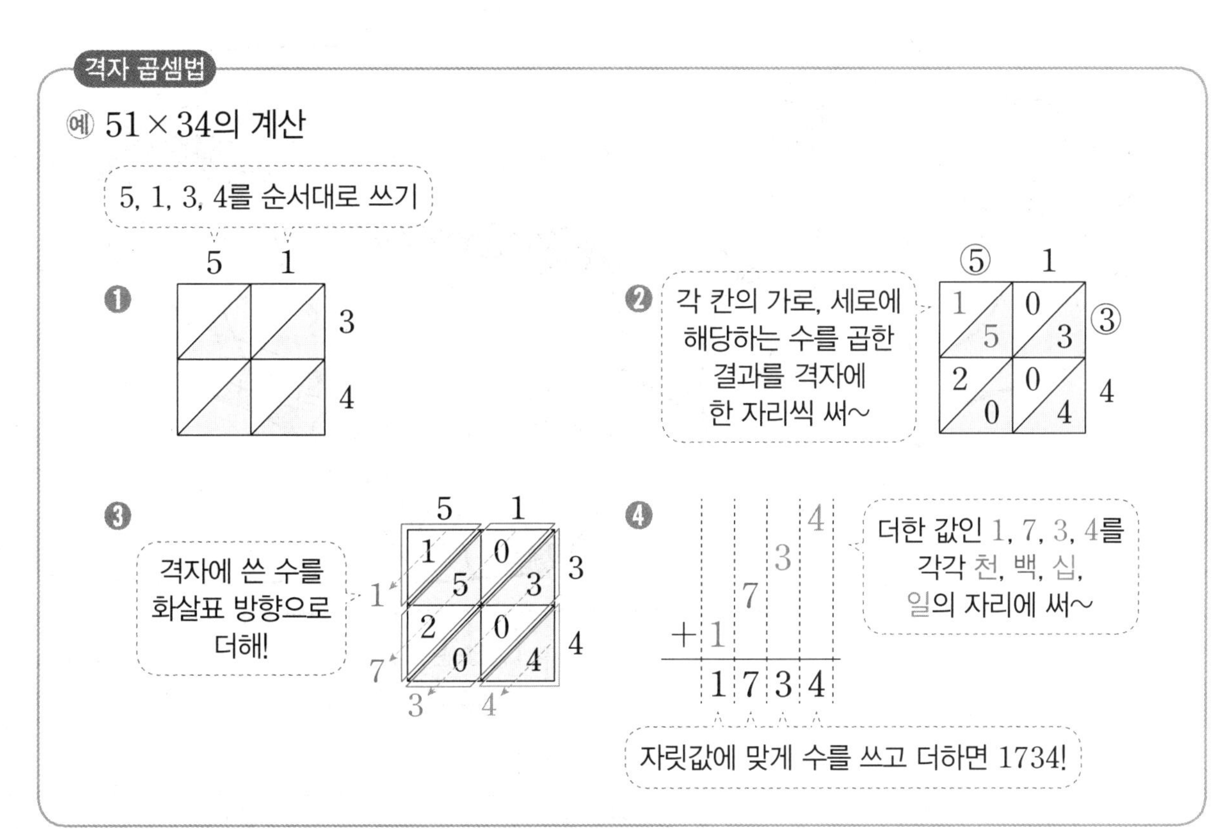

62 × 25를 격자 곱셈법으로 계산해 봐.

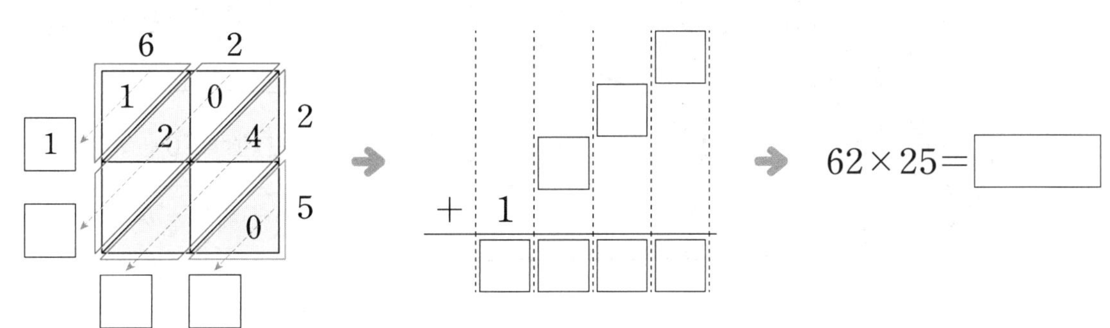

2 나눗셈

퉁
퉁
어쩌다 발가락을
다친 거니?
아파요. 흑흑.
칙
칙

책 63권을 책꽂이 3칸에
똑같이 나누어 꽂으려 했거든요.
아야!
쾅
책꽂이 한 칸에 20권씩 꽂고
뒤로 도는 순간!
책상 위에 있던 책이
발가락으로 떨어졌어요.

Dr. 유형 처방전
* 책은 독서용으로 사용하자!

조심하징~
근데 한 칸에 21권씩
꽂으면 되는데
왜 20권씩 꽂은 거닝?
?
Dr.
유형
아~ 3권은……
낮잠 잘 때
베개로 사용하려고 따로 남겼어요.
높이가 딱이거든요.
드르렁~
아하~!

1 STEP 개념별 유형

개념 1 내림이 없는 (몇십)÷(몇)

예 80÷2의 계산

(1) 구하는 방법 알아보기

$8 \div 2 = 4 \rightarrow 80 \div 2 = 40$

나누는 수가 같을 때 나누어지는 수가 10배가 되면 몫도 10배가 돼.

(2) 나눗셈식을 세로로 쓰는 방법

80÷2=40 ➔ 2)80 (몫 40)

나눗셈을 세로로 나타낼 때 기호)‾‾ 를 사용해~

유형

1 60÷3의 계산 과정을 수 모형으로 나타낸 그림입니다. □ 안에 알맞은 수를 써넣으세요.

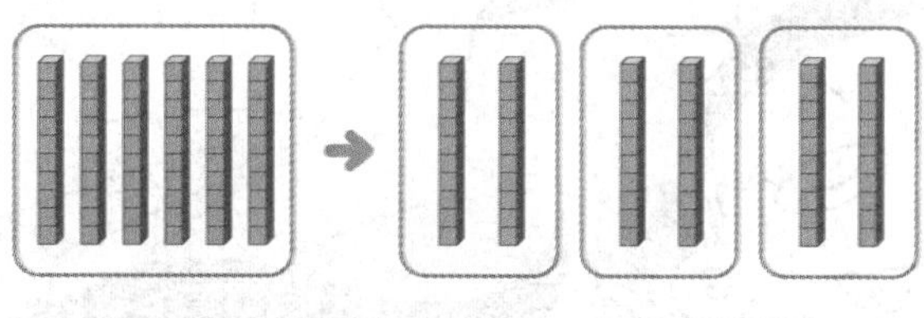

6÷3=□ ➔ 60÷3=□

2 계산해 보세요.

(1) 70÷7 (2) 90÷3

(3) 4)80 (4) 2)60

3 바르게 계산한 것의 기호를 써 보세요.

㉠ 20÷2=1 ㉡ 80÷8=10

( )

4 빈 곳에 알맞은 수를 써넣으세요.

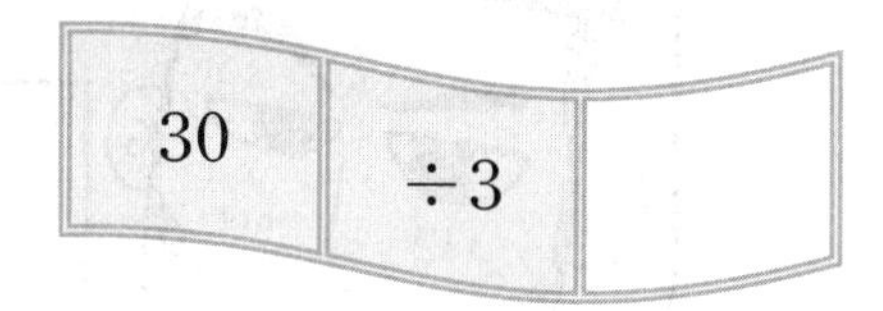

5 몫이 20인 나눗셈에 ○표 하세요.

50÷5 ( ) 40÷2 ( )

6 공책 40권을 4명에게 똑같이 나누어 주려고 합니다. 한 명에게 공책을 몇 권씩 줄 수 있을까요?

식 ____________

 답 ____________

개념 2 내림이 있는 (몇십)÷(몇)

예 60÷5의 계산

$$\begin{array}{r} 1 \\ 5\overline{)60} \\ 5 \leftarrow 5\times10 \\ \hline 1 \end{array} \rightarrow \begin{array}{r} 1 \\ 5\overline{)60} \\ 5 \\ \hline 10 \end{array} \rightarrow \begin{array}{r} 12 \\ 5\overline{)60} \\ 5 \\ \hline 10 \\ 10 \leftarrow 5\times2 \\ \hline 0 \end{array}$$

0을 그대로 내려씁니다.

십의 자리 ➔ 일의 자리 순서로 계산해.

유형

7 50÷2의 계산 과정을 수 모형으로 나타낸 그림입니다. □ 안에 알맞은 수를 써넣으세요.

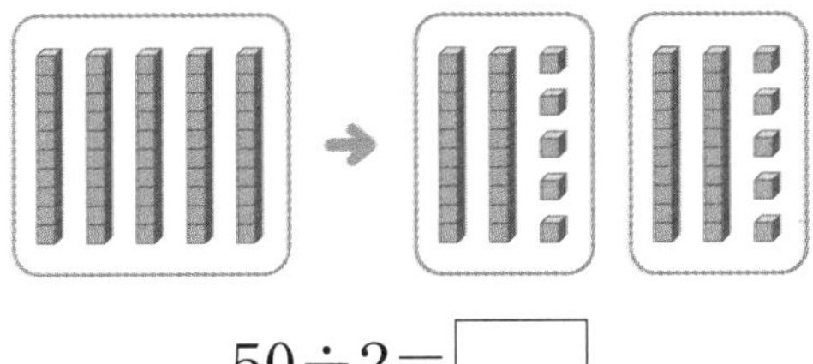

50÷2=□

8 계산해 보세요.

(1) $2\overline{)30}$ (2) $5\overline{)70}$

9 바르게 계산한 것에 ○표 하세요.

90÷5=19 ( ) 90÷6=15 ( )

10 큰 수를 작은 수로 나눈 몫을 빈칸에 써넣으세요.

70	2

11 몫을 찾아 이어 보세요.

60÷4 •   • 14
80÷5 •   • 15
   • 16

12 크기를 비교하여 ○ 안에 >, =, <를 알맞게 써넣으세요.

90÷2  40

13 운동장에 학생들이 60명 있습니다. 한 줄에 학생들이 5명씩 서면 모두 몇 줄이 될까요?

식 ____________

 ____________

개념 3 내림이 없고 나머지가 없는 (몇십몇)÷(몇)

예 26÷2의 계산

(1) 계산 방법 알아보기

$$\begin{array}{r} 1 \\ 2\overline{)26} \\ \underline{20} \end{array} \leftarrow 2\times10 \quad \Rightarrow \quad \begin{array}{r} 13 \\ 2\overline{)26} \\ \underline{20} \\ 6 \\ \underline{6} \\ 0 \end{array}$$

6 ← 2×3

(2) 나눗셈식을 세로로 쓰는 방법

$26\div2=13 \Rightarrow \begin{array}{r} 13 \\ 2\overline{)26} \end{array}$

나누는 수, 몫, 나누어지는 수

나누어지는 수 26은 ⟌ 의 아래쪽,
나누는 수 2는 ⟌ 의 왼쪽,
몫 13은 ⟌ 의 위쪽에 써야 해.

유형

14 63÷3의 계산 과정을 수 모형으로 나타낸 그림입니다. □ 안에 알맞은 수를 써넣으세요.

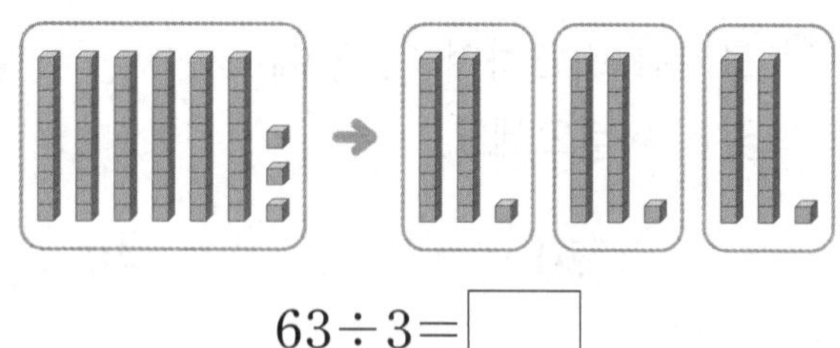

63÷3=□

15 □ 안에 알맞은 수를 써넣으세요.

$$\begin{array}{r} 1\square \\ 4\overline{)48} \\ \underline{40} \\ \square \\ \underline{8} \\ 0 \end{array}$$

40 ← 4×□
8 ← 4×□

16 계산을 바르게 한 사람의 이름을 써 보세요.

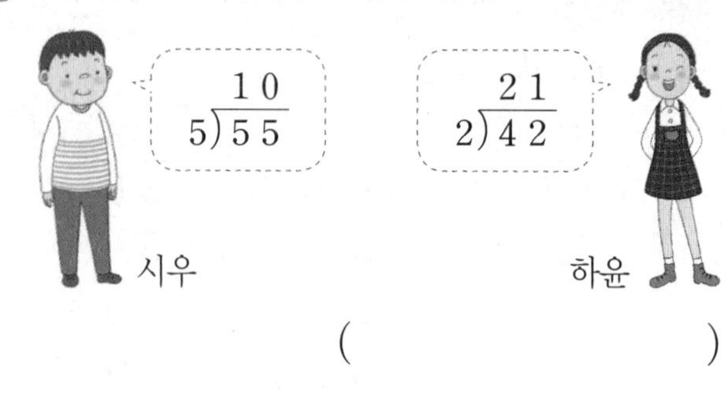

(　　　　　　)

17 빈 곳에 알맞은 수를 써넣으세요.

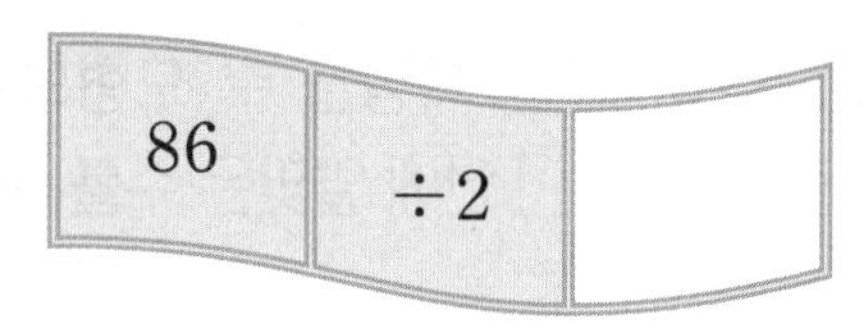

18 몫이 21인 나눗셈에 ○표 하세요.

44÷2	84÷4
(　　　)	(　　　)

19 도화지 66장을 6모둠이 똑같이 나누어 가지려고 합니다. 한 모둠이 도화지를 몇 장씩 가질 수 있을까요?

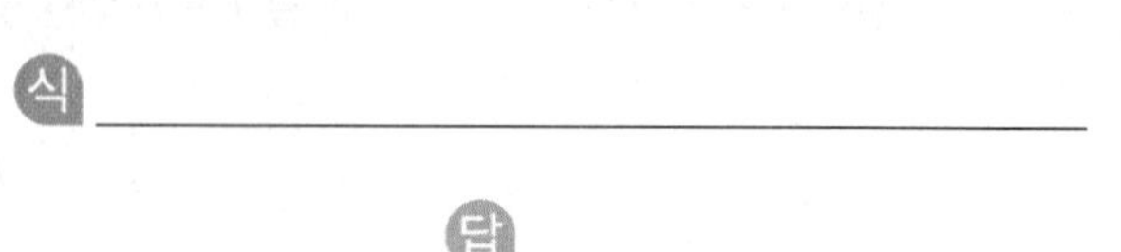

2 단원 나눗셈

개념 4 내림이 있고 나머지가 없는 (몇십몇)÷(몇)

예 42÷3의 계산

$$\begin{array}{r} 1 \\ 3\overline{)42} \\ 30 \leftarrow 3\times10 \\ \hline \end{array} \rightarrow \begin{array}{r} 14 \\ 3\overline{)42} \\ 30 \\ \hline 12 \\ 12 \leftarrow 3\times4 \\ \hline 0 \end{array}$$

유형

20 □ 안에 알맞은 수를 써넣으세요.

$$\begin{array}{r} 2\square \\ 2\overline{)54} \\ 40 \leftarrow 2\times\square \\ \hline 14 \\ \square \leftarrow 2\times\square \\ \hline 0 \end{array}$$

21 계산해 보세요.

(1) $3\overline{)45}$　　(2) $4\overline{)56}$

22 나눗셈의 몫을 구해 보세요.

84÷6

(　　　　　)

23 빈칸에 알맞은 수를 써넣으세요.

75 → ÷5 → □

24 큰 수를 작은 수로 나눈 몫을 구해 보세요.

2　78

(　　　　　)

25 호빵 51개를 접시에 담으려고 합니다. 필요한 접시는 몇 개인가요?

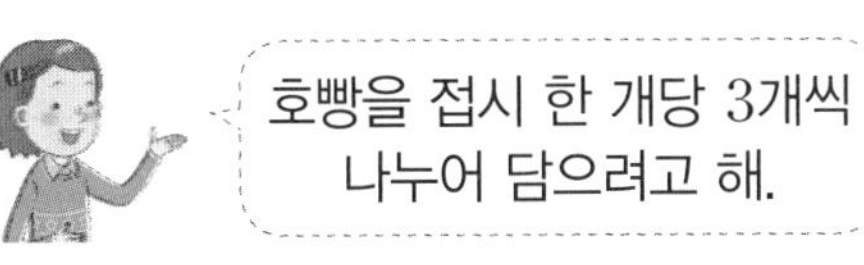

(　　　　　)

26 연필이 96자루 있습니다. 연필을 6명에게 똑같이 나누어 주려면 한 명에게 몇 자루씩 주어야 할까요?

식 ____________

답 ____________

개념 1 ~ 4 기초력 집중 연습

[1~12] 계산해 보세요.

1 $80 \div 4$

2 $24 \div 2$

3 $54 \div 3$

4 $2\overline{)30}$

5 $5\overline{)60}$

6 $2\overline{)70}$

7 $2\overline{)48}$

8 $5\overline{)55}$

9 $3\overline{)99}$

10 $7\overline{)84}$

11 $4\overline{)68}$

12 $3\overline{)57}$

[13~14] 빈칸에 알맞은 수를 써넣으세요.

13

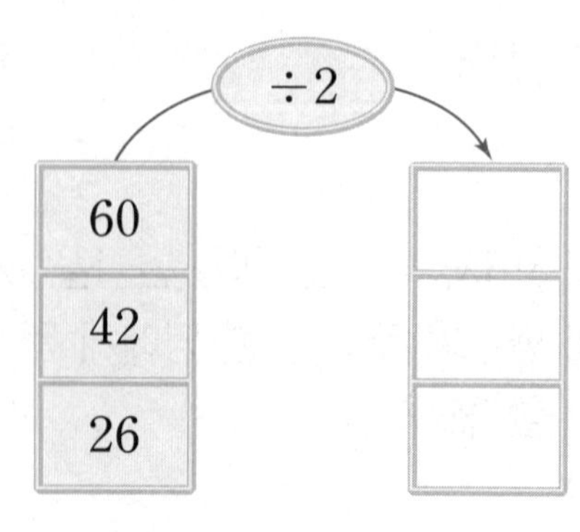

14

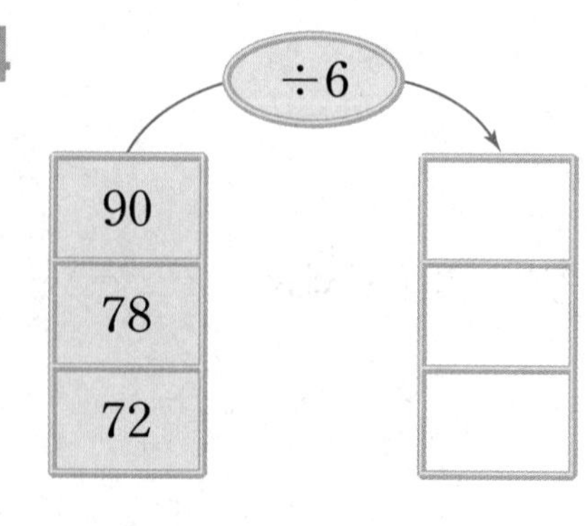

공부한 날 　월 　일

유형 진단 TEST

점수 /10점

정답 및 풀이 9쪽

1 40÷2의 몫을 찾아 ○표 하세요. [1점]

10　　20　　2

2 잘못 계산한 곳을 찾아 바르게 계산해 보세요. [1점]

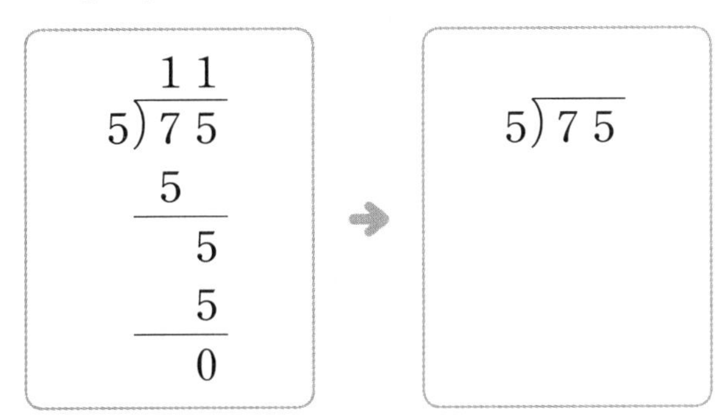

3 색 테이프를 똑같이 세 도막으로 나누었습니다. □ 안에 알맞은 수를 써넣으세요. [2점]

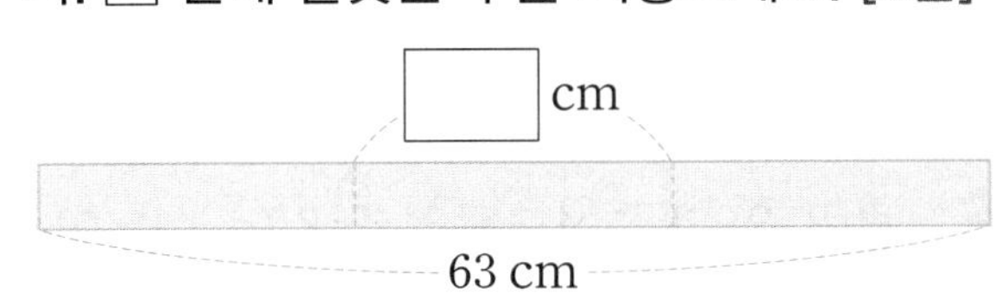

4 서준이가 책 90권을 책꽂이에 꽂으려고 합니다. 책을 한 칸에 몇 권씩 꽂을 수 있을까요? [2점]

책을 책꽂이 5칸에 똑같이 나누어 꽂으려고 해.

식 ______________________

답 ______________

5 몫이 같은 것끼리 이어 보세요. [2점]

36÷2 •		• 72÷4
42÷3 •		• 84÷6
		• 65÷5

6 지영이가 감자를 어제는 44개, 오늘은 36개 캤습니다. 이 감자를 8명에게 똑같이 나누어 준다면 한 명에게 몇 개씩 줄 수 있을까요? [2점]

(　　　　　　　　)

개념 5 내림이 없고 나머지가 있는 (몇십몇)÷(몇)

예 17÷5의 계산

$$5\overline{)17}$$

3 ← 몫, 나누는 수 → 5, 17 ← 나누어지는 수, 15, 2 ← 나머지

(1) 17을 5로 나누면 몫은 3이고 2가 남습니다. 이때 2를 17÷5의 나머지라고 합니다. ➔ 17÷5=3⋯2 (3: 몫, 2: 나머지)

(2) 나머지가 없으면 나머지가 0이라고 말할 수 있습니다. 나머지가 0일 때, 나누어떨어진다고 합니다.

유형

1 나눗셈식을 보고 □ 안에 알맞은 말을 써넣으세요.

25÷4=6⋯1

25를 4로 나누면 □은 6이고 1이 남습니다. 이때 1을 25÷4의 □라고 합니다.

2 나눗셈의 몫과 나머지를 각각 구해 보세요.

39÷6

몫 ( )
나머지 ( )

3 바르게 계산한 것의 기호를 써 보세요.

㉠ 44÷6=7⋯2
㉡ 73÷8=8⋯9

( )

4 나눗셈을 하여 □ 안에 몫을 써넣고, ○ 안에 나머지를 써넣으세요.

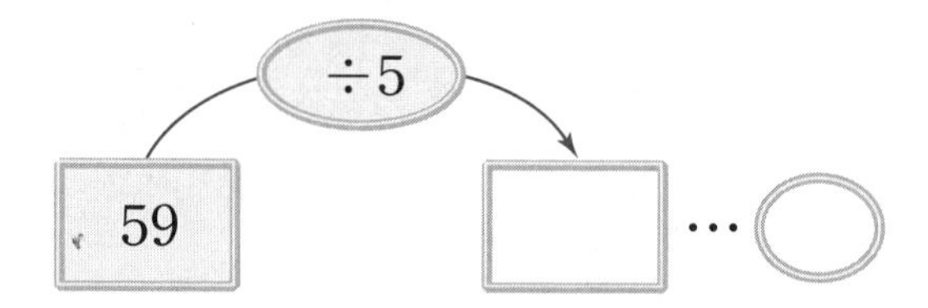

5 나누어떨어지는 나눗셈에 ○표 하세요.

$3\overline{)26}$	$2\overline{)84}$
( )	( )

6 클립 38개를 4모둠이 똑같이 나누어 사용하려고 합니다. 한 모둠이 클립을 몇 개씩 사용할 수 있고, 몇 개가 남을까요?

식 ____________________

답 한 모둠이 클립을 □개씩 사용할 수 있고, □개가 남습니다.

플러스 개념 6 **나눗셈에서 나머지의 조건**

나눗셈에서 나머지는 나누는 수보다 작아야 합니다. → (나누는 수)>(나머지)

예 □÷5의 나머지가 될 수 있는 수
나누는 수인 5보다 작은 수
➔ 0, 1, 2, 3, 4

유형

7 어떤 수를 4로 나누었을 때 나머지가 될 수 있는 수를 모두 찾아 ○표 하세요.

0 1 2 3 4 5

8 나눗셈의 나머지가 될 수 없는 수는 어느 것인가요? ………………………… (   )

□÷8

① 1 ② 2 ③ 4
④ 6 ⑤ 8

9 나머지가 7이 될 수 있는 식의 기호를 써 보세요.

㉠ 7)□ ㉡ 9)□

(   )

개념 7 **내림이 있고 나머지가 있는 (몇십몇)÷(몇)**

예 46÷3의 계산

$$\begin{array}{r} 1 \\ 3\overline{)46} \\ 30 \\ \hline \end{array} \leftarrow 3\times10 \quad ➔ \quad \begin{array}{r} 15 \\ 3\overline{)46} \\ 30 \\ \hline 16 \\ 15 \\ \hline 1 \end{array} \leftarrow 3\times5$$

유형

10 수 모형을 보고 □ 안에 알맞은 수를 써넣으세요.

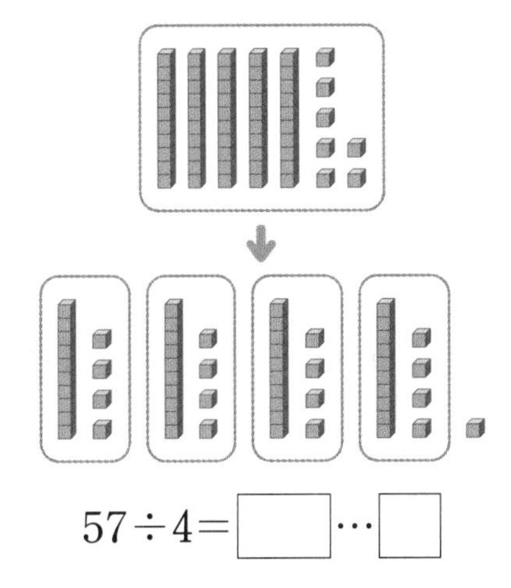

57÷4=□…□

11 □ 안에 알맞은 수를 써넣으세요.

$$\begin{array}{r} 1\square \\ 5\overline{)7\;9} \\ \square\;0 \\ \hline 2\;9 \\ 2\;5 \\ \hline \square \end{array} \quad \begin{array}{l} \\ \\ \leftarrow 5\times\square \\ \\ \leftarrow 5\times\square \\ \\ \end{array}$$

12 나눗셈의 몫과 나머지를 각각 구해 보세요.

$33 \div 2$

몫 (　　　　　　　　　)
나머지 (　　　　　　　　　)

13 나눗셈을 하여 □ 안에 몫을 써넣고, ○ 안에 나머지를 써넣으세요.

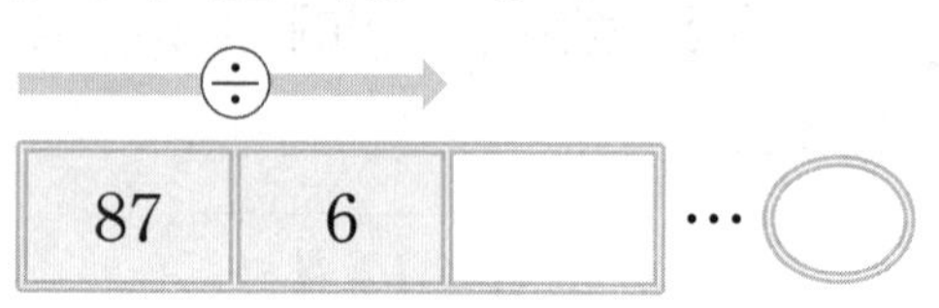

14 나눗셈식을 보고 바르게 설명한 사람의 이름을 써 보세요.

$54 \div 4 = \square \cdots \square$

지호: 나머지는 0으로 나누어떨어져.

민서: 몫은 13이야.

(　　　　　　　　　)

15 귤 63개를 한 명당 5개씩 나누어 먹으려고 합니다. 귤을 몇 명이 먹을 수 있고, 몇 개가 남는지 차례로 써 보세요.

(　　　　　　　　), (　　　　　　　　)

개념 8 나머지가 없는 (세 자리 수)÷(한 자리 수)

예 $580 \div 2$의 계산

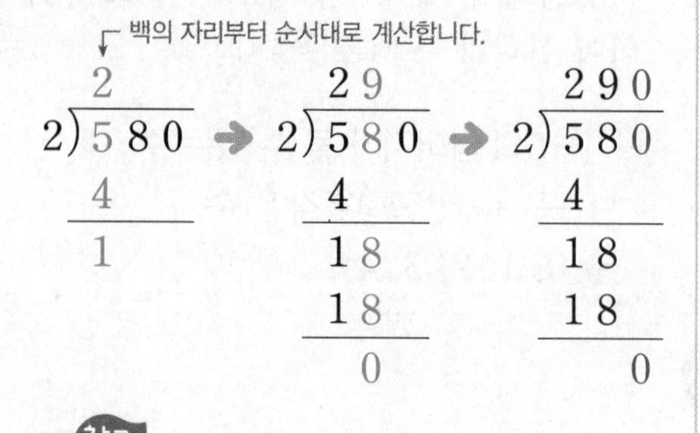

참고 580÷2는 58÷2의 나눗셈 뒤에 0을 한 개 더 붙여서 계산하는 것과 같아~

유형

16 □ 안에 알맞은 수를 써넣으세요.

```
     □                  □□
4 ) 3 2 0    →    4 ) 3 2 0
    3 2                3 2
    ───                ───
      0                  □
```

17 $456 \div 3$을 계산할 때 가장 먼저 계산해야 하는 것을 찾아 기호를 써 보세요.

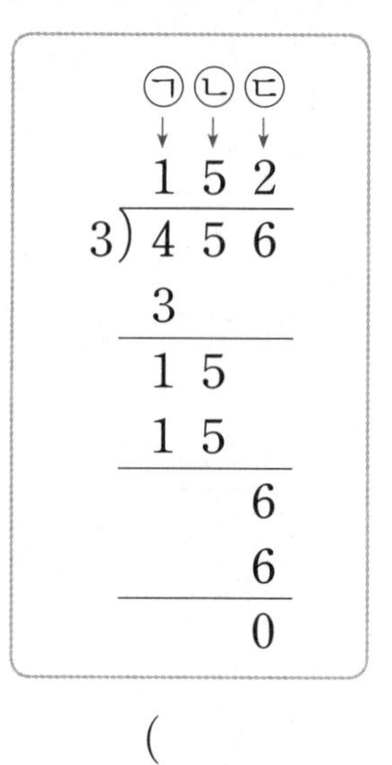

(　　　　　　　　　)

18 빈 곳에 알맞은 수를 써넣으세요.

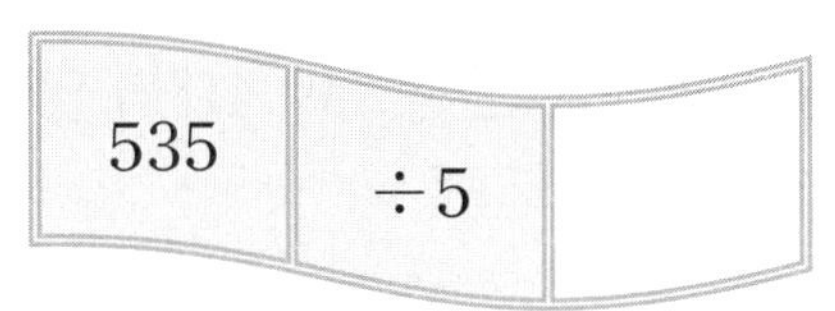

19 잘못 계산한 곳을 찾아 바르게 계산해 보세요.

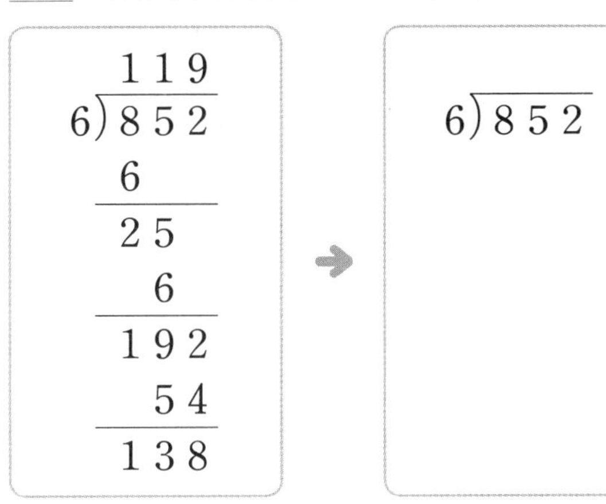

20 몫이 87인 나눗셈을 말한 사람의 이름을 써 보세요.

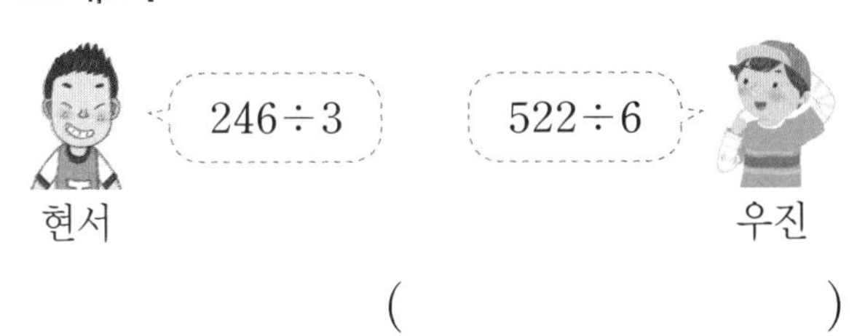

( )

21 털실 774 m를 모두 사용하여 똑같은 목도리 2개를 만들었습니다. 목도리 1개를 만드는 데 사용한 털실은 몇 m인가요?

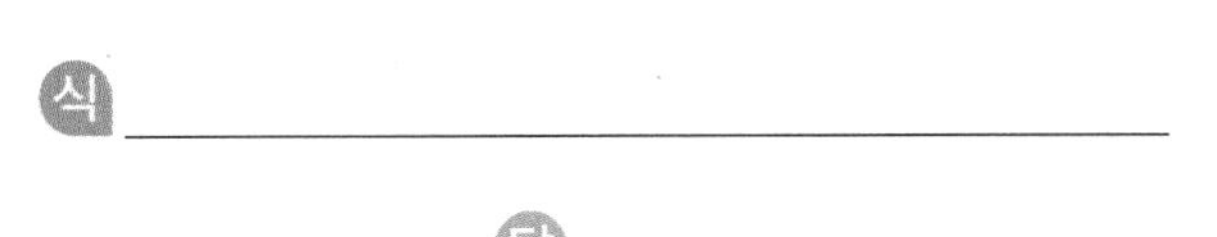

개념 9 나머지가 있는 (세 자리 수)÷(한 자리 수)

예 317÷4의 계산

$$4\overline{)317} \rightarrow \begin{array}{r} 7 \\ 4\overline{)317} \\ 28 \\ \hline 3 \end{array} \rightarrow \begin{array}{r} 79 \\ 4\overline{)317} \\ 28 \\ \hline 37 \\ 36 \\ \hline 1 \end{array}$$

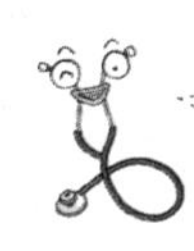

백의 자리에서 3을 4로 나눌 수 없으므로 십의 자리에서 31을 4로 나누고

남은 3, 즉 30과 일의 자리에서 7을 합친 37을 4로 나누면 1이 남아.

유형

22 나눗셈식을 보고 몫과 나머지를 찾아 써 보세요.

$$\begin{array}{r} 227 \\ 3\overline{)682} \\ 6 \\ \hline 8 \\ 6 \\ \hline 22 \\ 21 \\ \hline 1 \end{array}$$

몫 ( )

나머지 ( )

23 계산해 보세요.

(1) $9\overline{)815}$

(2) $7\overline{)759}$

24 나눗셈의 몫과 나머지를 각각 구해 보세요.

$231 \div 4$

몫 (　　　　　　)
나머지 (　　　　　　)

25 나눗셈을 하여 □ 안에 몫을 써넣고, ○ 안에 나머지를 써넣으세요.

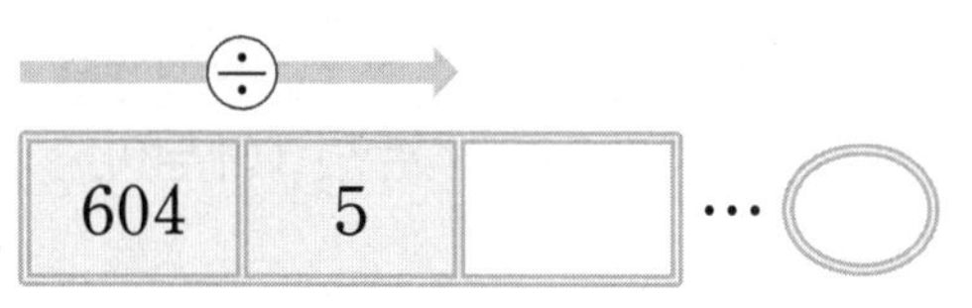

26 나머지가 5인 나눗셈에 ○표 하세요.

$627 \div 8$	$788 \div 9$
(　　　)	(　　　)

27 토마토 981개를 8상자에 똑같이 나누어 담으려고 합니다. 한 상자에 토마토를 몇 개씩 담을 수 있고, 몇 개가 남을까요?

식 ____________________

답 한 상자에 토마토를 □개씩 담을 수 있고, □개가 남습니다.

플러스 개념 **10** 나머지가 있는 나눗셈의 활용

예 빵 106개를 한 봉지에 4개씩 담아서 팔려고 합니다.

$106 \div 4 = 26 \cdots 2$

(1) (팔 수 있는 봉지 수)=(몫)

➔ 남는 빵 2개는 팔 수 없으므로 26봉지 팔 수 있습니다.

(2) 나머지도 모두 담아야 할 경우
(필요한 봉지 수)=(몫)+1

➔ 남는 빵 2개도 담으려면 봉지는 적어도 $26+1=27$(봉지) 필요합니다.

유형

문제를 읽고 먼저 '몫'과 '몫+1' 중에서 어느 것을 구해야 할지 ○표 하고 풀어 보세용~

28 머리띠를 한 개 만드는 데 보석이 7개 필요합니다. 보석 789개로 머리띠를 몇 개까지 만들 수 있을까요?

몫　　몫+1

(　　　　　　)

29 책꽂이 한 칸에 책을 8권씩 꽂을 수 있습니다. 동화책 182권을 책꽂이에 남는 동화책이 없이 모두 꽂으려면 책꽂이는 적어도 몇 칸이 필요한가요?

몫　　몫+1

(　　　　　　)

개념 11 계산이 맞는지 확인하기

예 $21\div5$의 계산이 맞는지 확인하기

$21\div5=4\cdots1$

확인 $5\times4=20$, $20+1=21$

나누는 수와 몫의 곱에 나머지를 더하면 나누어지는 수가 되어야 합니다.

참고
나머지가 없을 때 계산이 맞는지 확인하기
나머지가 0이므로 나누는 수와 몫의 곱이 나누어지는 수가 되어야 해~

예 $20\div4=5$

확인 $4\times5=20$

30 나눗셈식 $23\div3=7\cdots2$가 맞는지 확인하려고 합니다. 물음에 답해 보세요.

(1) □ 안에 알맞은 수를 써넣으세요.

머핀 23개를 3개씩 묶으면 □묶음이고, 나머지는 □개입니다.

(2) 계산 결과가 맞는지 확인해 보세요.

$23\div3=7\cdots2$

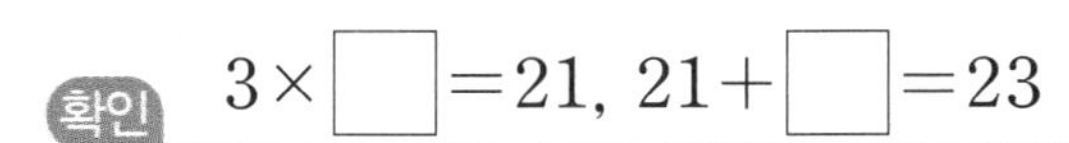

확인 $3\times\square=21$, $21+\square=23$

31 □ 안에 알맞은 수를 써넣으세요.

$67\div8=\square\cdots\square$

확인 $8\times\square=64$, $64+\square=67$

32 오른쪽 나눗셈식의 계산 결과가 맞는지 바르게 확인한 것에 ○표 하세요.

$$\begin{array}{r} 8 \\ 9\overline{)77} \\ 72 \\ \hline 5 \end{array}$$

$9\times8=72$	( )
$9\times8=72$, $72+5=77$	( )

33 관계있는 것끼리 이어 보세요.

$56\div3$ •	• $4\times15=60$, $60+3=63$
$63\div4$ •	• $3\times18=54$, $54+2=56$

[34~35] 계산해 보고 계산 결과가 맞는지 확인해 보세요.

34

$7\overline{)95}$

확인 ________________

35

$48\div5=\square\cdots\square$

확인 ________________

기초력 집중 연습

[1~6] 계산해 보세요.

1 $3\overline{)64}$

2 $5\overline{)98}$

3 $6\overline{)82}$

4 $4\overline{)372}$

5 $8\overline{)532}$

6 $3\overline{)648}$

[7~8] 나눗셈을 하여 □ 안에 몫을 써넣고, ○ 안에 나머지를 써넣으세요.

7

÷ →

28	6		… ○
47	3		… ○

8

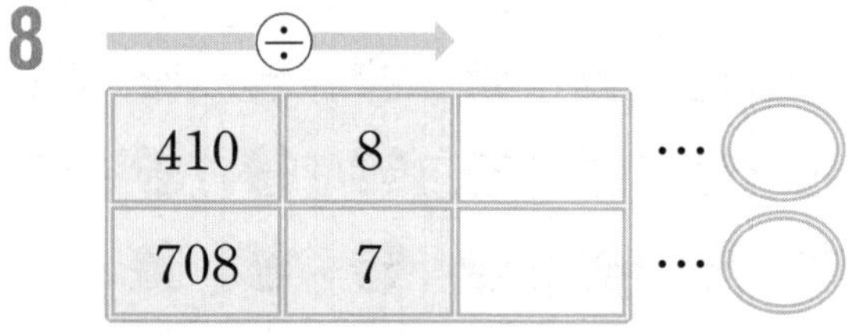

÷ →

410	8		… ○
708	7		… ○

[9~10] 계산해 보고 계산 결과가 맞는지 확인해 보세요.

9 $35 \div 4$

몫 ________ 나머지 ________

확인

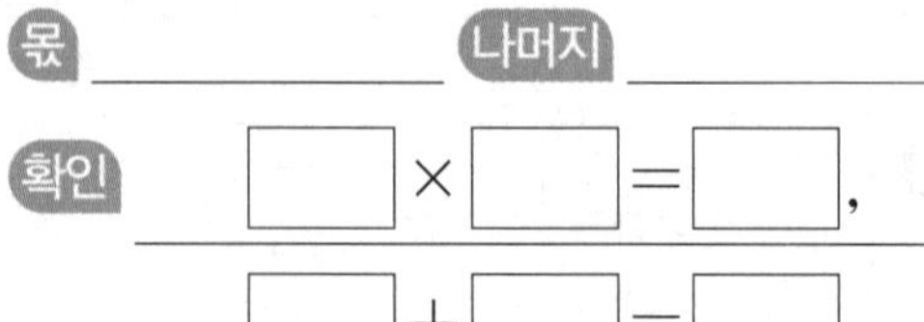

□ × □ = □,

□ + □ = □

10 $99 \div 8$

몫 ________ 나머지 ________

확인

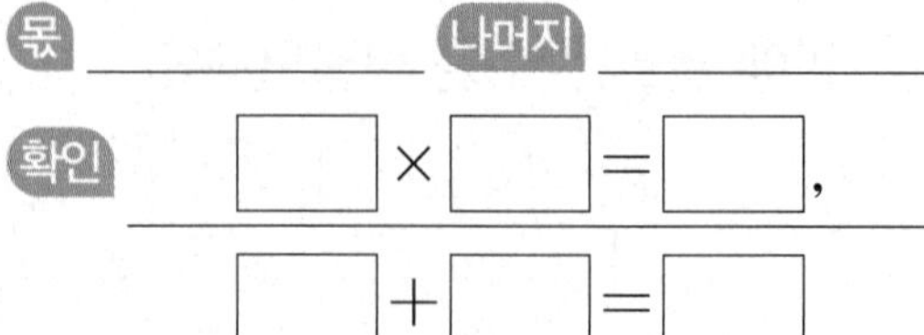

□ × □ = □,

□ + □ = □

유형 진단 TEST

점수 /10점

1 큰 수를 작은 수로 나눈 몫을 빈칸에 써넣으세요. [1점]

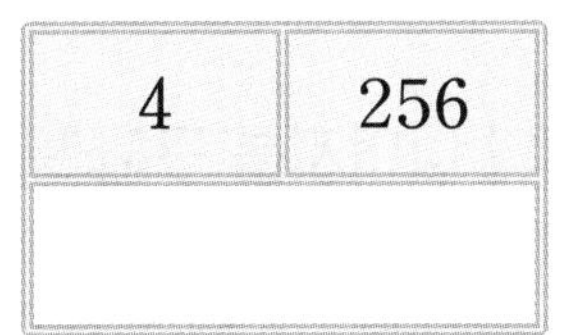

4	256

2 나머지가 1인 나눗셈에 ○표 하세요. [1점]

$51 \div 6$ ( )　　$39 \div 2$ ( )

3 나머지가 3이 될 수 없는 식의 기호를 써 보세요. [1점]

㉠ □$\div 6$　　㉡ □$\div 3$

( )

4 몫을 찾아 이어 보세요. [1점]

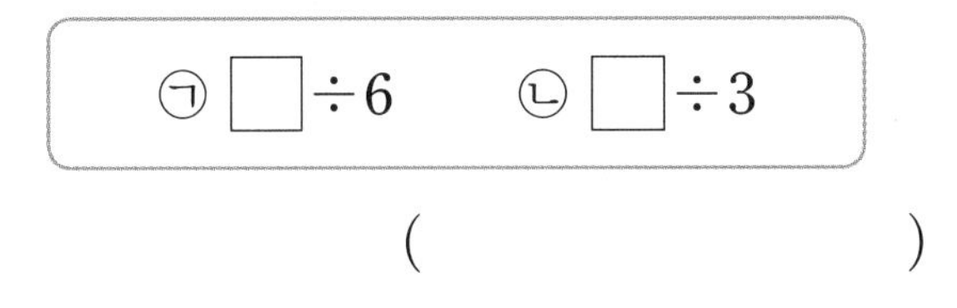

$583 \div 5$ •　　• 67

$537 \div 8$ •　　• 116

5 52를 나누어떨어지게 하는 수를 모두 찾아 색칠해 보세요. [2점]

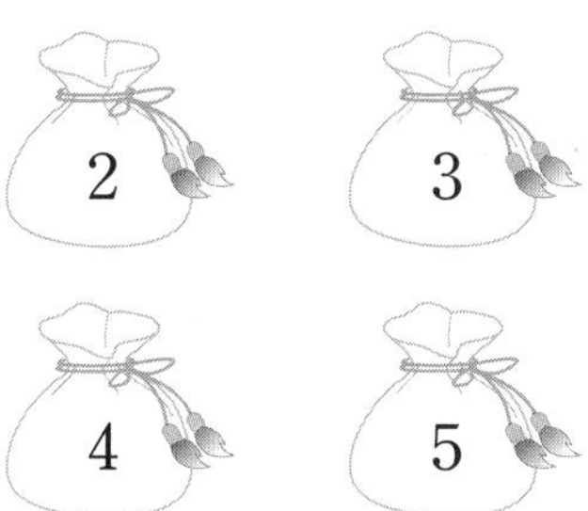

6 어떤 나눗셈식을 계산하고 계산 결과가 맞는지 확인한 식이 보기와 같습니다. 계산한 나눗셈식을 쓰고 몫과 나머지를 구해 보세요. [2점]

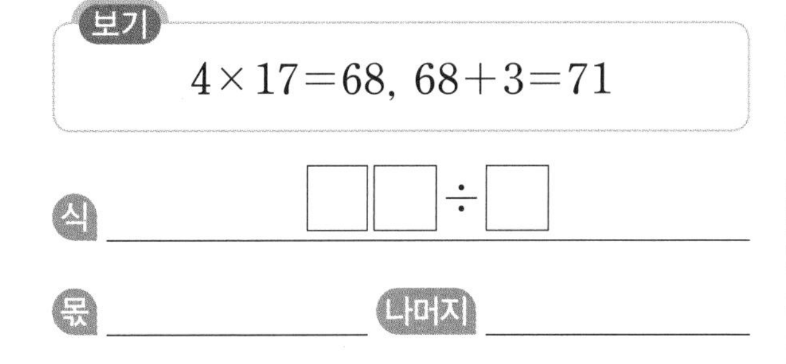

보기

$4 \times 17 = 68,\ 68 + 3 = 71$

식 □□$\div$□

몫 ______ 나머지 ______

7 연필 8타를 한 명당 7자루씩 나누어 주려고 합니다. 연필을 몇 명에게 나누어 줄 수 있고, 몇 자루가 남는지 차례로 써 보세요. (단, 연필 1타는 12자루입니다.) [2점]

( ), ( )

STEP 2

꼬리를 무는 유형

❶ 나눗셈의 몫 구하기

기본 유형

1 나눗셈의 몫을 구해 보세요.

$84 \div 2$

(　　　　　　　　)

변형 유형

2 빈칸에 알맞은 수를 써넣으세요.

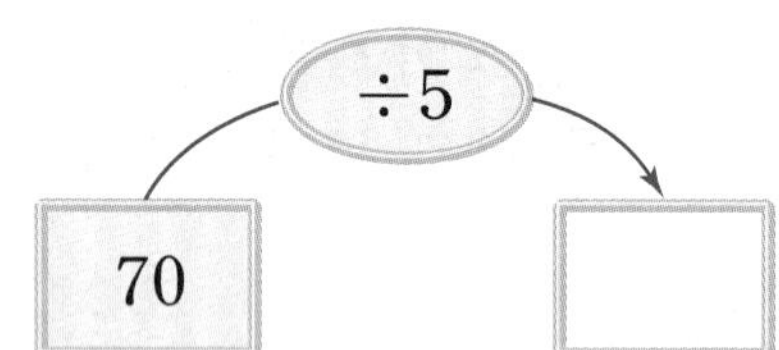

변형 유형

3 큰 수를 작은 수로 나눈 몫을 구해 보세요.

5　　120

(　　　　　　　　)

문장제 유형

4 색종이 348장을 6명에게 똑같이 나누어 주려고 합니다. 한 명에게 색종이를 몇 장씩 줄 수 있나요?

(　　　　　　　　)

❷ 나눗셈의 나머지 구하기

기본 유형

5 나눗셈의 나머지를 구해 보세요.

$77 \div 6$

(　　　　　　　　)

변형 유형

6 나눗셈의 나머지를 찾아 이어 보세요.

$29 \div 6$　　$90 \div 8$

2　　4　　5

문장제 유형

7 털실 4 m로 모자를 한 개 만들 수 있습니다. 털실 65 m로는 같은 모자를 몇 개까지 만들 수 있고, 몇 m가 남는지 차례로 써 보세요.

(　　　　　　), (　　　　　　)

2 단원 나눗셈

❸ 나누어떨어지는 나눗셈

기본 유형 **8** 나누어떨어지는 나눗셈의 기호를 써 보세요.

㉠ $85 \div 2$ ㉡ $314 \div 2$

( )

변형 유형 **9** $28 \div \square$는 나누어떨어진다고 합니다. 주어진 수 중에서 □ 안에 들어갈 수 있는 수를 찾아 ○표 하세요.

(5, 6, 7)

실생활 유형 **10** 카드와 공깃돌이 다음과 같이 있습니다. 종류별로 9명이 똑같이 나누어 가지려고 합니다. 나누어떨어지는 물건의 이름을 써 보세요.

카드: 90장

공깃돌: 129개

( )

❹ 어떤 수 구하기

기본 유형 **11** □ 안에 알맞은 수를 구해 보세요.

$\square \div 7 = 12 \cdots 4$

( )

변형 유형 **12** ㉠에 알맞은 수를 구해 보세요.

$$5 \overline{)\,㉠\,} \quad 19 \cdots 2$$

( )

문장제 유형 **13** 고구마를 한 상자에 4개씩 담았더니 17상자가 되고 3개가 남았습니다. 처음에 있던 고구마는 몇 개인가요?

( )

3 STEP 수학 독해력 유형

독해력 유형 1 **덧셈(뺄셈)을 하고 나눗셈 하기**

검은색 바둑돌 26개와 흰색 바둑돌 39개가 있습니다. 바둑돌을 5통에 똑같이 나누어 담으면 한 통에 몇 개씩 담을 수 있는지 구해 보세요.

What? 구하려는 것을 찾아 밑줄을 그어 보세요.

How? ❶ 검은색 바둑돌의 수와 흰색 바둑돌의 수를 더하여 전체 바둑돌의 수 구하기

❷ ❶에서 구한 바둑돌의 수를 통 수로 나누어 한 통에 몇 개씩 담을 수 있는지 구하기

Solve ❶ 검은색 바둑돌과 흰색 바둑돌은 모두 몇 개인가요?

식 ________________

답 ________________

❷ 바둑돌을 5통에 똑같이 나누어 담으면 한 통에 몇 개씩 담을 수 있나요?

식 ________________

답 ________________

구하려는 것을 찾아 밑줄을 그은 후 세운 계획에 따라 문제를 풀어 봐~

쌍둥이 유형 1-1

다은이는 쿠키를 94개 만든 다음 그중에서 10개를 동생에게 주었습니다. 남은 쿠키를 친구 한 명당 6개씩 나누어 주면 몇 명에게 나누어 줄 수 있는지 구해 보세요.

(   )

독해력 유형 2 곱셈을 하고 나눗셈 하기

손수건이 한 상자에 8장씩 들어 있습니다. 14상자에 들어 있는 손수건을 한 상자에 7장씩 다시 담으려면 상자는 몇 상자 필요한지 구해 보세요.

What? 구하려는 것을 찾아 밑줄을 그어 보세요.

How?
❶ 한 상자에 들어 있는 손수건의 수와 상자의 수를 곱하여 14상자에 들어 있는 손수건의 수 구하기
❷ ❶에서 구한 손수건의 수를 한 상자에 다시 담는 손수건의 수로 나누어 필요한 상자의 수 구하기

Solve
❶ 14상자에 들어 있는 손수건은 모두 몇 장인가요?

식 ____________________

답 ____________

❷ 손수건을 한 상자에 7장씩 다시 담으려면 필요한 상자는 몇 상자인가요?

식 ____________________

답 ____________

구하려는 것을 찾아 밑줄을 그은 후 세운 계획에 따라 문제를 풀어 봐~

쌍둥이 유형 2-1

호두가 한 봉지에 12개씩 들어 있습니다. 9봉지에 들어 있는 호두를 한 봉지에 4개씩 다시 담으려면 봉지는 몇 봉지 필요한지 구해 보세요.

(　　　　　　　　)

4 STEP 사고력 플러스 유형

플러스 유형 ❶ 몫(나머지)이 ■인 나눗셈 찾기

1-1 몫이 12인 나눗셈에 ○표 하세요.

$60 \div 5$	$84 \div 4$
( )	( )

1-2 몫이 35인 나눗셈에 ○표 하세요.

$72 \div 2$	$210 \div 6$
( )	( )

1-3 나머지가 6인 나눗셈의 기호를 써 보세요.

㉠ $53 \div 8$　　㉡ $90 \div 7$

( )

1-4 나머지가 4인 나눗셈의 기호를 써 보세요.

㉠ $67 \div 5$　　㉡ $200 \div 7$

( )

플러스 유형 ❷ 나누는 수와 나머지의 관계

2-1 어떤 수를 6으로 나누었을 때 나머지가 될 수 있는 수를 찾아 ○표 하세요.

3　6　9

2-2 어떤 수를 4로 나누었을 때 나머지가 될 수 있는 수를 찾아 ○표 하세요.

2　5　7

2-3 나머지가 3이 될 수 있는 식을 말한 사람의 이름을 써 보세요.

$\square \div 5$

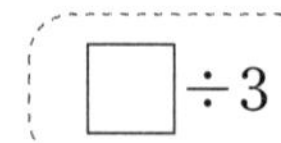

지호　　지안

( )

2-4 나머지가 8이 될 수 있는 식을 말한 사람의 이름을 써 보세요.

$\square \div 7$

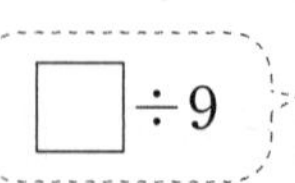

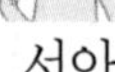

우진　　서아

( )

플러스 유형 3 나머지를 이용한 나눗셈의 활용

3-1 양파 80개를 한 상자에 6개씩 담아서 팔려고 합니다. 팔 수 있는 양파는 몇 상자인가요?

( )

3-2 색연필 106자루를 3자루씩 묶어서 팔려고 합니다. 팔 수 있는 색연필은 몇 묶음인가요?

( )

사고력 유형

3-3 92명이 놀이 기구에 모두 타려고 합니다. 한 번 운행하는 데 8명까지 탈 수 있다면 놀이 기구는 적어도 몇 번 운행해야 하나요?

( )

플러스 유형 처방전

나머지가 있을 때에는 '몫'과 '몫+1' 중에서 어느 것을 구해야 하는지 먼저 생각해 보라는~

플러스 유형 4 몫(나머지)의 크기 비교하기

4-1 몫의 크기를 비교하여 ○ 안에 >, =, <를 알맞게 써넣으세요.

$90 \div 2$ ○ $320 \div 9$

서술형

4-2 몫이 더 큰 것의 기호를 쓰려고 합니다. 풀이 과정을 쓰고 답을 구해 보세요.

㉠ $86 \div 3$ ㉡ $120 \div 5$

풀이

답

4-3 나머지가 더 큰 것의 기호를 써 보세요.

㉠ $239 \div 8$ ㉡ $185 \div 6$

( )

플러스 유형 5 나눗셈에서 □ 안에 알맞은 수 구하기

5-1 □ 안에 알맞은 수를 써넣으세요.

```
      □ 2
  5 ) 6 □
      □
     ----
      1 □
      1 0
     ----
        3
```

사고력 유형

5-2 □ 안에 알맞은 수를 써넣으세요.

```
      2 □
  4 ) □ 4
      8
     ----
      □ 4
      1 □
     ----
        2
```

플러스 유형 처방전

계산하기 쉬운 □ 안의 수부터 구하고 계산이 맞는지 확인해 보라능~

플러스 유형 6 수 카드로 몫이 가장 큰 나눗셈식 만들기

사고력 유형

6-1 수 카드 3, 6, 4를 한 번씩만 사용하여 몫이 가장 큰 (몇십몇)÷(몇)을 만들어 계산해 보세요.

□□ ÷ □ = □ … □

서술형

6-2 수 카드 5, 9, 7을 한 번씩만 사용하여 몫이 가장 큰 (몇십몇)÷(몇)을 만들려고 합니다. 만든 나눗셈식의 몫과 나머지는 각각 얼마인지 풀이 과정을 쓰고 답을 구해 보세요.

풀이 ______

답 몫 ______, 나머지 ______

플러스 유형 처방전

몫이 가장 큰 나눗셈식은 나누어지는 수를 가장 크게, 나누는 수를 가장 작게 만들라능~

플러스 유형 7 바르게 계산한 값 구하기

독해력 유형

7-1 어떤 수를 6으로 나누어야 할 것을 잘못하여 5로 나누었더니 몫이 13, 나머지가 4가 되었습니다. 바르게 계산한 몫과 나머지를 각각 구해 보세요.

단계 1 어떤 수를 □로 놓고 잘못 계산한 식을 써 보세요.

식 ____________________

단계 2 어떤 수는 얼마인가요?

( )

단계 3 바르게 계산한 몫과 나머지는 각각 얼마인가요?

몫 ( )
나머지 ( )

7-2 어떤 수를 5로 나누어야 할 것을 잘못하여 9로 나누었더니 몫이 11, 나머지가 8이 되었습니다. 바르게 계산한 몫과 나머지를 각각 구해 보세요.

몫 ( )
나머지 ( )

플러스 유형 8 일정한 간격으로 세울 때 필요한 가로등 수 구하기

독해력 유형

8-1 길이가 96 m인 도로의 양쪽에 처음부터 끝까지 8 m 간격으로 가로등을 세우려고 합니다. 필요한 가로등은 모두 몇 개인지 구해 보세요. (단, 가로등의 두께는 생각하지 않습니다.)

단계 1 도로 한쪽에 가로등과 가로등 사이의 간격은 몇 군데인가요?

( )

단계 2 도로의 한쪽에 필요한 가로등은 몇 개인가요?

( )

단계 3 도로 양쪽에 필요한 가로등은 모두 몇 개인가요?

( )

8-2 길이가 224 m인 산책로의 양쪽에 처음부터 끝까지 7 m 간격으로 가로등을 세우려고 합니다. 필요한 가로등은 모두 몇 개인지 구해 보세요. (단, 가로등의 두께는 생각하지 않습니다.)

( )

플러스 유형 처방전

(도로 한쪽의 간격의 수)
=(도로 한쪽의 길이)÷(가로등과 가로등 사이의 간격)
(도로 한쪽에 필요한 가로등의 수)
=(도로 한쪽의 간격의 수)+1로 구한다능~

점수

1 □ 안에 알맞은 수를 써넣으세요.

(1) $9 \div 9 = \square$ → $90 \div 9 = \square$

(2) $6 \div 2 = \square$ → $60 \div 2 = \square$

2 $840 \div 4$의 몫을 바르게 구한 사람의 이름을 써 보세요.

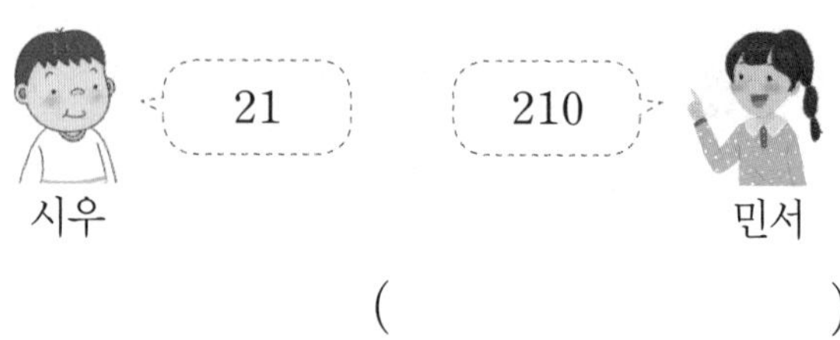

(　　　　　　　)

3 빈칸에 알맞은 수를 써넣으세요.

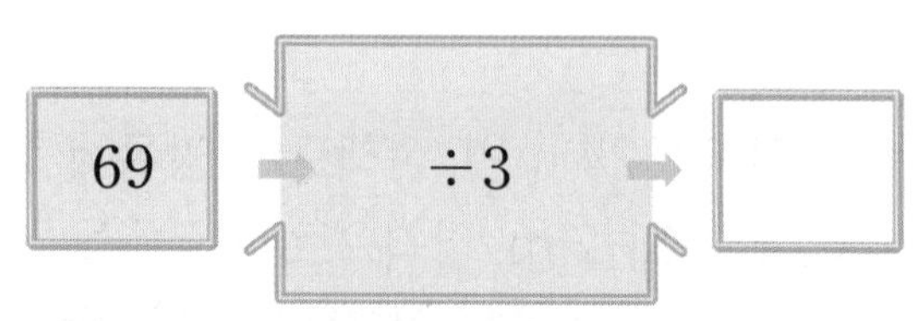

4 계산해 보고 몫과 나머지를 각각 구해 보세요.

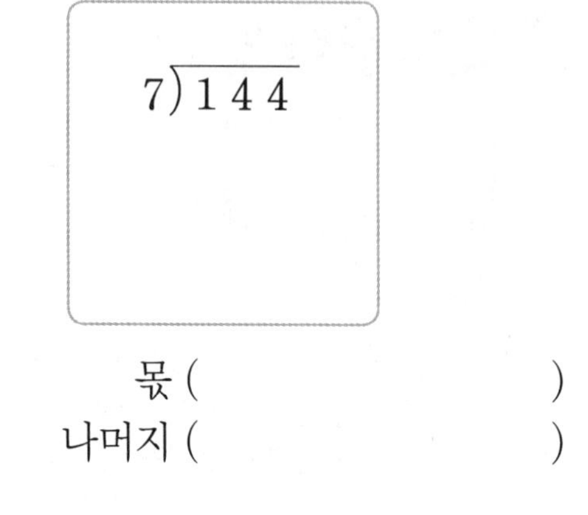

몫 (　　　　　　　)
나머지 (　　　　　　　)

5 잘못 계산한 곳을 찾아 바르게 계산해 보세요.

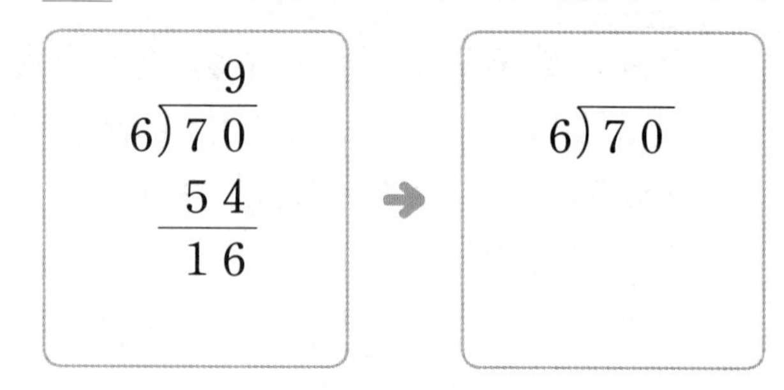

6 나머지를 찾아 이어 보세요.

$44 \div 3$	•	• 1
$99 \div 8$	•	• 2
		• 3

7 4로 나누어떨어지는 수에 ○표 하세요.

48	110

8 몫이 12인 나눗셈에 색칠해 보세요.

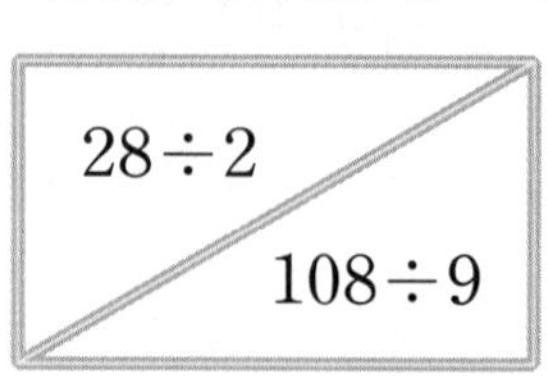

9 나눗셈의 몫과 나머지를 구하고 계산 결과가 맞는지 확인해 보세요.

$$86 \div 6 = \square \cdots \square$$

확인 ____________________

10 책상 65개를 트럭에 실으려고 합니다. 트럭 한 대당 책상을 5개씩 싣는다면 트럭은 모두 몇 대가 필요하나요?

식 ____________________

답 ____________________

11 나머지가 4가 될 수 <u>없는</u> 식의 기호를 써 보세요.

㉠ $\square \div 4$　　㉡ $\square \div 7$

(　　　　　　)

12 길이가 145 cm인 나무 막대를 한 토막이 4 cm가 되도록 자르려고 합니다. 나무 막대는 몇 토막이 되고, 몇 cm가 남는지 차례로 써 보세요.

(　　　　　　), (　　　　　　)

13 사과 90개를 한 봉지에 8개씩 담아서 팔려고 합니다. 팔 수 있는 사과는 몇 봉지인가요?

(　　　　　　)

14 □ 안에 알맞은 수를 구해 보세요.

 $\div 8 = 12 \cdots 1$

(　　　　　　)

15 나머지의 크기를 비교하여 ○ 안에 >, =, <를 알맞게 써넣으세요.

$73 \div 5$ ○ $307 \div 9$

16 □ 안에 알맞은 수를 써넣으세요.

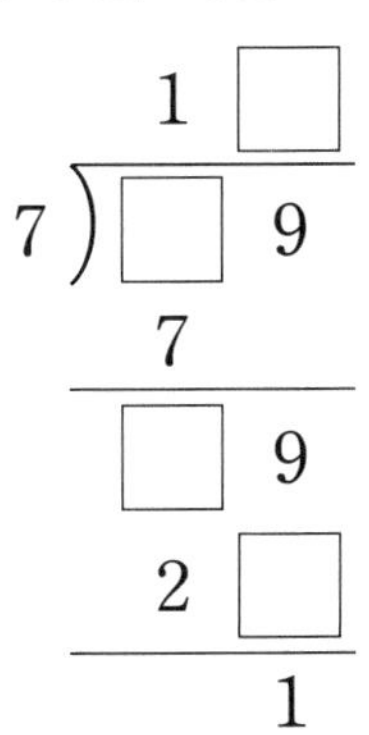

서술형 ≫ 55쪽 3-3 유사 문제

17 지호는 144쪽짜리 문제집을 모두 풀려고 합니다. 하루에 5쪽씩 매일 문제집을 푼다면 모두 푸는 데 며칠이 걸리는지 풀이 과정을 쓰고 답을 구해 보세요.

풀이

답 ______

서술형 ≫ 55쪽 4-2 유사 문제

18 몫이 더 큰 것의 기호를 쓰려고 합니다. 풀이 과정을 쓰고 답을 구해 보세요.

㉠ $97 \div 3$ ㉡ $203 \div 9$

풀이

답 ______

서술형 ≫ 56쪽 6-2 유사 문제

19 수 카드 [8], [3], [5]를 한 번씩만 사용하여 몫이 가장 큰 (몇십몇)÷(몇)을 만들려고 합니다. 만든 나눗셈식의 몫과 나머지는 각각 얼마인지 풀이 과정을 쓰고 답을 구해 보세요.

풀이

답 몫 ______, 나머지 ______

독해력 유형 서술형 ≫ 57쪽 7-1 유사 문제

20 어떤 수를 6으로 나누어야 할 것을 잘못하여 3으로 나누었더니 몫이 24, 나머지가 2가 되었습니다. 바르게 계산한 몫과 나머지는 각각 얼마인지 풀이 과정을 쓰고 답을 구해 보세요.

풀이

답 몫 ______, 나머지 ______

앞 단원 유형 다시 보기

(몇십몇) × (몇십몇)

1 다음이 나타내는 수를 구해 보세요.

63의 27배

 식 ______________________

답 ______________

(몇십) × (몇십)

(몇) × (몇)의 계산 결과 뒤에 0을 2개 붙여~

2 계산 결과를 찾아 이어 보세요.

80 × 50 •	• 3600
60 × 60 •	• 3800
	• 4000

(세 자리 수) × (한 자리 수)

3 어느 버스의 어린이 요금은 750원입니다. 어린이 2명이 버스를 타려면 얼마를 내야 하나요?

식 ______________________

답 ______________

별별 코딩 학습

암호를 구하자!

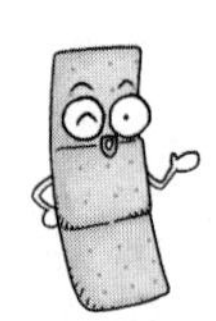

암호를 풀 때 단서가 되는 규칙을 암호키라고 해~
암호는 암호가 나타내는 식을 계산한 몫과 나머지의 합이야.
암호를 구해 봐~

수 암호키

1	2	3
4	5	6
7	8	9

예 1 2 3 / 4 5 6 / 7 8 9 에서 □ 모양 안의 숫자는 '4'입니다.

1 2 3 / 4 5 6 / 7 8 9 에서 □ 모양 안의 숫자는 '9'입니다.

코딩 1

□ □ □ ÷ □

6 2 3 □

계산을 하면 몫은 □이고, 나머지는 3이야.
암호는 몫과 나머지의 합이니까…… □ $+3=$ □이네.

코딩 2

□ □ □ ÷ □

□ □ □ 6

계산을 하면 몫은 □이고, 나머지는 □야.
암호는 몫과 나머지의 합이니까…… □ $+$ □ $=$ □이네.

다른 그림을 찾아라!

창의 3 제빵사가 초콜릿 46개를 포장하고 있습니다. 오늘은 어제보다 포장하고 남는 초콜릿이 적도록 포장했습니다. 두 그림에서 서로 다른 3군데를 찾아 ○표 하고 물음에 답해 보세요.

초콜릿을 한 봉지에 4개씩 포장

초콜릿을 한 봉지에 3개씩 포장

어제 초콜릿을 한 봉지에 4개씩 포장하면 남는 초콜릿은 몇 개인가요?

식 ____________________

답 ____________

오늘 초콜릿을 한 봉지에 3개씩 포장하면 남는 초콜릿은 몇 개인가요?

식 ____________________

답 ____________

3 원

소화제
주세요.
저도요.
튼튼 약국
뭘 먹고 그러니?
꿀꺽
꿀꺽
전 반지름이 13 cm인
피자 한 판이요.
13cm
뭘 그거 가지고……
난 지름이 26 cm인
피자 한 판을 먹었는데~
26cm
내가 더 큰 피자를
먹었거든.

Dr. 유형 처방전
* 두 사람이 먹은 피자는 크기가 같은 피자!

(원의 지름)=(원의 반지름)×2
=13×2=26 (cm)
이니까 너흰 같은 크기의 피자를 먹은 거란다.
아~
13cm
26 cm
=
휴~ 이제 소화가 다 됐다.
나도!
이제 괜찮아졌으니 매운 떡볶이 한 접시 어때?
좋아! 떡볶이에 순대 한 접시도 추가!
너희……
그러다 탈 난다.
휙
휙

개념 1 원 그리기

• **누름 못과 띠 종이를 이용하여 원 그리기**

띠 종이를 누름 못으로 고정한 후 연필을 구멍에 넣어 원을 그립니다.

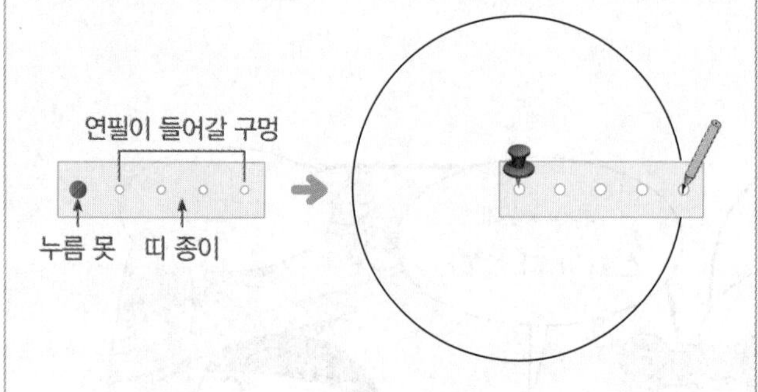

➔ 누름 못이 꽂힌 점에서 원 위의 한 점까지의 길이는 모두 같습니다.

개념 2 원의 중심, 반지름, 지름 알아보기

1. 원의 중심, 반지름, 지름 알기

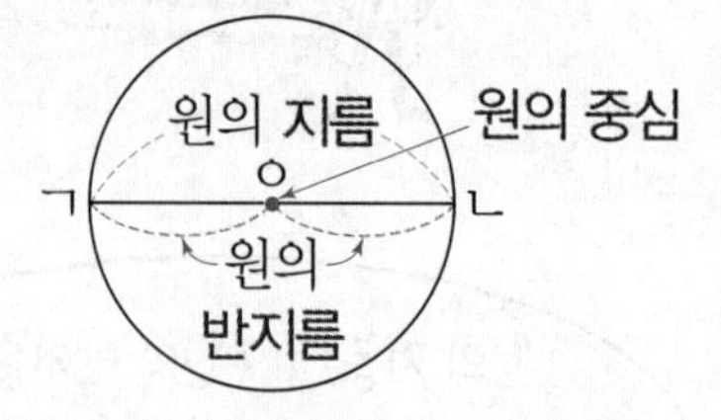

(1) **원의 중심**: 원을 그릴 때에 누름 못이 꽂혔던 점 ㅇ

└ 한 원에서 원의 중심은 1개뿐입니다.

(2) **원의 반지름**: 원의 중심 ㅇ과 원 위의 한 점을 이은 선분

➔ 선분 ㅇㄱ과 선분 ㅇㄴ

(3) **원의 지름**: 원 위의 두 점을 이은 선분 중 원의 중심 ㅇ을 지나는 선분 ➔ 선분 ㄱㄴ

2. 한 원에 있는 원의 반지름과 지름 알기

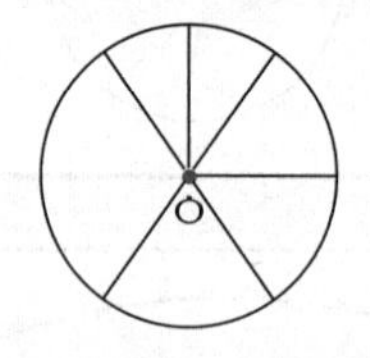

(1) 한 원에는 반지름과 지름을 무수히 많이 그을 수 있습니다.

(2) 한 원에서 원의 반지름은 모두 같습니다.

(3) 한 원에서 원의 지름은 모두 같습니다.

유형

1 자를 이용하여 여러 개의 점을 찍어 원을 완성해 보세요.

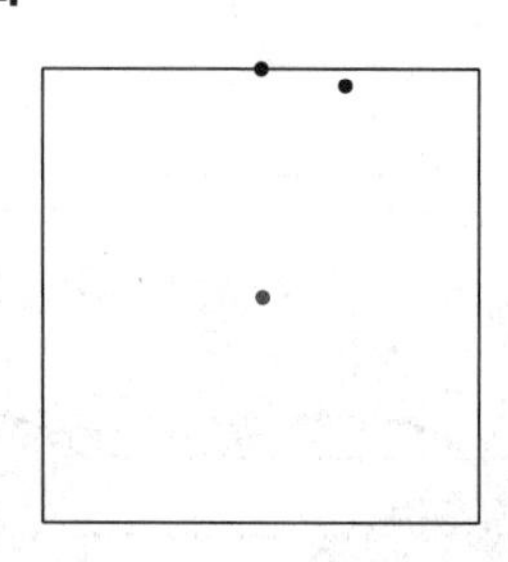

2 원 모양의 물건을 본떠서 원을 그려 보세요.

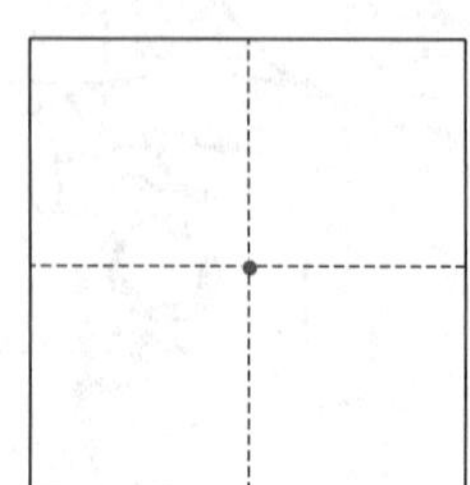

유형

3 □ 안에 알맞은 말을 써넣으세요.

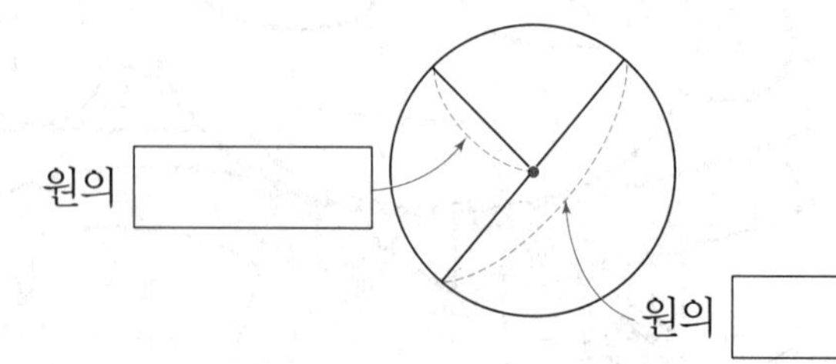

정답 및 풀이 15쪽

4 원의 중심을 찾아 써 보세요.

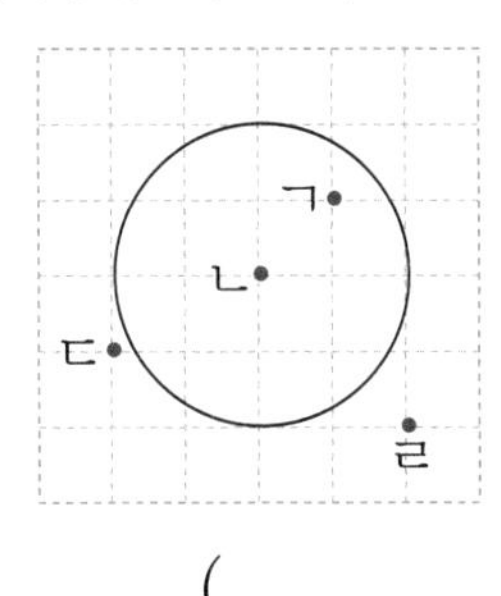

( )

5 원의 지름은 몇 cm인가요?

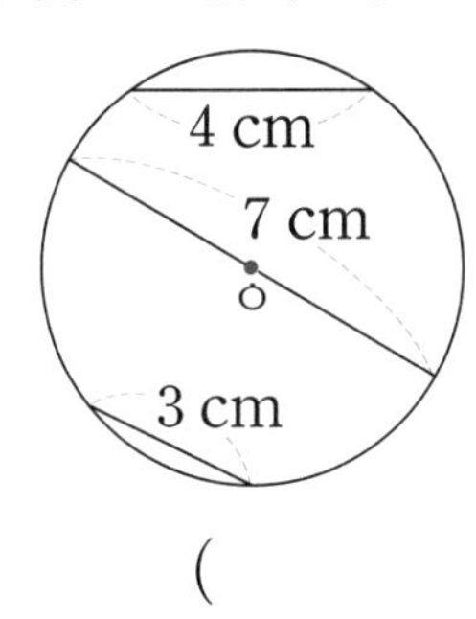

( )

6 □ 안에 알맞은 수를 써넣으세요.

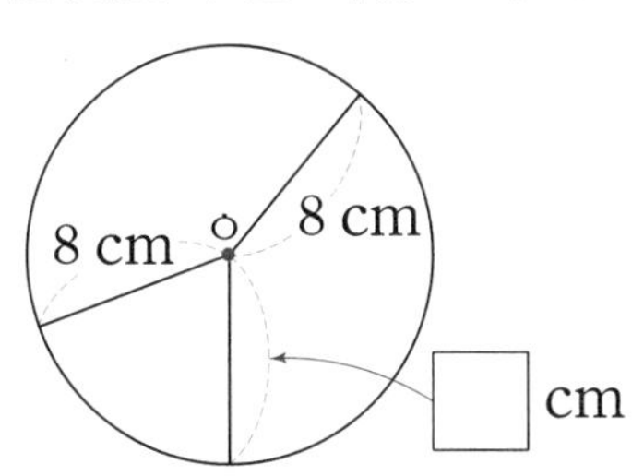

7 한 원에는 원의 중심이 몇 개 있나요?

( )

개념 3 원의 성질 알아보기

1. 원을 둘로 똑같이 나누는 선분은 지름입니다.

원 모양의 종이를 둘로 똑같이 나누어지도록 접기

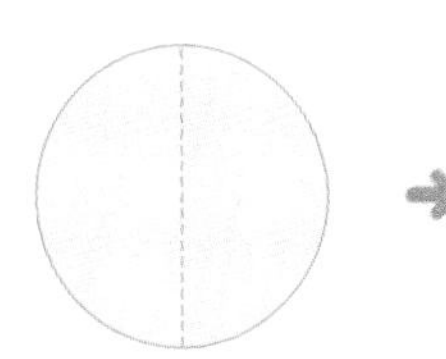

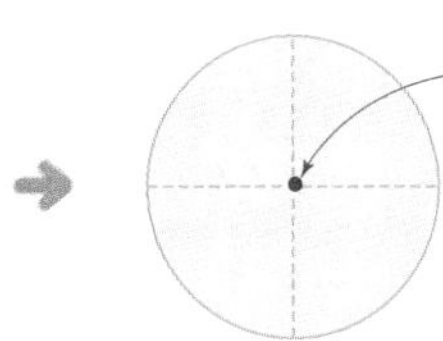

➜ 접었을 때 생기는 선분들이 원의 중심을 지나므로 이 선분들은 지름입니다.

2. 원 안의 선분 중 길이가 가장 긴 선분은 지름입니다.

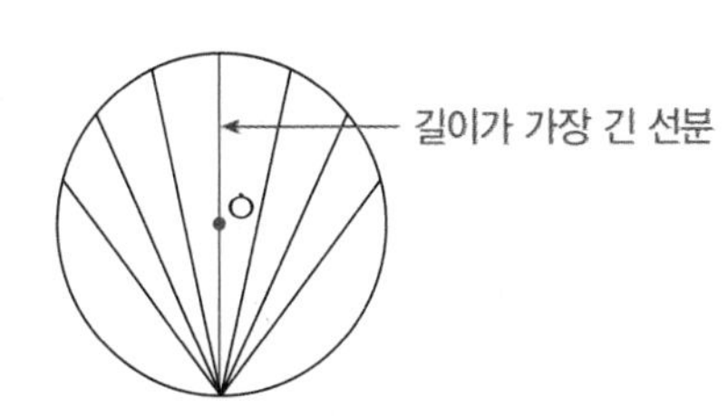

➜ 길이가 가장 긴 선분은 원의 중심을 지나므로 이 선분은 지름입니다.

유형

8 □ 안에 알맞은 말을 써넣으세요.

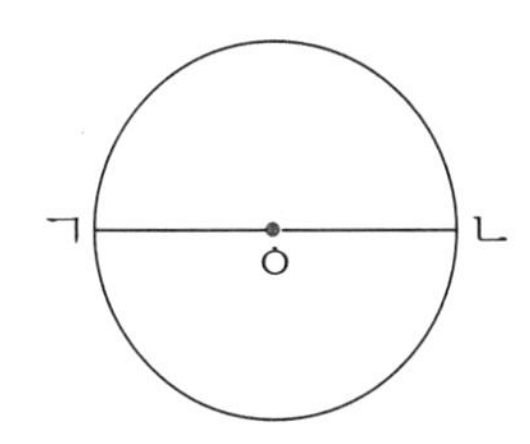

원의 중심을 지나는 선분 ㄱㄴ을 원의 □이라고 합니다. 원의 □은 원을 둘로 똑같이 나눕니다.

9 원을 둘로 똑같이 나누는 선분은 어느 것인가요?

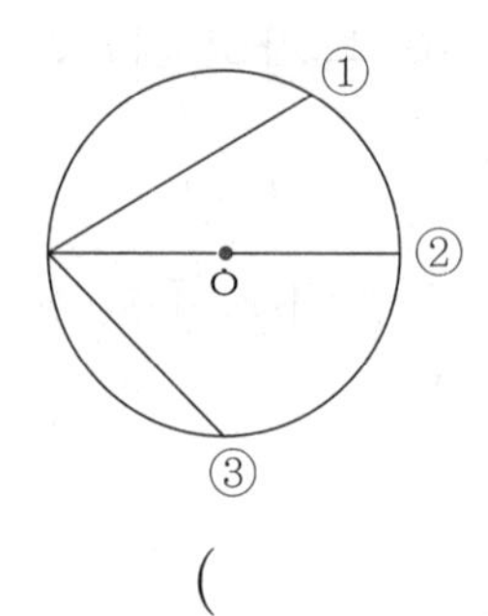

(　　　　　　　　)

10 원의 지름을 2개 그어 보세요.

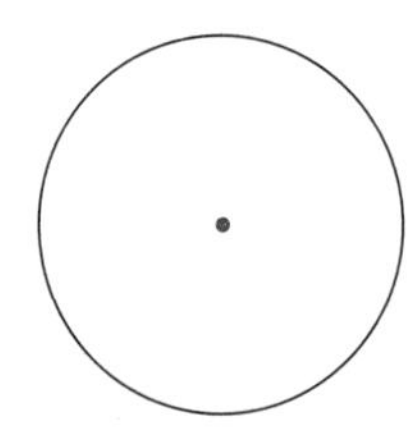

[11~12] 그림을 보고 물음에 답해 보세요.

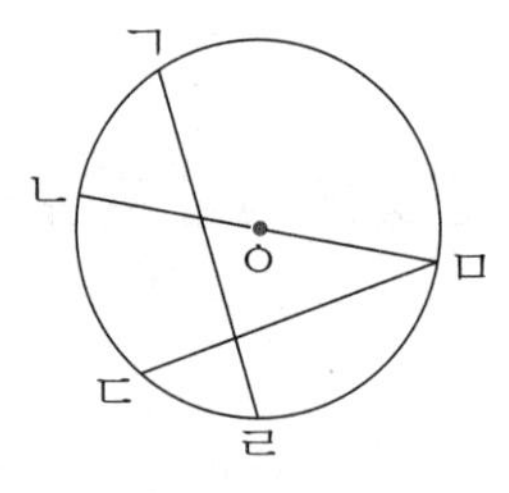

11 길이가 가장 긴 선분을 찾아 써 보세요.

(　　　　　　　　)

12 원의 지름을 나타내는 선분을 찾아 써 보세요.

(　　　　　　　　)

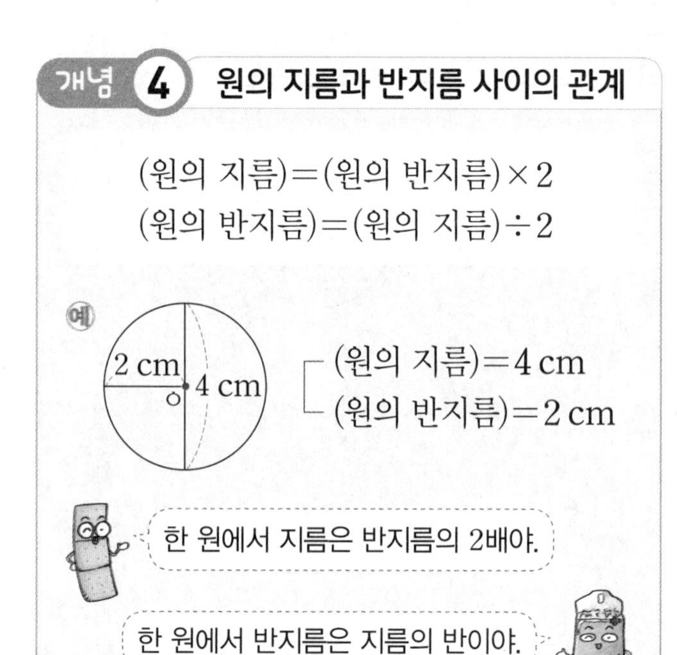

유형

13 그림을 보고 □ 안에 알맞은 수를 써넣으세요.

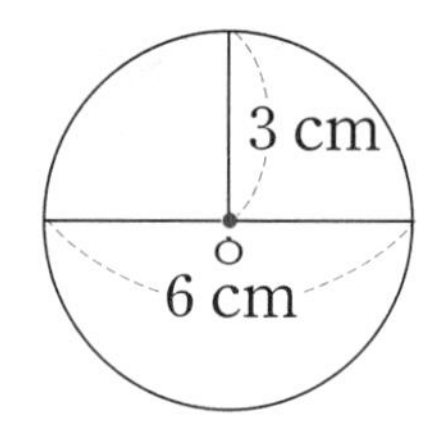

원의 지름: □ cm
원의 반지름: □ cm

➔ 한 원에서 지름은 반지름의 □배입니다.

14 점 ㅇ은 원의 중심입니다. □ 안에 알맞은 수를 써넣으세요.

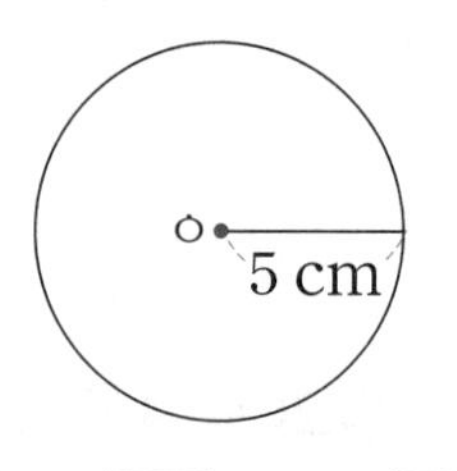

(원의 지름)=□×2=□(cm)

정답 및 풀이 15쪽

15 점 ㅇ은 원의 중심입니다. □ 안에 알맞은 수를 써넣으세요.

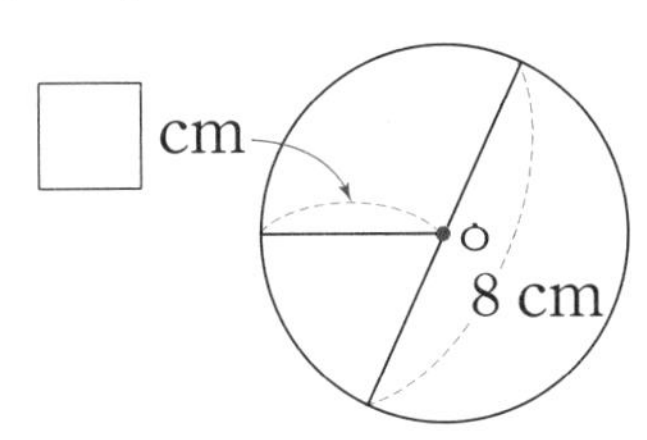

16 점 ㅇ은 원의 중심입니다. 원의 반지름은 몇 cm인가요?

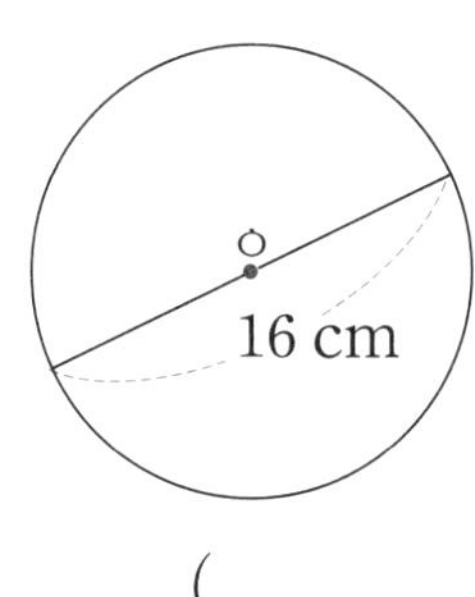

( )

17 점 ㅇ은 원의 중심입니다. 원의 지름은 몇 cm인가요?

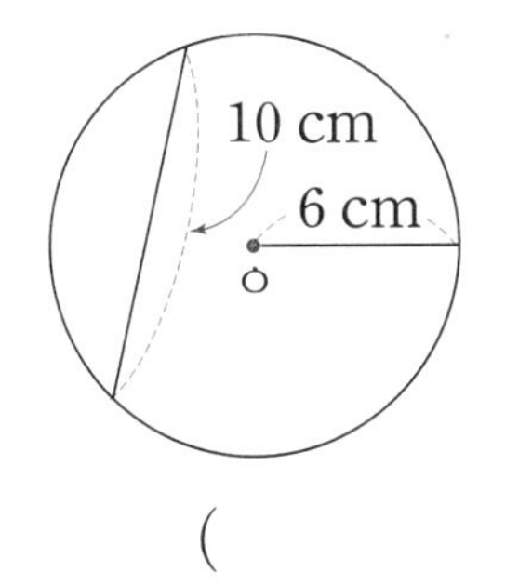

( )

18 반지름이 7 cm인 원의 지름은 몇 cm인가요?

( )

개념 5 컴퍼스를 이용하여 원 그리기

• 주어진 원과 크기가 같은 원 그리기

예

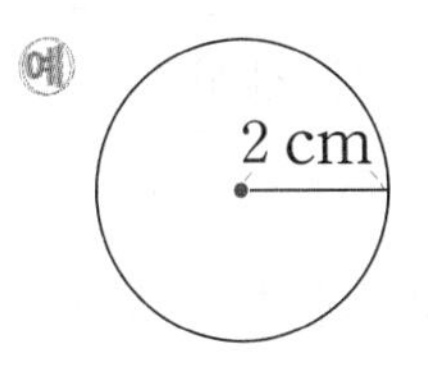

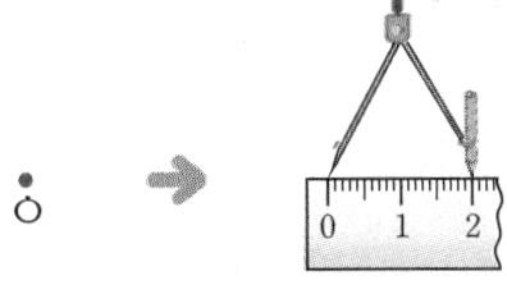

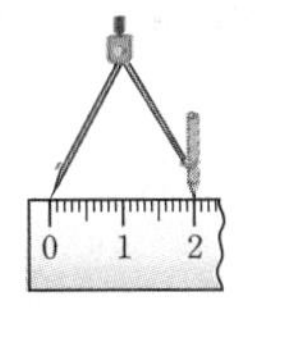

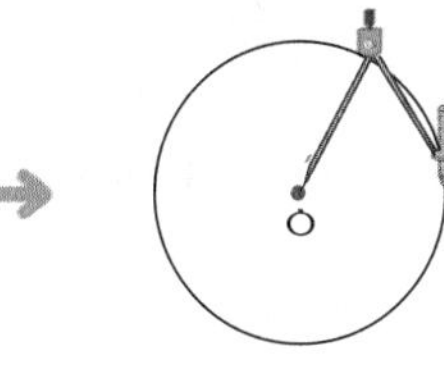

① 원의 중심이 되는 점 ㅇ을 정합니다.
② 컴퍼스를 원의 반지름만큼 벌립니다. (2 cm)
③ 컴퍼스의 침을 점 ㅇ에 꽂고 원을 그립니다.

참고

• 크기가 같은 두 원 그리기
① 원의 중심 정하기
② 반지름의 길이 정하기
③ 컴퍼스로 크기가 같은 원을 2개 그리기

유형

19 컴퍼스를 4 cm만큼 바르게 벌린 것에 ○표 하세요.

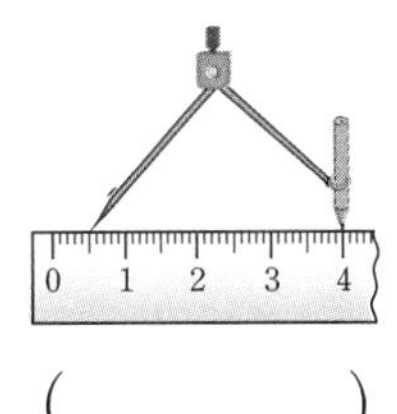

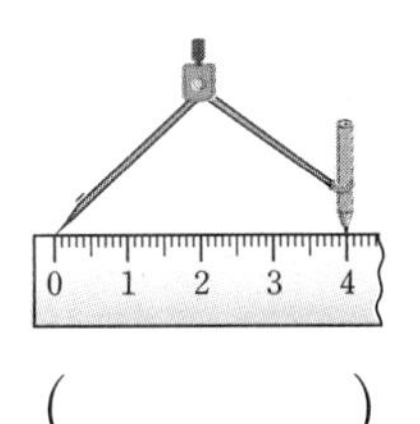

( ) ( )

20 원을 그리는 순서에 맞게 기호를 써 보세요.

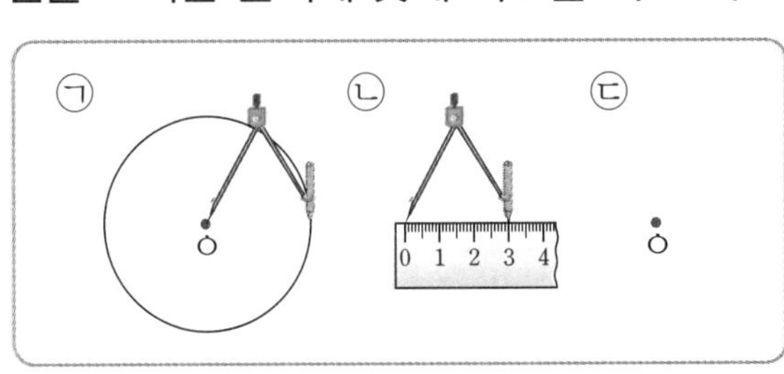

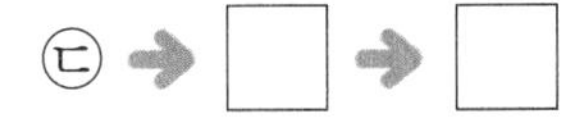

21 순서에 따라 반지름이 3 cm인 원을 그려 보세요.

① 컴퍼스의 침과 연필심 사이를 3 cm가 되도록 벌립니다.
② 컴퍼스의 침을 점 ㅇ에 꽂고 한쪽 방향으로 돌려 원을 그립니다.

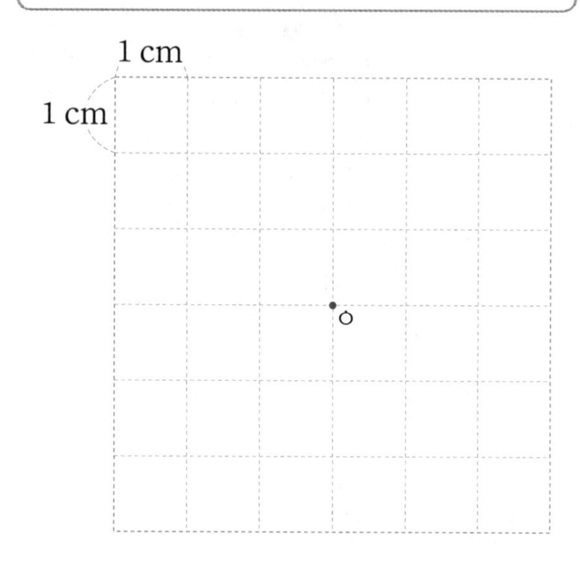

22 그림과 같이 컴퍼스를 벌려서 원을 그리면 원의 반지름은 몇 cm가 될까요?

(　　　　　　　　)

23 점 ㅇ을 원의 중심으로 하는 반지름이 2 cm인 원을 그려 보세요.

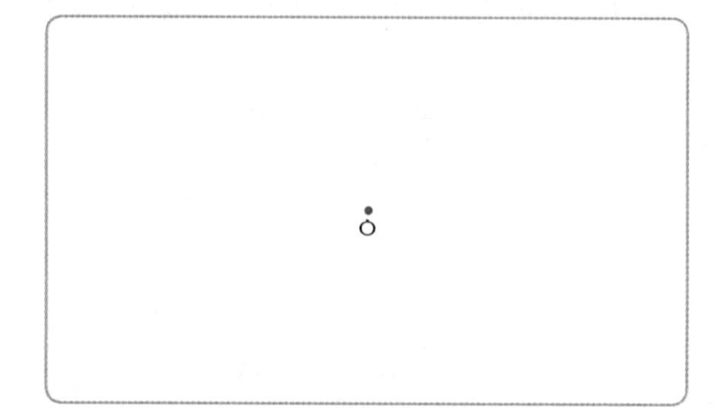

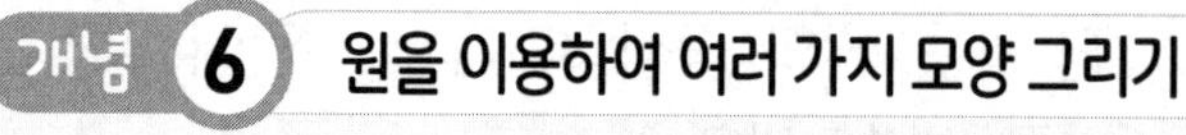

개념 6 원을 이용하여 여러 가지 모양 그리기

예

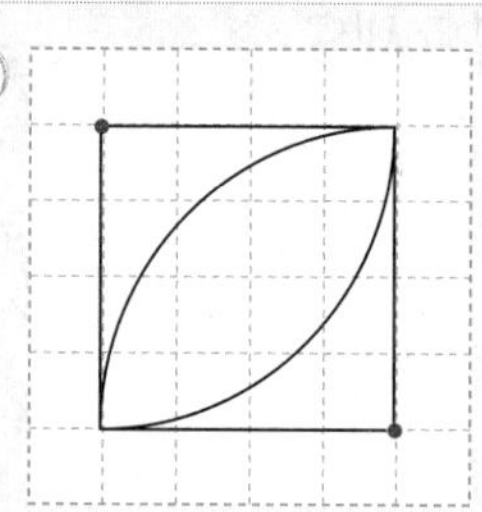

방법 정사각형을 그리고, 정사각형의 두 꼭짓점을 원의 중심으로 하는 원의 일부분을 2개 그립니다.

이때 원의 반지름은 정사각형의 한 변의 길이와 같아~

유형

24 주어진 모양을 그리기 위하여 컴퍼스의 침을 꽂아야 할 곳을 모두 표시해 보세요.

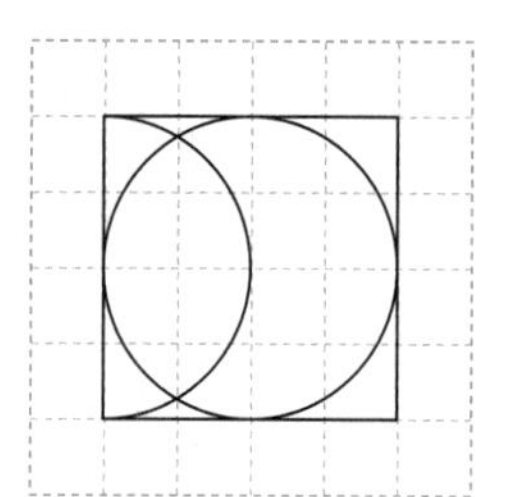

25 주어진 모양과 똑같이 그리려고 합니다. 모양을 완성해 보세요.

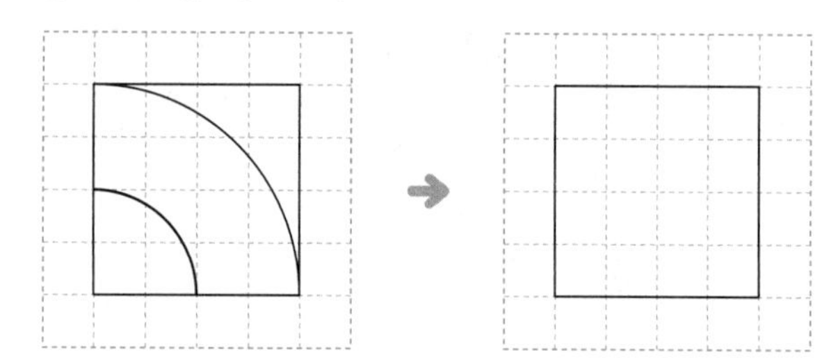

정답 및 풀이 15쪽

[26~27] 주어진 모양과 똑같이 그리기 위하여 컴퍼스의 침을 꽂아야 할 곳을 모두 표시하고 그려 보세요.

26

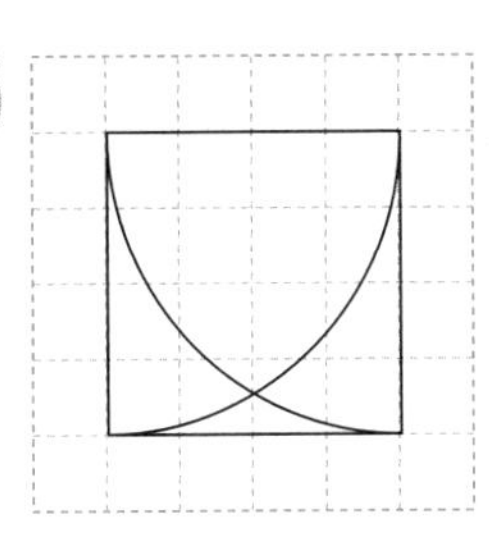

➜

27

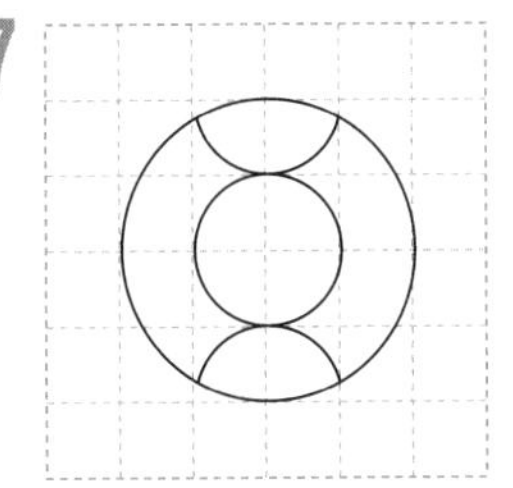

➜

28 주어진 모양을 그린 방법을 잘못 말한 사람의 이름을 써 보세요.

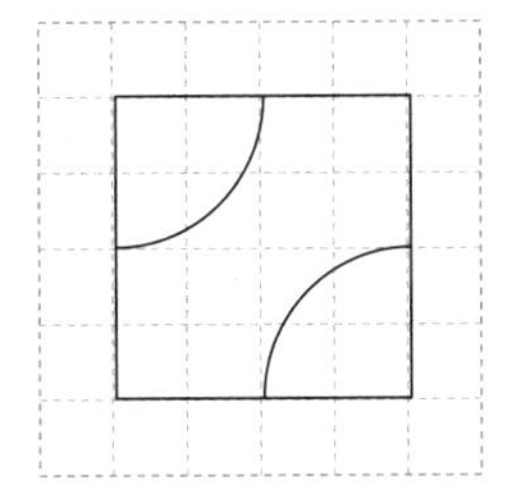

지안: 정사각형의 두 꼭짓점을 원의 중심으로 하는 원의 일부분을 2개 그렸어.

원의 반지름은 정사각형의 한 변의 길이와 같아. :지호

(   )

플러스 개념 7 규칙을 찾아 원 그리기

1. 원의 중심이 같고 반지름이 일정하게 늘어나는 원 그리기

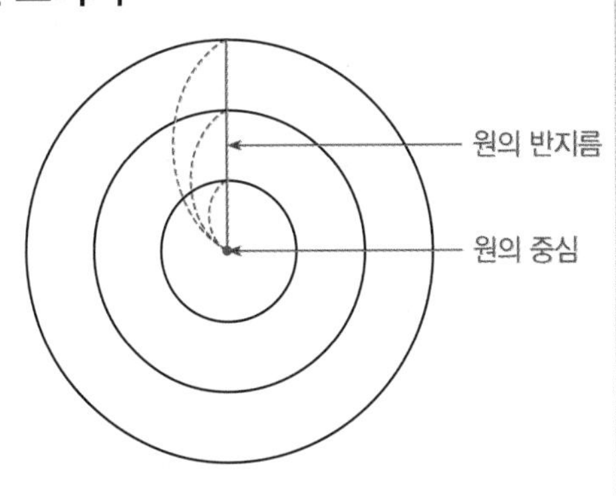

2. 원의 중심이 오른쪽으로 이동하고 반지름이 변하지 않는 원 그리기

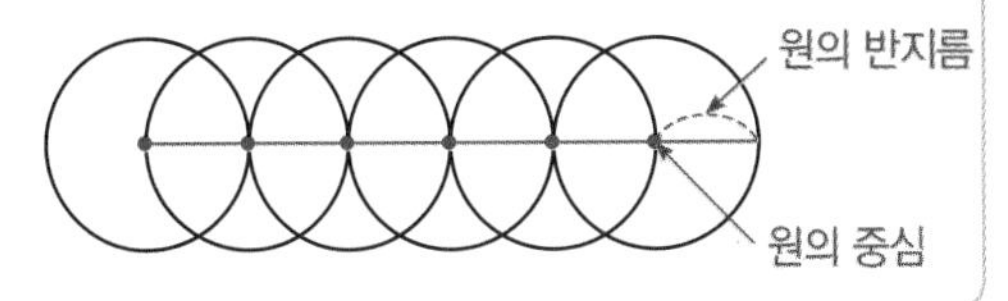

유형

[29~30] 규칙에 따라 원을 1개 더 그려 보세요.

29

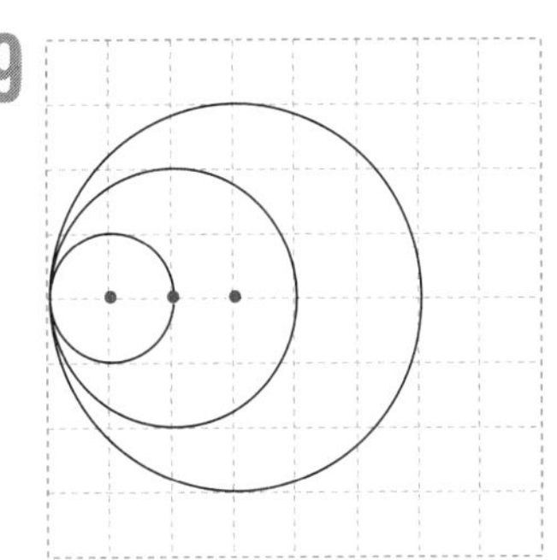

30

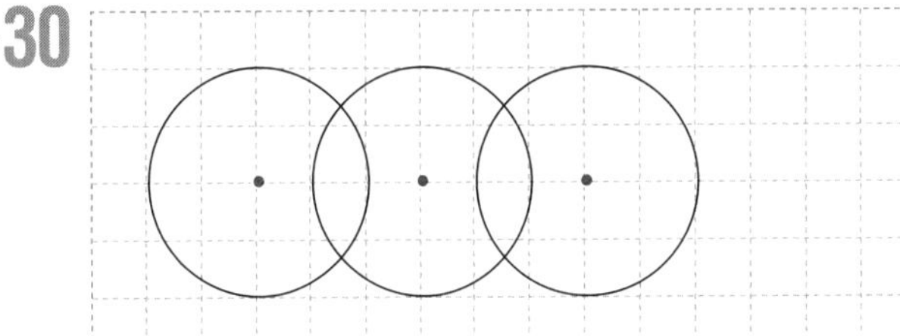

기초력 집중 연습

[1~3] 원의 중심을 찾아 써 보세요.

1

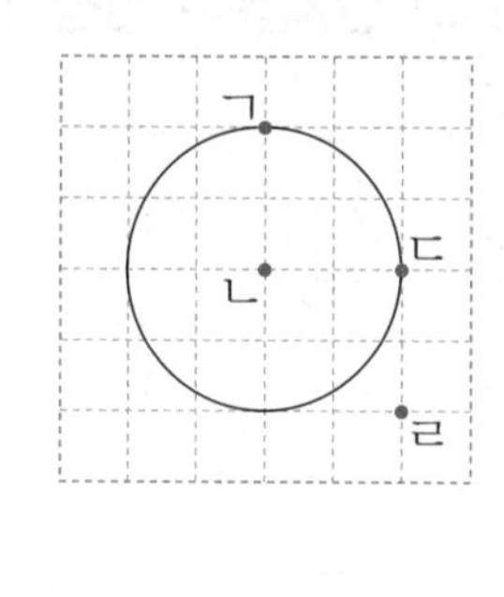

(　　　　　　　　)

2

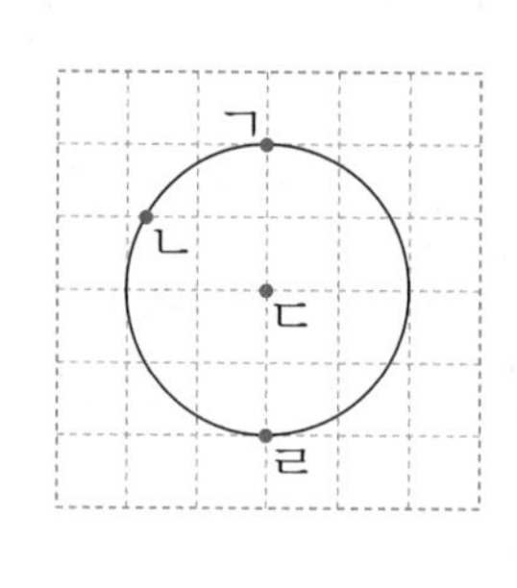

(　　　　　　　　)

3

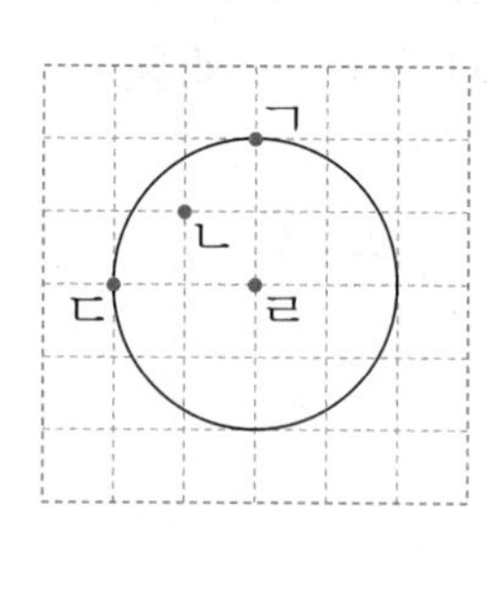

(　　　　　　　　)

[4~6] 점 ㅇ은 원의 중심입니다. □ 안에 알맞은 수를 써넣으세요.

4

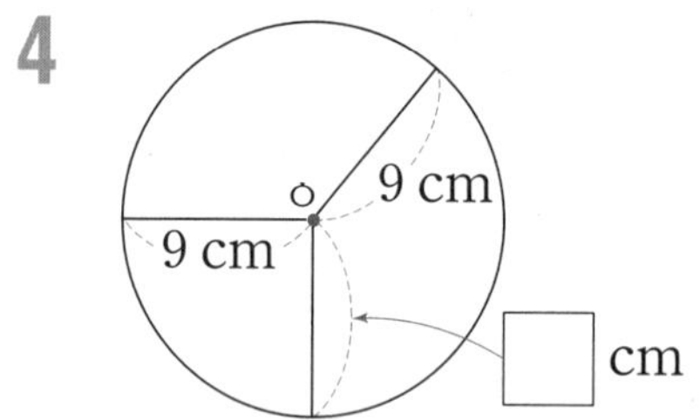

5

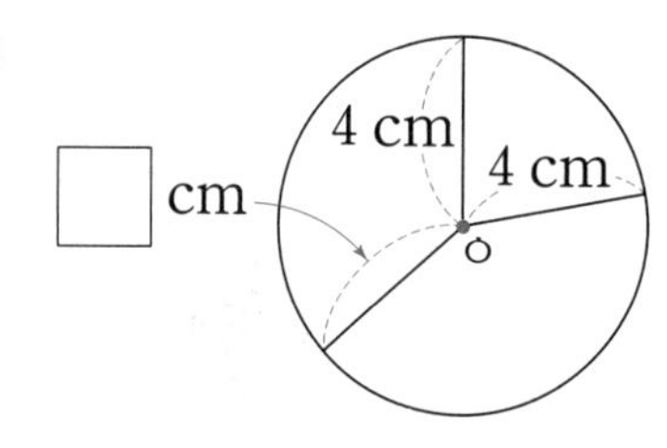

6

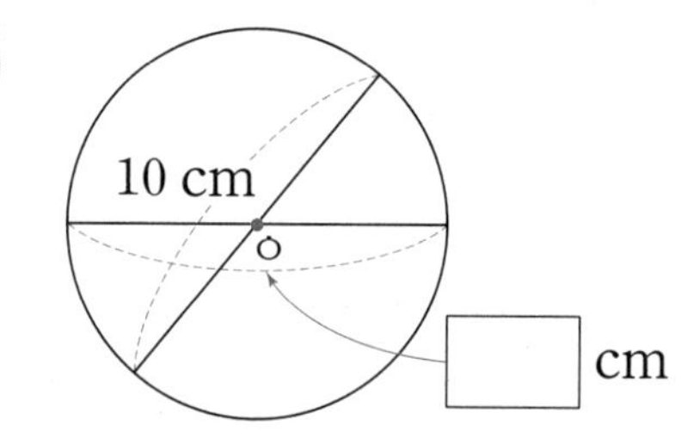

[7~8] 점 ㅇ은 원의 중심입니다. 원의 지름과 반지름을 각각 구해 보세요.

7

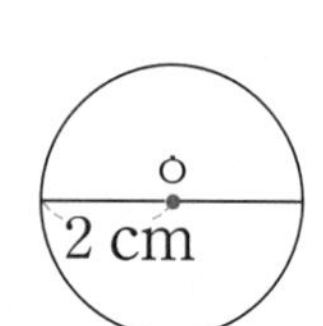

지름: □ cm
반지름: □ cm

8

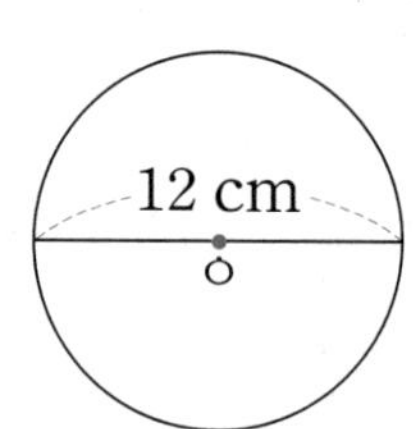

지름: □ cm
반지름: □ cm

[9~10] 주어진 모양과 똑같이 그려 보세요.

9

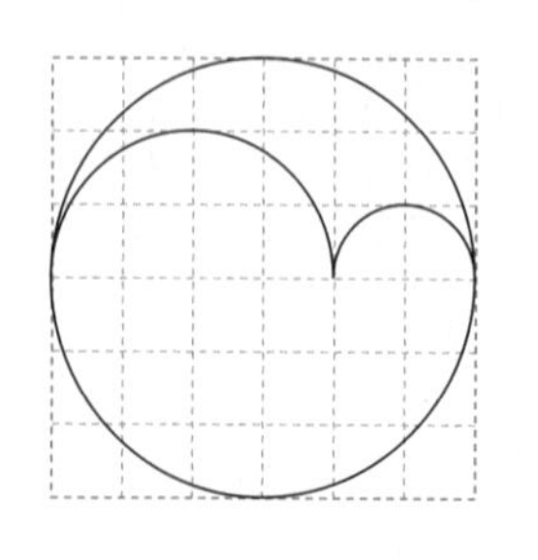

➔

10

⬅

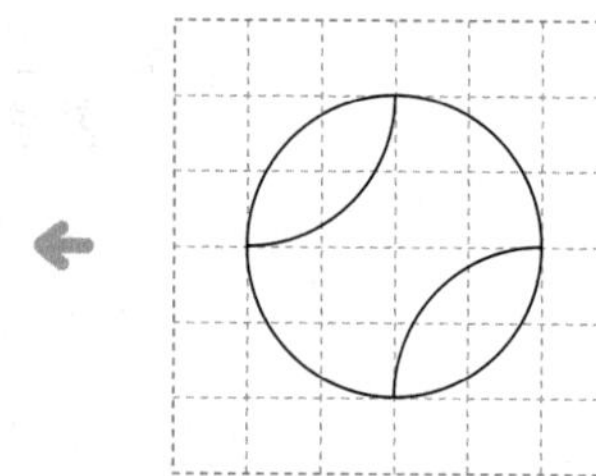

유형 진단 TEST

점수 /10점

정답 및 풀이 17쪽

1 원의 중심을 찾아 표시하고, 반지름을 1개 그어 보세요. [1점]

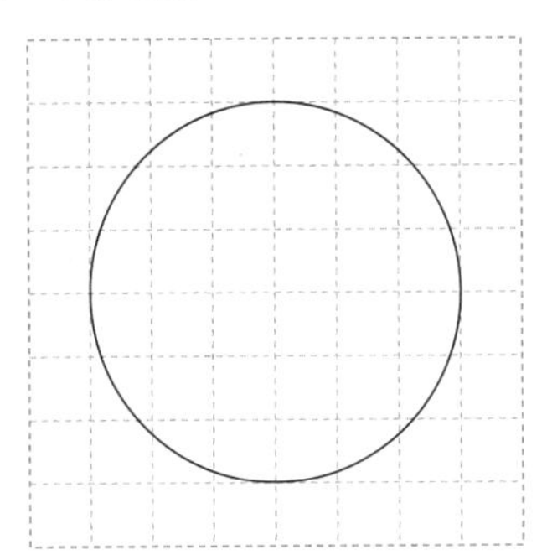

2 원의 중심과 원 위의 한 점을 이은 선분을 찾아 써 보세요. [1점]

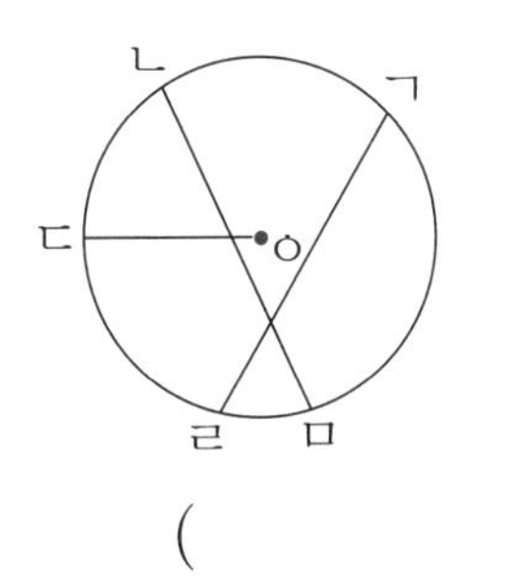

( )

3 그림과 같이 컴퍼스를 벌려 그린 원의 지름은 몇 cm인가요? [2점]

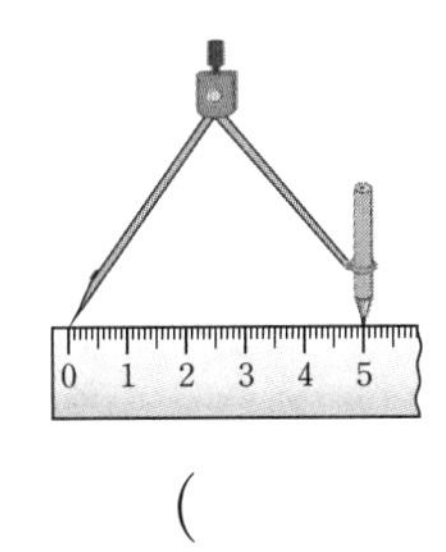

( )

4 크기가 같은 원 2개를 그려 보세요. [2점]

5 지름을 나타내는 선분을 모두 찾아 자로 길이를 재어 빈칸에 써넣고, 알맞은 말에 ○표 하세요. [2점]

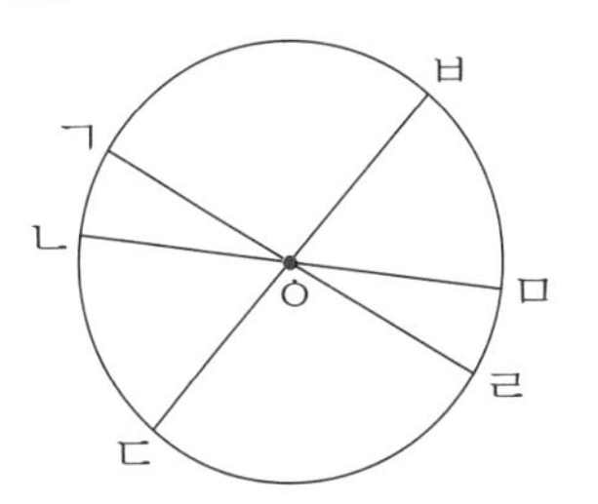

지름	선분 ㄱㄹ		
길이(cm)	3		

➔ 한 원에서 원의 지름은 모두 (같습니다 , 다릅니다).

서술형

6 컴퍼스를 이용하여 장난감 바퀴와 크기가 같은 원을 그려 보고, 그린 방법을 설명해 보세요. [2점]

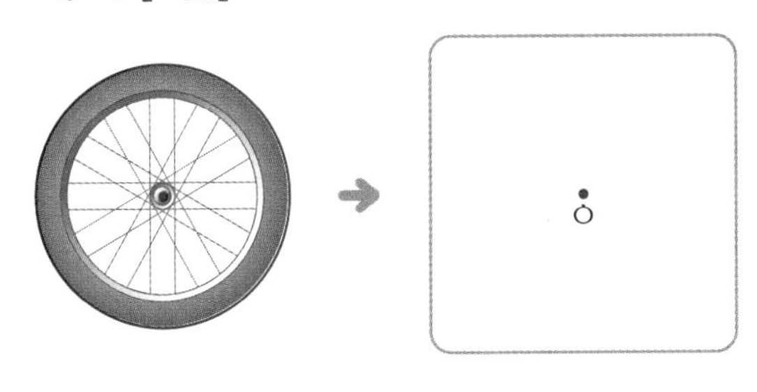

방법 ____________________

____

STEP 2 꼬리를 무는 유형

❶ 반지름 알아보기

기본 유형

1 원의 반지름을 나타내는 선분을 찾아 써 보세요.

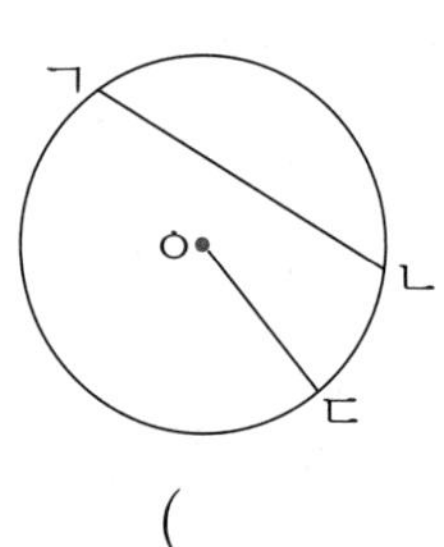

( )

변형 유형

2 원의 반지름은 몇 cm인가요?

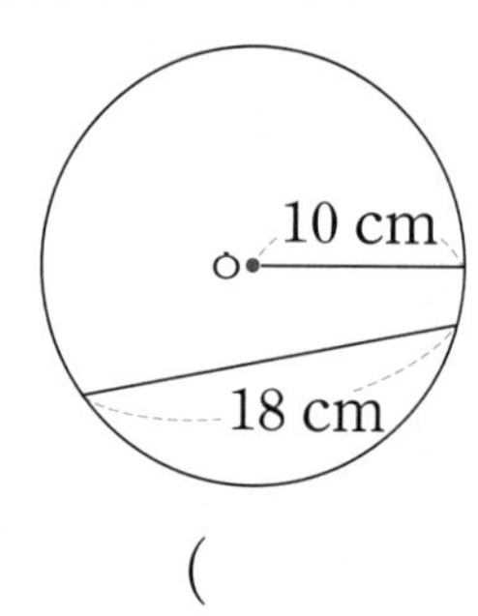

( )

변형 유형

3 원의 반지름을 나타내는 선분을 모두 찾아 써 보세요.

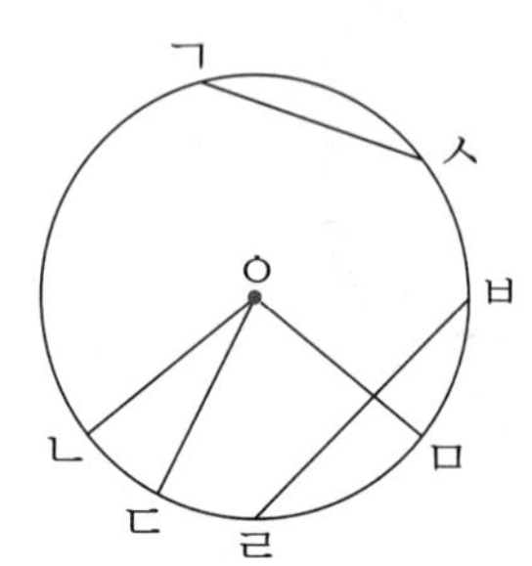

( )

❷ 지름 알아보기

기본 유형

4 원의 지름을 나타내는 선분을 찾아 써 보세요.

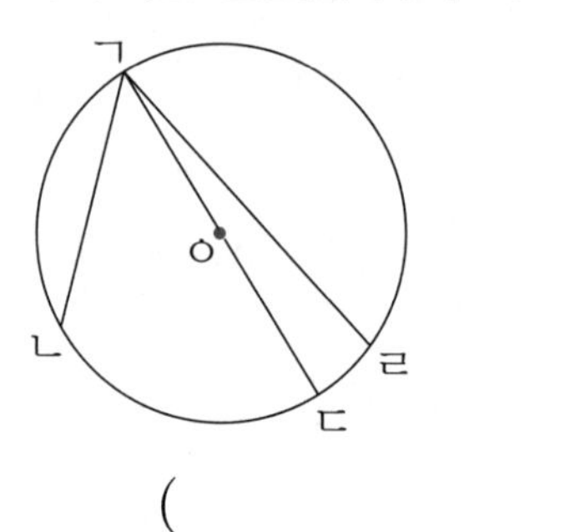

( )

변형 유형

5 원의 지름은 몇 cm인가요?

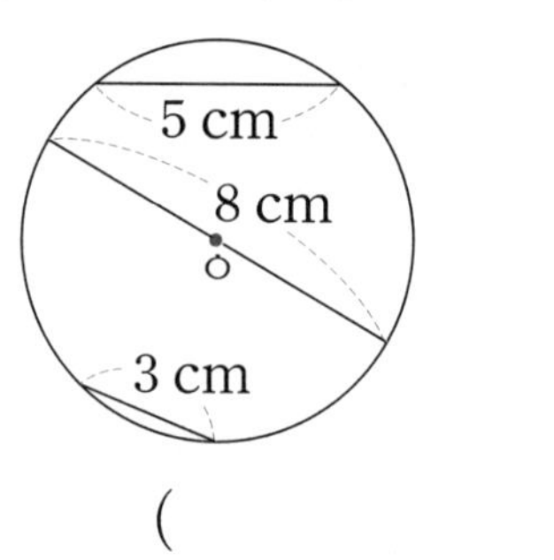

( )

변형 유형

6 원의 지름을 나타내는 선분을 모두 찾아 써 보세요.

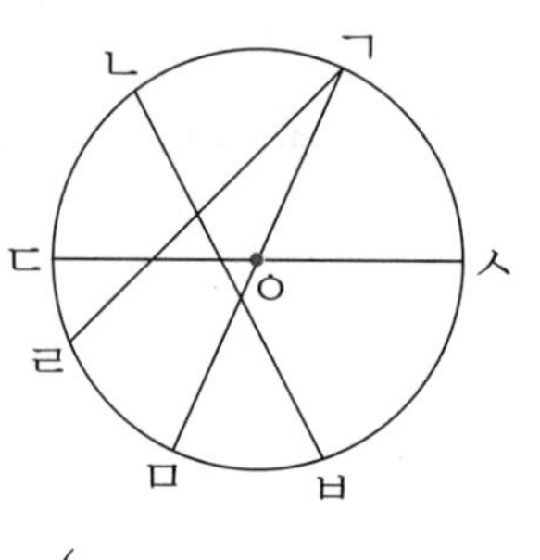

( )

❸ 원의 지름과 반지름 사이의 관계

기본 유형

7 점 ㅇ은 원의 중심입니다. 원의 지름과 반지름은 각각 몇 cm인지 구해 보세요.

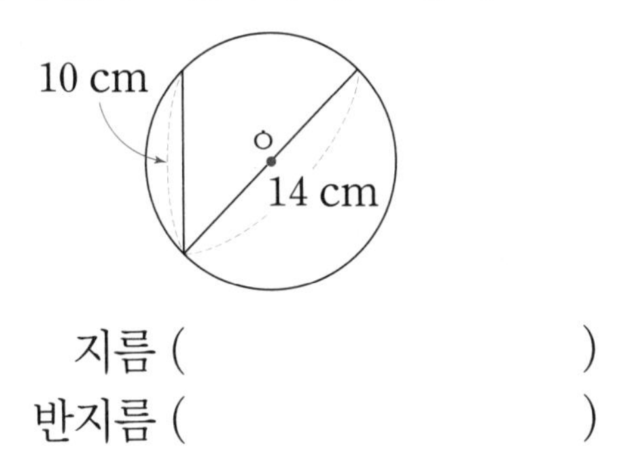

지름 (　　　　　　　　)
반지름 (　　　　　　　　)

변형 유형

8 점 ㅇ은 원의 중심입니다. □ 안에 알맞은 수를 써넣으세요.

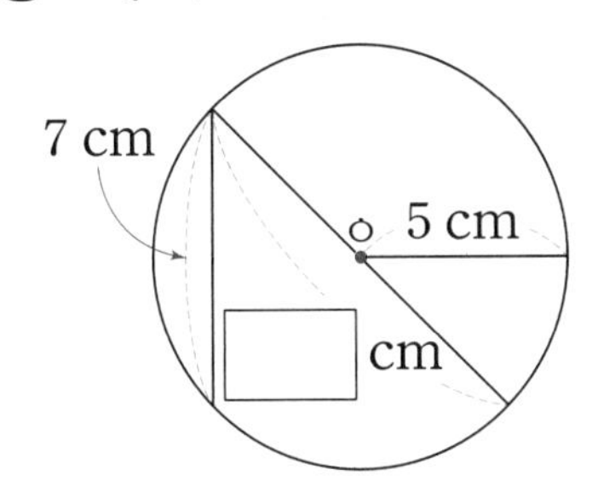

문장제 유형

9 점 ㅇ은 원의 중심입니다. ㉡의 길이가 30 cm일 때 ㉠의 길이는 몇 cm인가요?

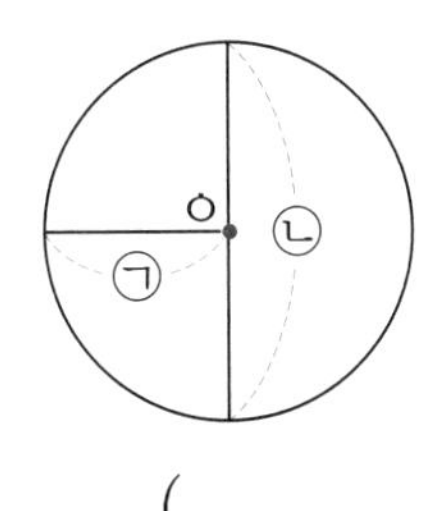

(　　　　　　　　)

❹ 규칙에 따라 원 그리기

기본 유형

10 규칙에 따라 모눈종이에 원을 1개 더 그려 보세요.

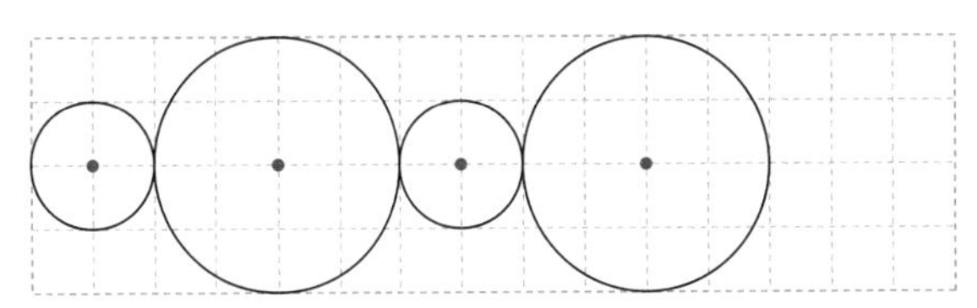

변형 유형

11 원의 중심이 같고 반지름이 모눈 한 칸씩 늘어나는 규칙에 따라 원을 2개 더 그려 보세요.

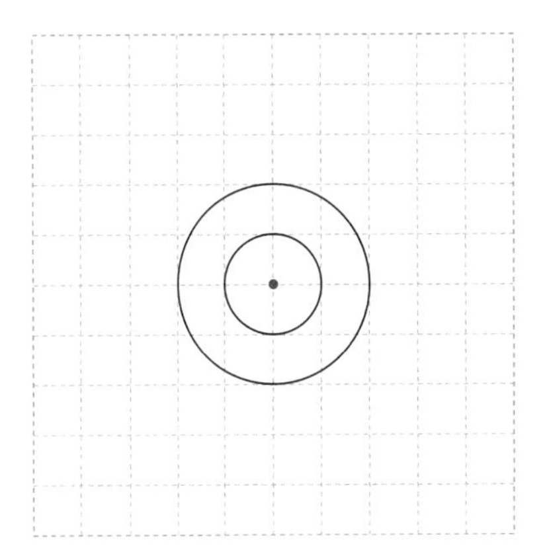

변형 유형 서술형

12 어떤 규칙이 있는지 설명하고 규칙에 따라 원을 1개 더 그려 보세요.

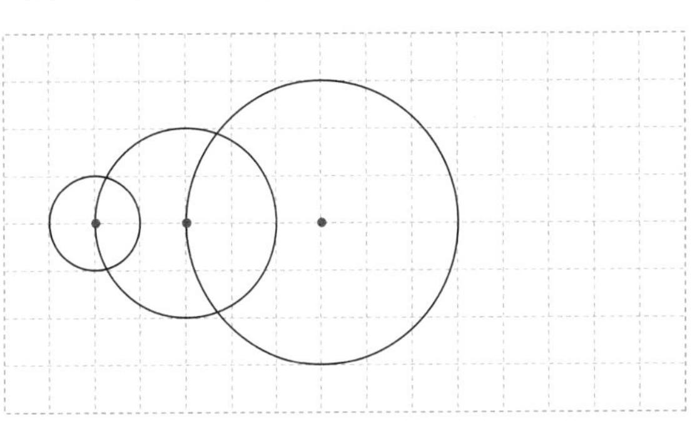

규칙 ______________________

____

3 STEP 수학 독해력 유형

독해력 유형 1 크기가 다른 원 찾기

크기가 다른 원을 찾아 기호를 써 보세요.

> ㉠ 반지름이 7 cm인 원
> ㉡ 컴퍼스를 9 cm만큼 벌려서 그린 원
> ㉢ 지름이 14 cm인 원

What? 구하려는 것을 찾아 밑줄을 그어 보세요.

How?
❶ 컴퍼스를 원의 반지름만큼 벌려서 원을 그리는 것을 이용하여 ㉡의 반지름 구하기
❷ 원의 반지름은 지름의 반임을 이용하여 ㉢의 반지름 구하기
❸ ㉠, ㉡, ㉢의 반지름을 비교하여 크기가 다른 원 찾기

Solve
❶ ㉡의 반지름은 몇 cm인가요?

( )

❷ ㉢의 반지름은 몇 cm인가요?

( )

❸ 크기가 다른 원을 찾아 기호를 써 보세요.

( )

쌍둥이 유형 1-1

크기가 다른 원을 찾아 기호를 써 보세요.

> ㉠ 지름이 20 cm인 원
> ㉡ 컴퍼스를 10 cm만큼 벌려서 그린 원
> ㉢ 반지름이 8 cm인 원

( )

독해력 유형 2 정사각형의 네 변의 길이의 합 구하기

정사각형 안에 반지름이 6 cm인 원을 그렸습니다. 정사각형의 네 변의 길이의 합은 몇 cm인지 구해 보세요.

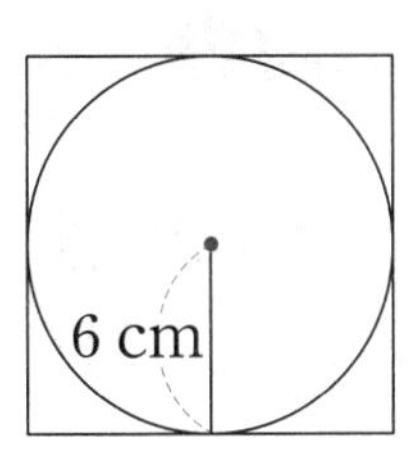

What? 구하려는 것을 찾아 밑줄을 그어 보세요.

How?
① 원의 지름은 반지름의 2배임을 이용하여 원의 지름 구하기
② 정사각형의 한 변의 길이는 원의 지름과 같음을 이용하여 정사각형의 한 변의 길이 구하기
③ ②에서 구한 길이를 이용하여 정사각형의 네 변의 길이의 합 구하기

Solve
① 원의 지름은 몇 cm인가요?

( )

② 정사각형의 한 변의 길이는 몇 cm인가요?

( )

③ 정사각형의 네 변의 길이의 합은 몇 cm인가요?

( )

쌍둥이 유형 2-1

정사각형 안에 반지름이 7 cm인 원을 그렸습니다. 정사각형의 네 변의 길이의 합은 몇 cm인지 구해 보세요.

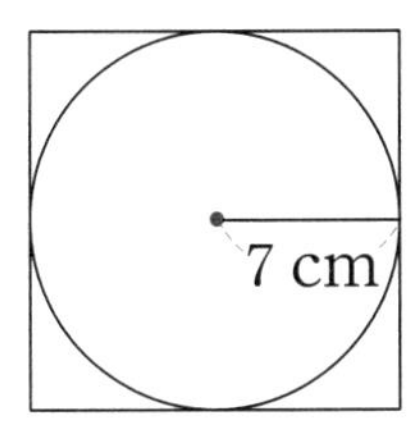

( )

4 STEP 사고력 플러스 유형

플러스 유형 ❶ 원의 반지름을 이용하여 지름 구하기

1-1 점 ㅇ은 원의 중심입니다. 원의 지름은 몇 cm인가요?

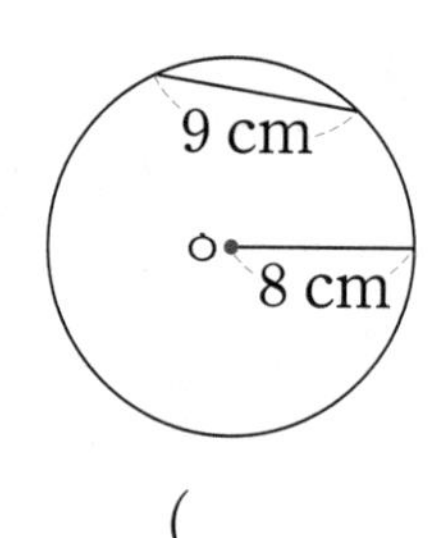

(　　　　　　　　　　)

1-2 점 ㅇ은 원의 중심입니다. 원의 지름은 몇 cm인가요?

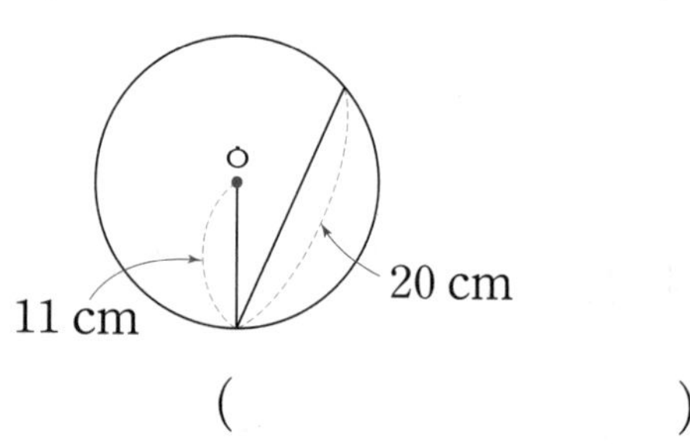

(　　　　　　　　　　)

1-3 다음과 같은 원의 지름은 몇 cm인가요?

반지름이 3 cm인 원

(　　　　　　　　　　)

플러스 유형 ❷ 원의 지름을 이용하여 반지름 구하기

2-1 점 ㅇ은 원의 중심입니다. □ 안에 알맞은 수를 써넣으세요.

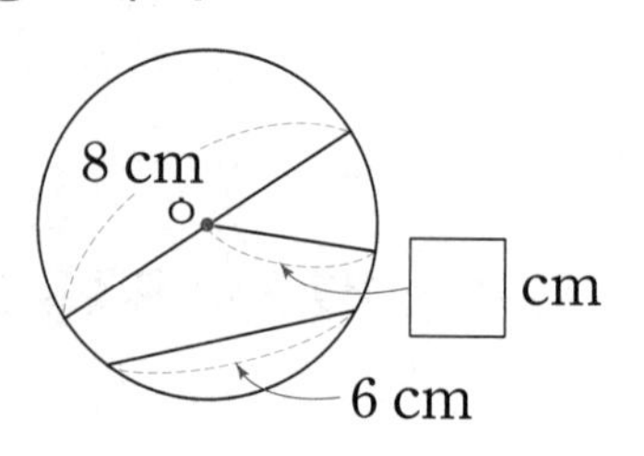

2-2 점 ㅇ은 원의 중심입니다. □ 안에 알맞은 수를 써넣으세요.

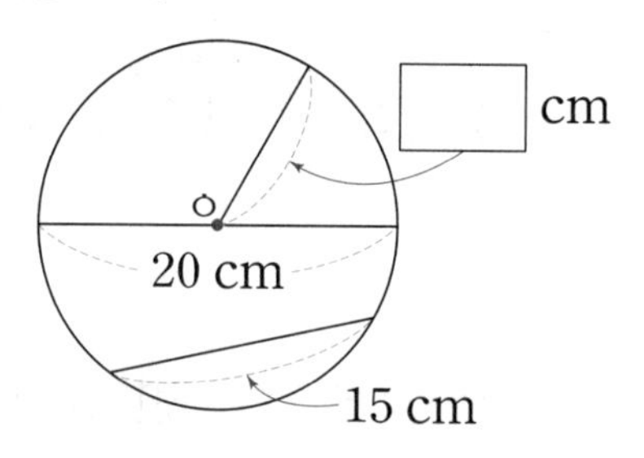

2-3 컴퍼스를 이용하여 지름이 다음과 같은 원을 그리려고 합니다. 컴퍼스를 몇 cm만큼 벌려야 하나요?

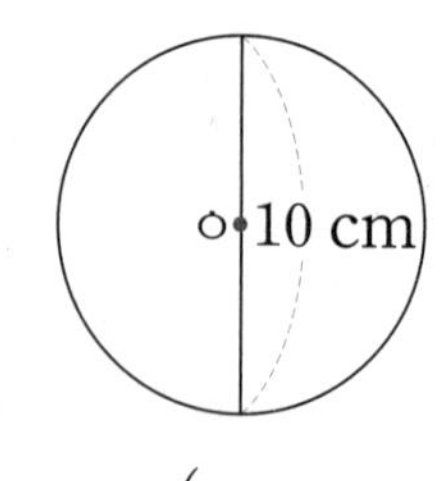

(　　　　　　　　　　)

플러스 유형 3 컴퍼스의 침을 꽂아야 할 곳의 개수 구하기

3-1 주어진 모양을 그리기 위하여 컴퍼스의 침을 꽂아야 할 곳은 모두 몇 군데인가요?

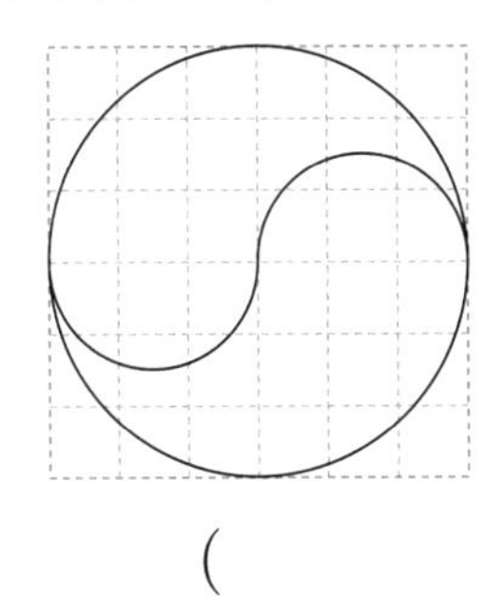

( )

3-2 주어진 모양을 그리기 위하여 컴퍼스의 침을 꽂아야 할 곳은 모두 몇 군데인가요?

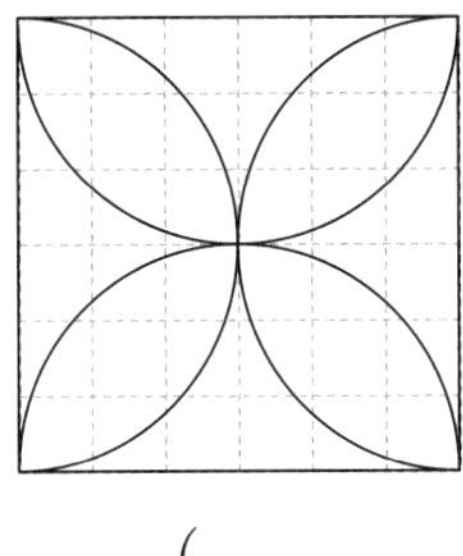

( )

3-3 주어진 모양과 똑같은 모양을 그릴 때 원의 중심이 되는 점은 모두 몇 개인가요?

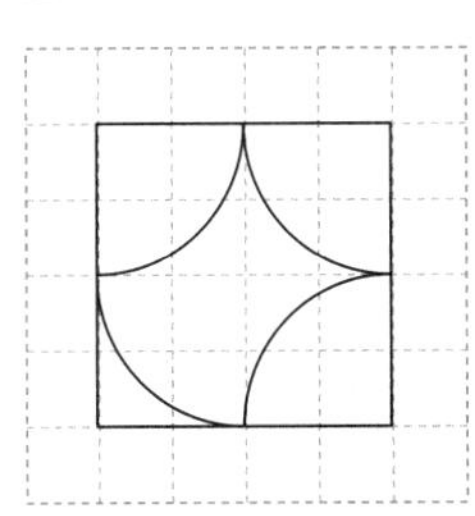

( )

플러스 유형 4 원의 크기 비교하기

4-1 크기가 더 큰 원의 기호를 써 보세요.

㉠ 지름이 20 cm인 원
㉡ 반지름이 12 cm인 원

( )

서술형

4-2 크기가 더 큰 원을 말한 사람은 누구인지 풀이 과정을 쓰고 답을 구해 보세요.

반지름이 7 cm인 원

서준

지름이 10 cm인 원

다은

풀이

답

플러스 유형 처방전

원의 지름 또는 반지름으로 통일한 다음 길이를 비교하라능~

플러스 유형 5 원의 중심을 이은 선분의 길이 구하기

사고력 유형

5-1 점 ㄱ, 점 ㄷ은 원의 중심입니다. 선분 ㄱㄷ의 길이는 몇 cm인가요?

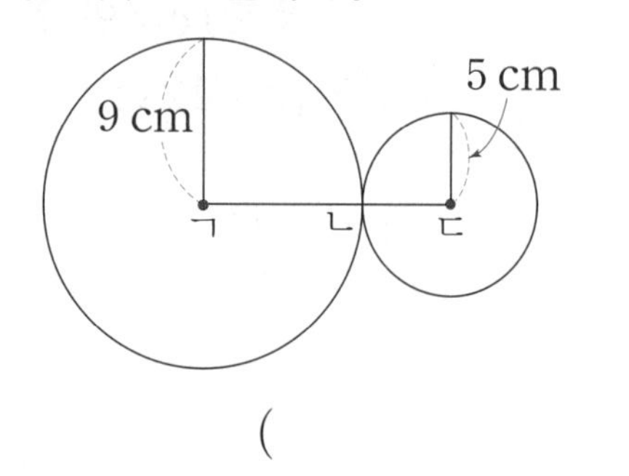

(　　　　　　　)

서술형

5-2 점 ㄱ, 점 ㄷ은 원의 중심입니다. 선분 ㄱㄷ의 길이는 몇 cm인지 풀이 과정을 쓰고 답을 구해 보세요.

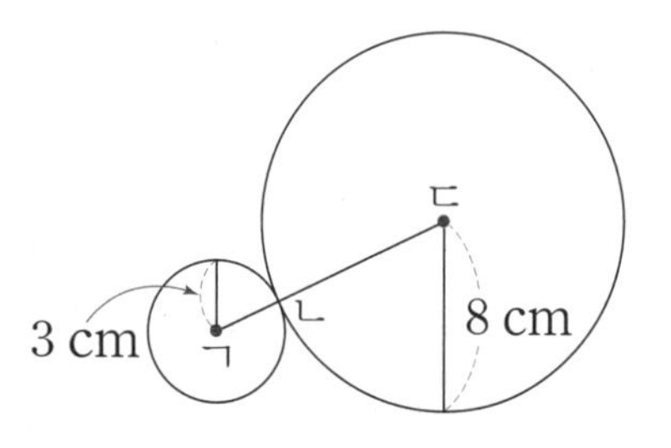

풀이

답

플러스 유형 6 원이 겹쳐 있을 때 작은 원의 반지름 구하기

사고력 유형

6-1 큰 원의 지름이 16 cm일 때 작은 원의 반지름은 몇 cm인가요?

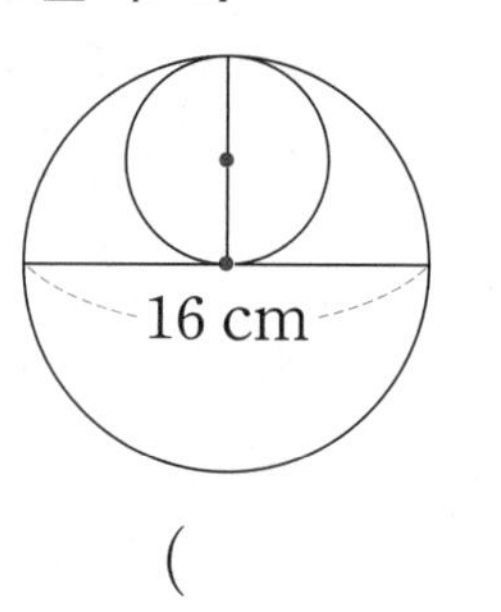

(　　　　　　　)

서술형

6-2 큰 원의 지름이 28 cm일 때 작은 원의 반지름은 몇 cm인지 풀이 과정을 쓰고 답을 구해 보세요.

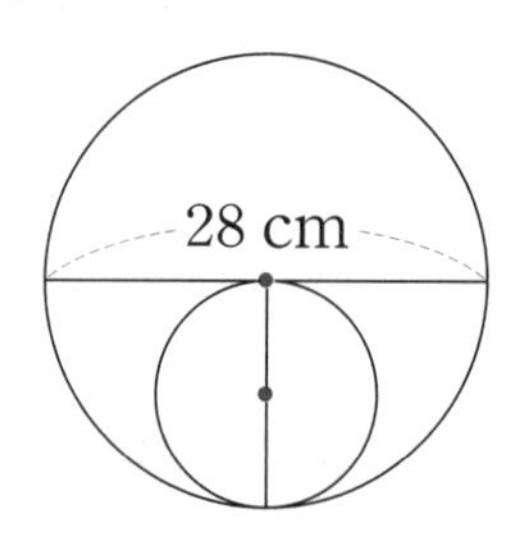

풀이

답

플러스 유형 처방전

겹쳐 있는 원에서 큰 원의 반지름과 작은 원의 지름은 같다는~

플러스 유형 7 크기가 같은 원이 겹쳐 있을 때 선분의 길이 구하기

독해력 유형

7-1 크기가 같은 원 4개를 서로 원의 중심이 지나도록 겹치게 그렸습니다. 선분 ㄱㄴ의 길이는 몇 cm인지 구해 보세요.

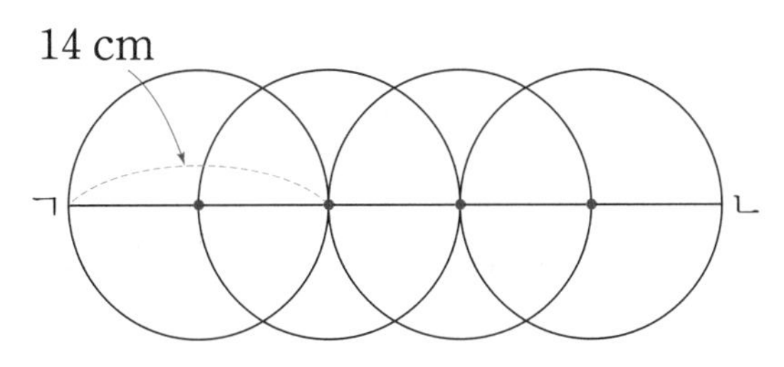

단계 1 선분 ㄱㄴ의 길이는 원의 반지름의 몇 배인가요?

( )

단계 2 원의 반지름은 몇 cm인가요?

( )

단계 3 선분 ㄱㄴ의 길이는 몇 cm인가요?

( )

7-2 크기가 같은 원 4개를 서로 원의 중심이 지나도록 겹치게 그렸습니다. 선분 ㄱㄴ의 길이는 몇 cm인지 구해 보세요.

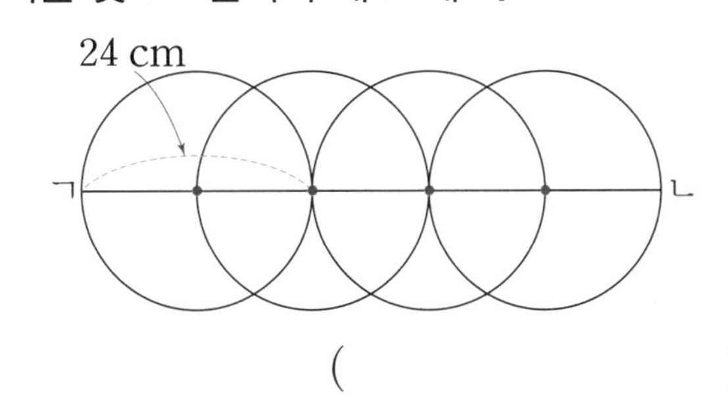

( )

플러스 유형 처방전

선분 ㄱㄴ의 길이에는 원의 반지름이 몇 개 있는지 알아보라능~

플러스 유형 8 직사각형의 네 변의 길이의 합 구하기

독해력 유형

8-1 직사각형 안에 반지름이 4 cm인 원 3개를 맞닿게 그렸습니다. 직사각형의 네 변의 길이의 합은 몇 cm인지 구해 보세요.

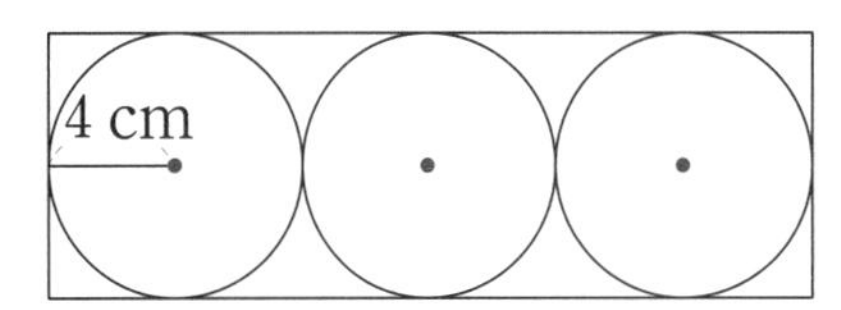

단계 1 직사각형의 가로는 몇 cm인가요?

( )

단계 2 직사각형의 세로는 몇 cm인가요?

( )

단계 3 직사각형의 네 변의 길이의 합은 몇 cm인가요?

( )

8-2 직사각형 안에 반지름이 6 cm인 원 3개를 맞닿게 그렸습니다. 직사각형의 네 변의 길이의 합은 몇 cm인지 구해 보세요.

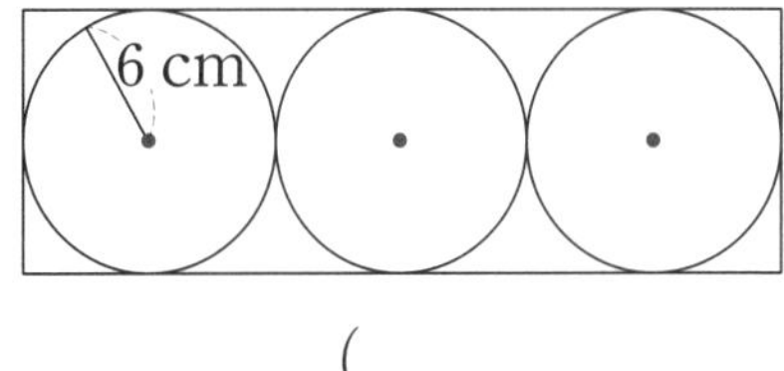

( )

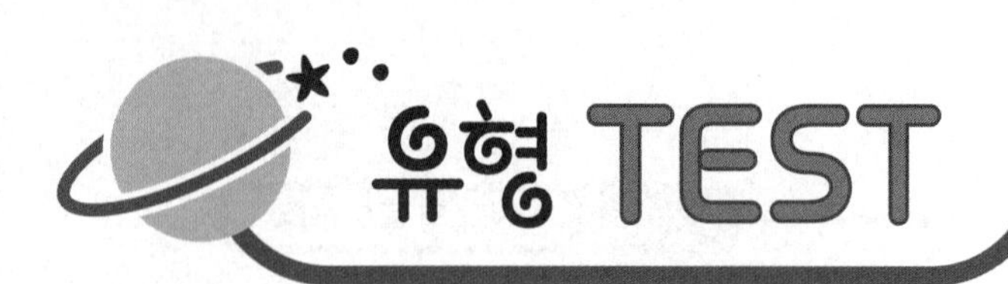

점수

1 □ 안에 알맞은 말을 써넣으세요.

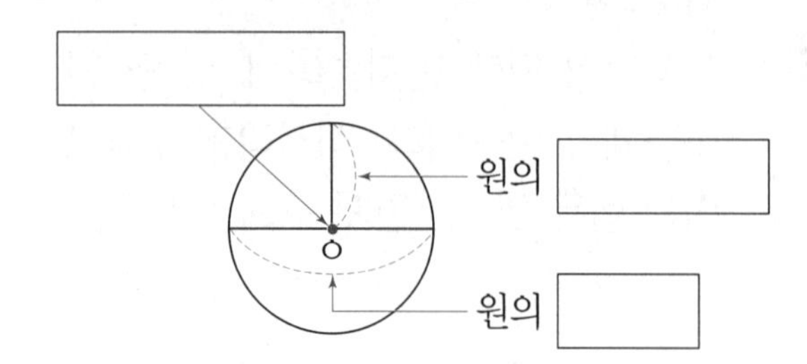

2 누름 못과 띠 종이를 이용하여 원을 그렸습니다. 원의 중심을 찾아 기호를 써 보세요.

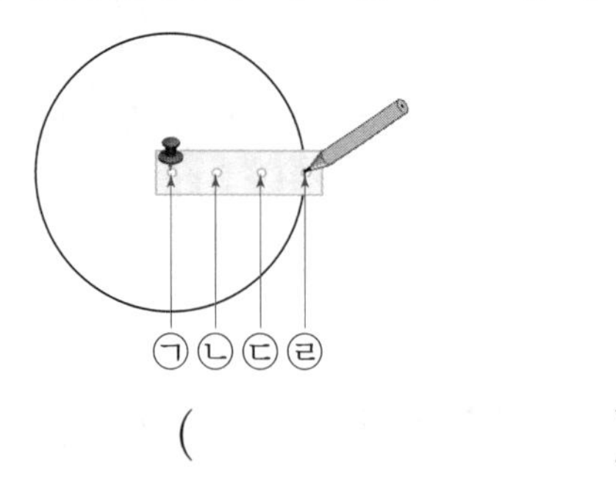

(　　　　　　　)

3 원의 반지름을 2개 그어 보세요.

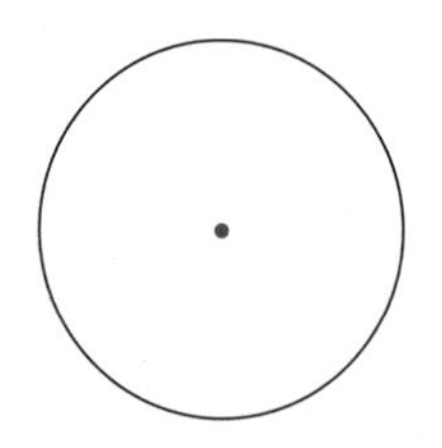

4 점 ㅇ은 원의 중심입니다. 원의 반지름은 몇 cm인가요?

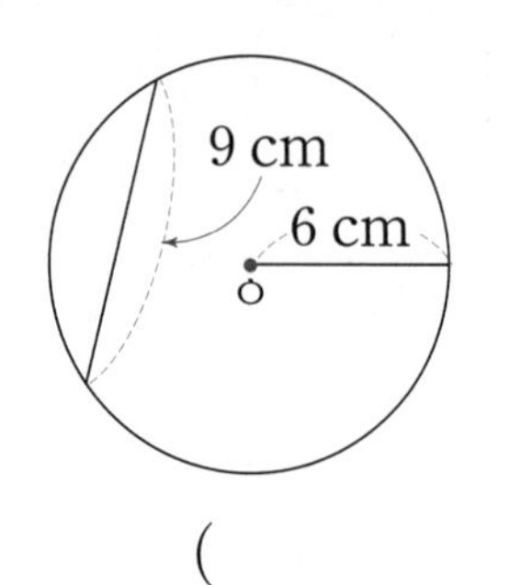

(　　　　　　　)

[5~6] 점 ㅇ은 원의 중심입니다. 물음에 답해 보세요.

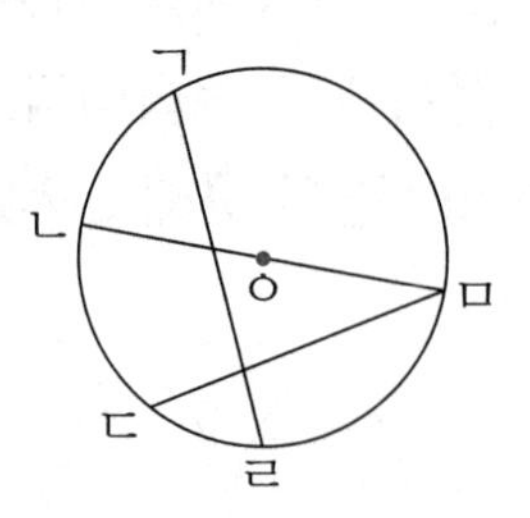

5 원의 반지름을 나타내는 선분을 모두 찾아 써 보세요.

(　　　　　　　)

6 원의 지름을 나타내는 선분을 찾아 써 보세요.

(　　　　　　　)

7 점 ㅇ은 원의 중심입니다. 선분 ㄷㄹ의 길이는 몇 cm인가요?

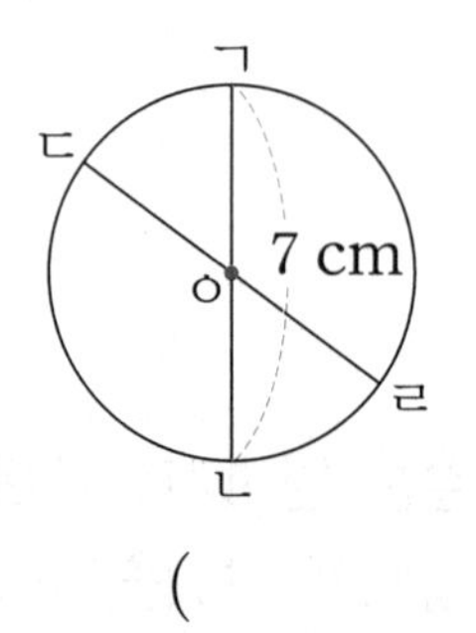

(　　　　　　　)

8 주어진 선분을 반지름으로 하는 원을 그려 보세요.

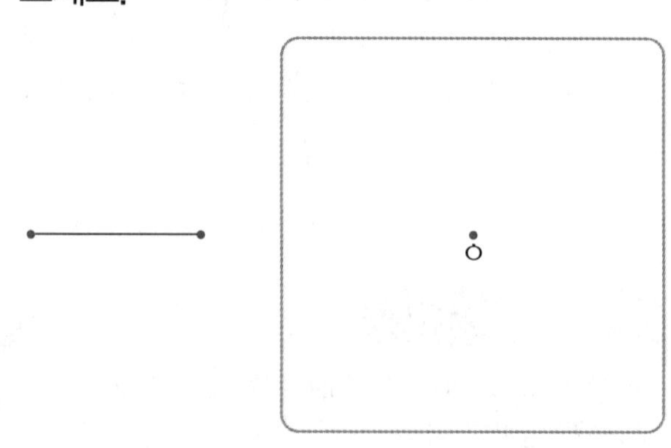

9 소현이와 현호가 원 모양의 종이를 둘로 똑같이 나누어지도록 접었다가 폈더니 다음과 같이 선이 생겼습니다. □ 안에 알맞은 말을 써넣으세요.

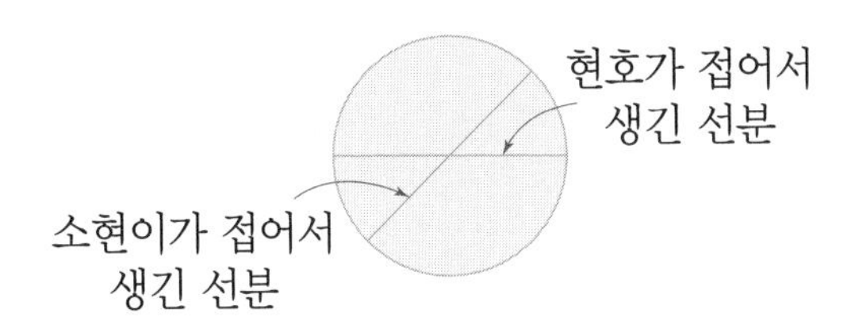

반을 접어 생긴 선분은 원의 □이고 두 선분이 만나는 점은 □ 입니다.

10 점 ㅇ은 원의 중심입니다. □ 안에 알맞은 수를 써넣으세요.

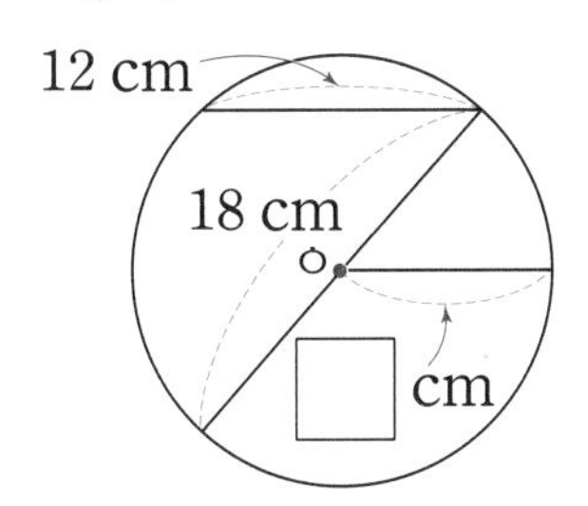

11 오른쪽 모양을 그리기 위하여 컴퍼스의 침을 꽂아야 할 곳은 모두 몇 군데인가요?

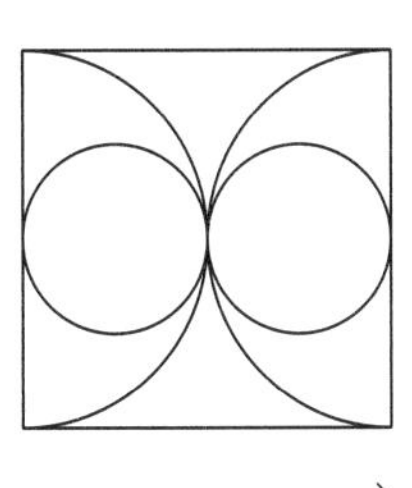

( )

12 주어진 모양과 똑같이 그려 보세요.

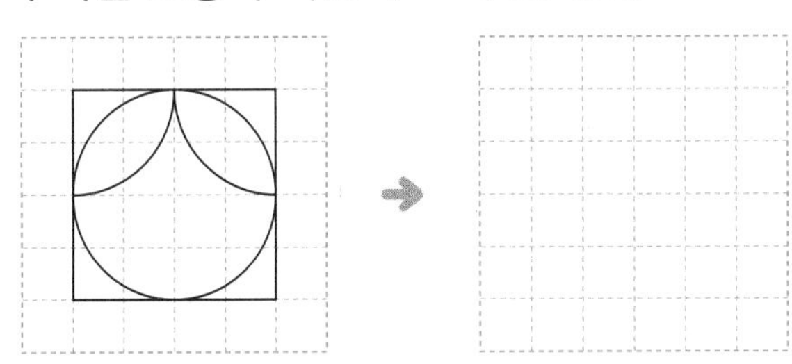

13 그림과 같이 컴퍼스를 벌려 그린 원의 지름은 몇 cm인가요?

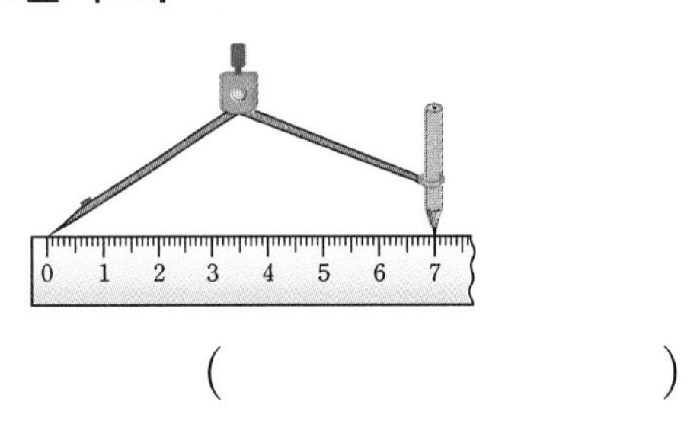

( )

14 규칙에 따라 원을 2개 더 그려 보세요.

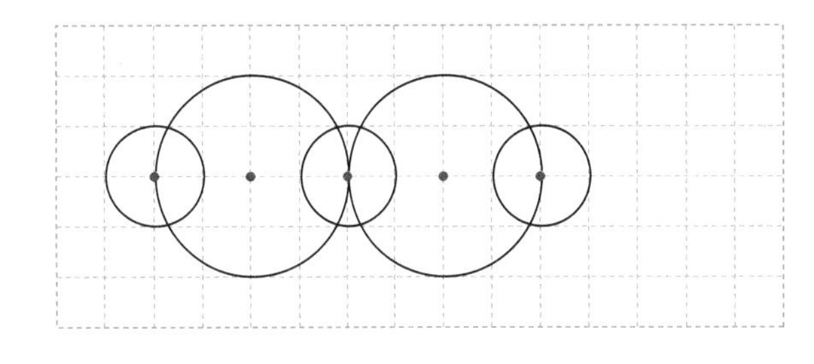

15 원의 반지름이 변하고 원의 중심을 옮겨 가며 그린 모양의 기호를 써 보세요.

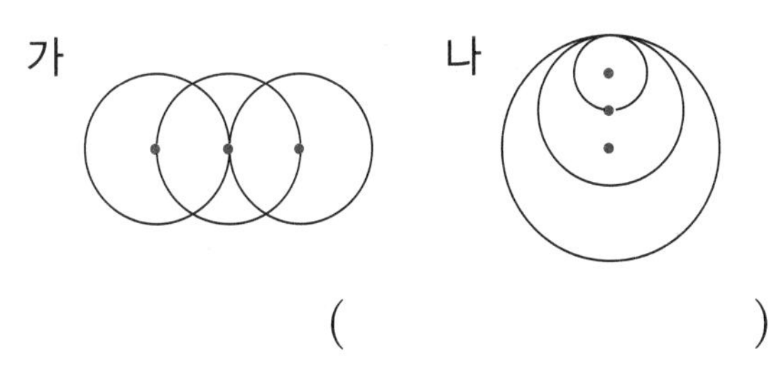

( )

16 정사각형 안에 반지름이 8 cm인 원을 그렸습니다. 정사각형의 네 변의 길이의 합은 몇 cm인지 구해 보세요.

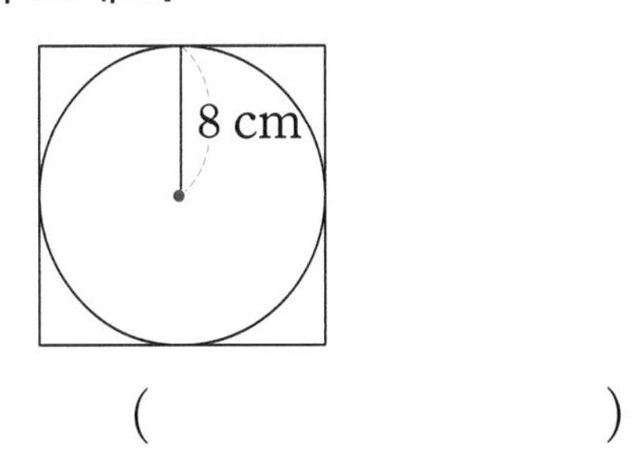

( )

서술형 » 78쪽 2-3 유사 문제

17 컴퍼스를 이용하여 지름이 18 cm인 원을 그리려고 합니다. 컴퍼스를 몇 cm만큼 벌려야 하는지 풀이 과정을 쓰고 답을 구해 보세요.

풀이

답

서술형 » 79쪽 4-2 유사 문제

18 크기가 더 큰 원을 그린 사람은 누구인지 풀이 과정을 쓰고 답을 구해 보세요.

시우: 난 반지름이 8 cm인 원을 그렸어.

민서: 난 지름이 12 cm인 원을 그렸어.

풀이

답

서술형 » 80쪽 5-2 유사 문제

19 점 ㄱ, 점 ㄷ은 원의 중심입니다. 선분 ㄱㄷ의 길이는 몇 cm인지 풀이 과정을 쓰고 답을 구해 보세요.

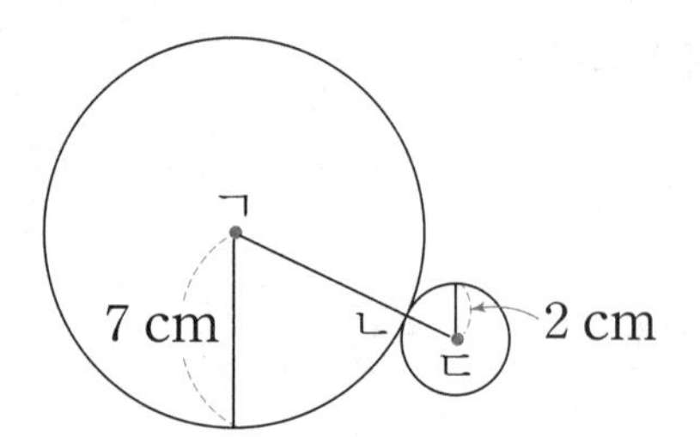

풀이

답

서술형 » 80쪽 6-2 유사 문제

20 큰 원의 지름이 24 cm일 때 작은 원의 반지름은 몇 cm인지 풀이 과정을 쓰고 답을 구해 보세요.

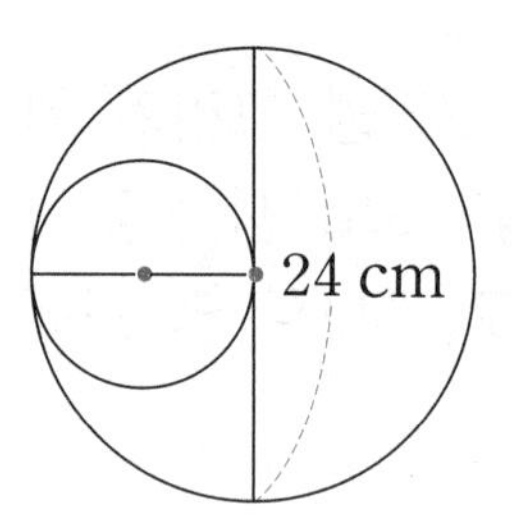

풀이

답

(몇십몇) ÷ (몇)

1 계산해 보고 몫과 나머지를 각각 구해 보세요.

$4\overline{)69}$

몫 (　　　　　　)
나머지 (　　　　　　)

(세 자리 수) ÷ (한 자리 수)

2 몫이 78인 나눗셈에 ○표 하세요.

225 ÷ 3 (　　　)　　468 ÷ 6 (　　　)

나눗셈에서 나머지의 조건 알아보기

나머지는 나누는 수보다 작아야 해~

3 나머지가 될 수 없는 수는 어느 것인가요? ·························· (　　　)

□ ÷ 7

① 1　② 2　③ 3
④ 6　⑤ 7

나오는 값을 구하자!

순서도는 어떤 일을 처리하는 과정을 간단한 기호와 도형을 써서 나타낸 그림이라능~

코딩 1 다음 순서도의 (시작)에 반지름 10 cm를 넣었을 때 나오는 값을 구해 보세요.

시작 → 반지름 입력 → 반지름에 2를 곱합니다. → 30 cm보다 긴가요? → 예 → 끝

30 cm보다 긴가요? → 아니오 → 반지름에 6 cm를 더합니다. → 반지름 입력

(시작)에 반지름 10 cm를 넣으면

(원의 반지름)$\times 2=10\times 2=$ ☐ (cm)야.

☐ cm는 30 cm보다 길지 않으니까 '아니오'로 가야 해~

반지름에 6 cm를 더하면 $10+6=$ ☐ (cm)야.

반지름 ☐ cm를 넣으면

(원의 반지름)$\times 2=$ ☐ $\times 2=$ ☐ (cm)야.

☐ cm는 30 cm보다 길므로 '예'로 가야 해~

그럼~ 나오는 값은 ☐ cm네.

약속 장소는 어디?

주말에 친구들과 만나기로 하였습니다. 친구에게 약속 장소를 알려 주는 약도를 받았습니다. 약속 장소는 학교, 은행, 소방서, 우체국, 병원 중 어디인가요?

육교를 중심으로 반지름이 4 cm인 원 밖에 약속 장소가 있어.

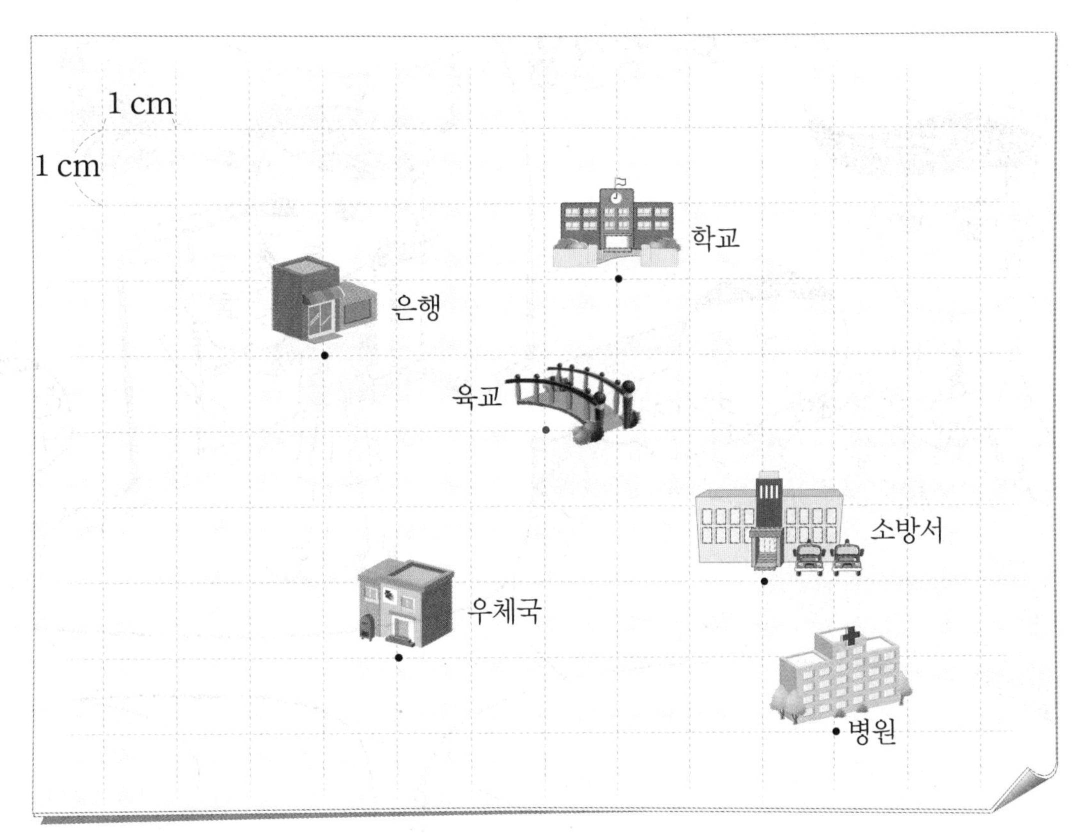

원을 그리려면 자와 컴퍼스가 필요하겠네.

반지름이 4 cm인 원을 그려야 하니까⋯⋯ 육교를 원의 중심으로 하고 컴퍼스를 ☐ cm만큼 벌려서 원을 그려 보자.

약속 장소는 원 밖에 있어야 하니까⋯⋯ ☐ 이네.

4 분수

어쩌다
허리가 아픈거닝?
건강 한의원
무서워요.
살살해 주세요.
아들~ 엄마
감자 좀 가져다주렴.
네~
어디에 있어요?
창고에 감자 18 kg짜리 한 박스가 있거든.
그 중의 $\frac{2}{9}$를 가져오렴. 무거우니 조심하고~
그 정도는 가능하죠.
문제 없어요~
음……
18 kg의 $\frac{2}{9}$라……
감자 18 kg

Dr. 유형 처방전
*심부름은 어려워.

으아~
모르겠다. 다 들고 가지 뭐.
우당탕
엥!
무슨 소리지?
아들아~
문제 없다며???
18 kg의 $\frac{2}{9}$는
4 kg이라능~
아……
4 kg이었구나.
18 kg의 $\frac{1}{9}$ → 2 kg
18 kg의 $\frac{2}{9}$ → 4 kg
Dr.
유형

개념 1 부분은 전체의 얼마인지 분수로 나타내기

예) 전체 6개를 똑같이 3부분으로 나누어 보기

부분 은 전체  를 똑같이 3부분으로 나눈 것 중의 1입니다.

➜ 부분  은 3묶음 중에서 1묶음이므로 전체의 $\frac{1}{3}$입니다.

'전체'는 '분모'에 '부분'은 '분자'에 표현하므로 $\frac{(\text{부분 묶음 수})}{(\text{전체 묶음 수})}$와 같이 나타낼 수 있어~

유형

[1~2] 그림을 보고 □ 안에 알맞은 수를 써넣으세요.

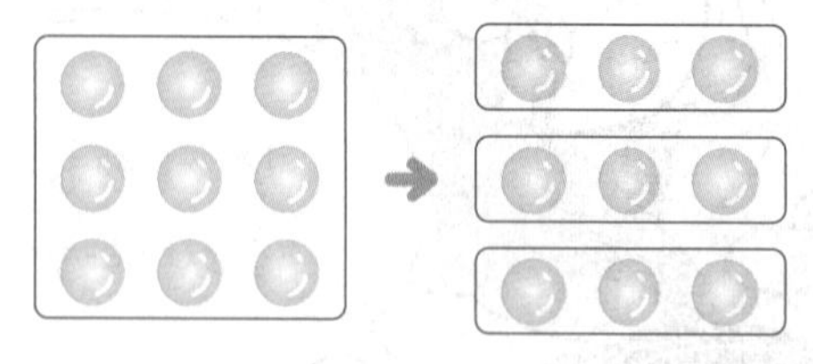

1 부분 ○○○ 은 전체를 똑같이 3부분으로 나눈 것 중의 □입니다.

2 부분 ○○○ 은 전체의 $\frac{\square}{\square}$입니다.

[3~4] 색칠한 부분을 분수로 나타내어 보세요.

3 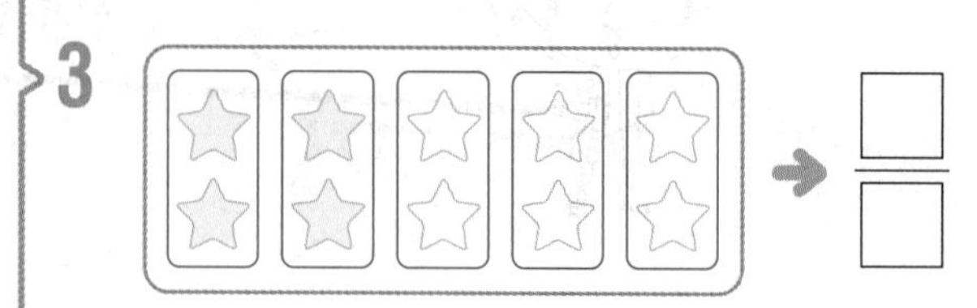 ➜ $\frac{\square}{\square}$

4 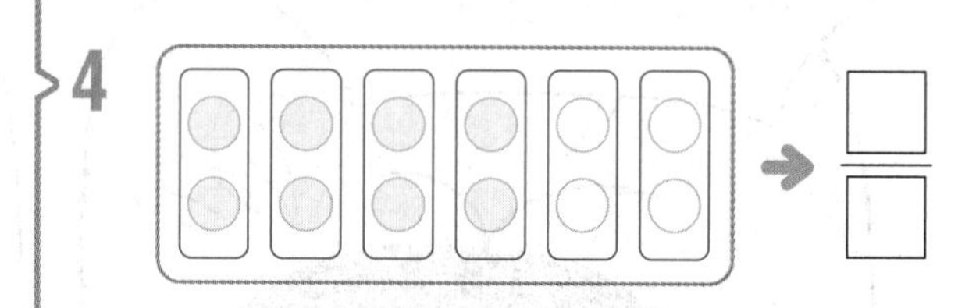 ➜ $\frac{\square}{\square}$

[5~6] 그림을 보고 □ 안에 알맞은 수를 써넣으세요.

5 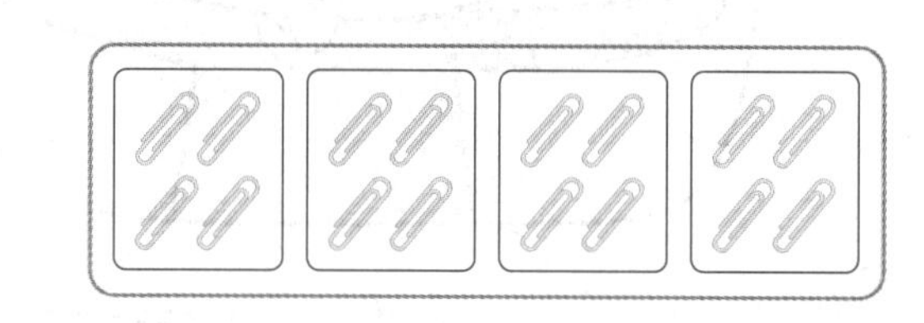

16을 4씩 묶으면 □묶음이 됩니다.

12는 16의 $\frac{\square}{\square}$입니다.

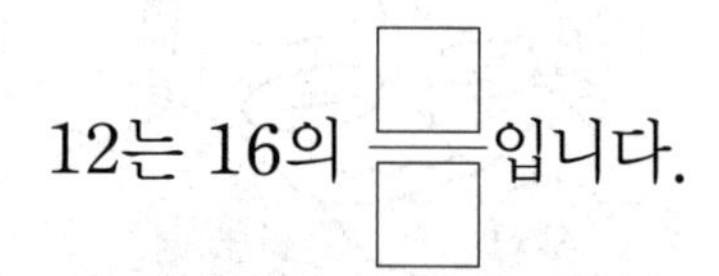

6 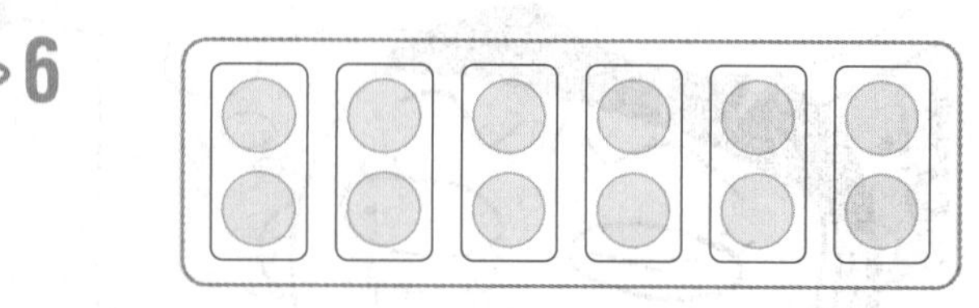

12를 2씩 묶으면 □묶음이 됩니다.

6은 12의 $\frac{\square}{\square}$입니다.

7 □ 안에 알맞은 수를 써넣으세요.

(1) 12를 4씩 묶으면 8은 12의 $\frac{\square}{\square}$입니다.

(2) 24를 3씩 묶으면 9는 24의 $\frac{\square}{\square}$입니다.

8 18을 3씩 묶으면 6은 18의 몇 분의 몇인가요?

( )

9 분수로 바르게 나타낸 것의 기호를 써 보세요.

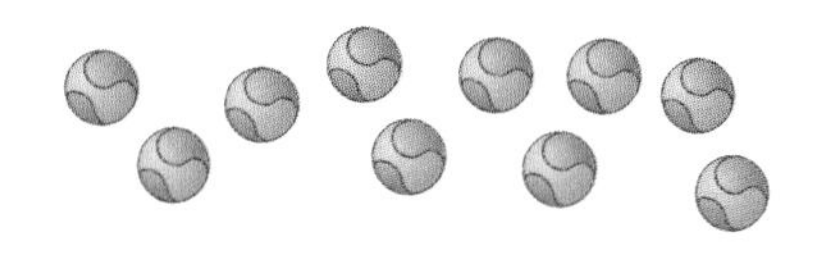

㉠ 10을 2씩 묶으면 4는 10의 $\frac{2}{4}$입니다.

㉡ 10을 2씩 묶으면 6은 10의 $\frac{3}{5}$입니다.

( )

개념 2 전체에 대한 분수만큼은 얼마인지 알아보기

예 6의 $\frac{2}{3}$는 얼마인지 알아보기

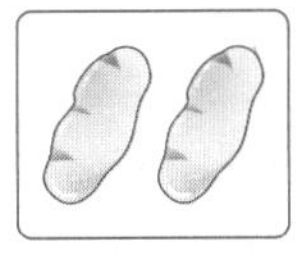
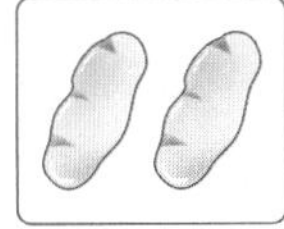
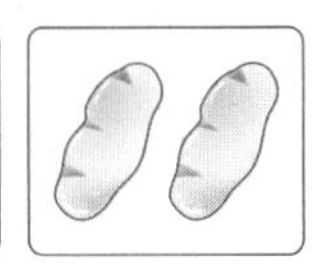

빵 6개를 똑같이 3묶음으로 나누면

1묶음은 전체 묶음의 $\frac{1}{3}$이고 2개입니다.

→ 6의 $\frac{1}{3}$은 2입니다.
6의 $\frac{2}{3}$는 4입니다.

6의 $\frac{2}{3}$는 6을 똑같이 3묶음으로 나눈 것 중의 2묶음이므로 4야.

유형

10 그림을 보고 □ 안에 알맞은 수를 써넣으세요.

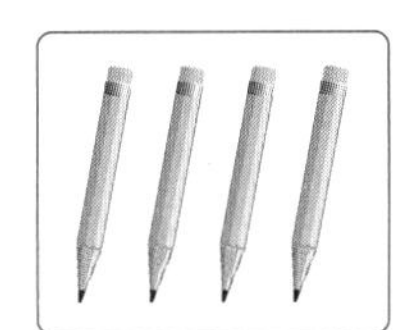

연필 8자루를 똑같이 2묶음으로 나누면

1묶음에 연필은 □자루입니다.

→ 8의 $\frac{1}{2}$은 □입니다.

11 그림을 보고 □ 안에 알맞은 수를 써넣으세요.

(1) 12의 $\frac{1}{4}$은 □입니다.

(2) 12의 $\frac{2}{4}$는 □입니다.

12 딸기를 똑같이 3묶음으로 나누고 □ 안에 알맞은 수를 써넣으세요.

15의 $\frac{2}{3}$는 □입니다.

13 그림을 보고 물음에 답해 보세요.

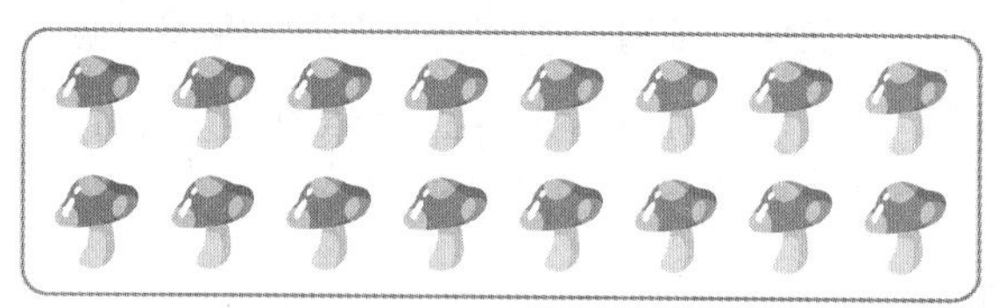

(1) 16의 $\frac{1}{4}$은 얼마인가요?

(　　　　　)

(2) 16의 $\frac{4}{8}$는 얼마인가요?

(　　　　　)

14 □ 안에 알맞은 수를 써넣고, 초록색과 노란색으로 그 수만큼 색칠해 보세요.

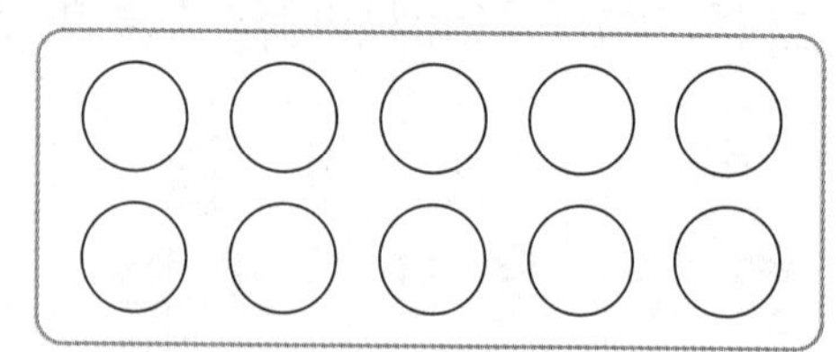

(1) 10의 $\frac{2}{5}$는 초록색입니다. ➔ □개

(2) 10의 $\frac{3}{5}$은 노란색입니다. ➔ □개

15 □ 안에 알맞은 수를 써넣으세요.

(1) 18의 $\frac{1}{9}$은 □입니다.

(2) 18의 $\frac{2}{6}$는 □입니다.

16 그림을 보고 잘못 설명한 것의 기호를 써 보세요.

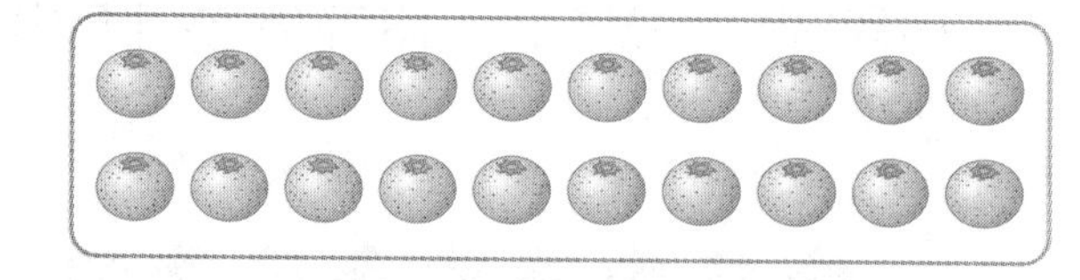

㉠ 20의 $\frac{1}{4}$은 5입니다.

㉡ 20의 $\frac{2}{5}$는 6입니다.

(　　　　　)

17 민우는 쿠키 18개의 $\frac{4}{9}$를 동생에게 주었습니다. 동생에게 준 쿠키는 몇 개인가요?

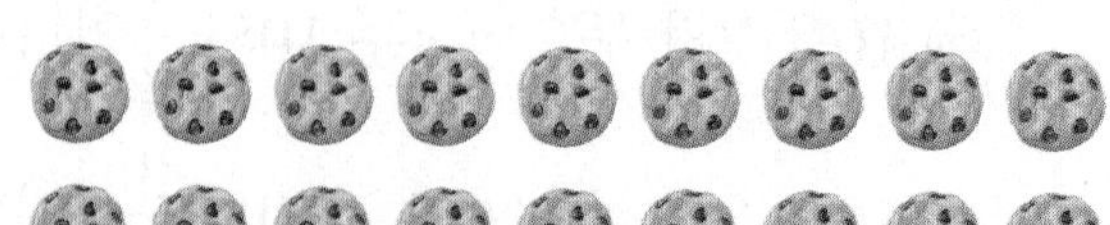

(　　　　　)

개념 3 길이에서 전체에 대한 분수만큼은 얼마인지 알아보기

예 8 cm의 $\frac{3}{4}$은 얼마인지 알아보기

0 1 2 3 4 5 6 7 8 (cm)

8 cm를 똑같이 4부분으로 나누면

1부분은 전체의 $\frac{1}{4}$이고 2 cm입니다.

➜ 8 cm의 $\frac{1}{4}$은 2 cm입니다.
8 cm의 $\frac{3}{4}$은 6 cm입니다.

8 cm의 $\frac{3}{4}$은 8 cm를 똑같이 4부분으로 나눈 것 중의 3부분이므로 6 cm야.

유형

18 그림을 보고 물음에 답해 보세요.

0 1 2 3 4 5 6 (cm)

(1) 위 그림에 전체의 $\frac{1}{3}$만큼을 왼쪽부터 색칠해 보세요.

(2) 6 cm의 $\frac{1}{3}$은 몇 cm인가요?

( )

19 그림을 보고 □ 안에 알맞은 수를 써넣으세요.

0 5 10 15 20 (cm)

(1) 20 cm의 $\frac{1}{4}$은 □ cm입니다.

(2) 20 cm의 $\frac{3}{4}$은 □ cm입니다.

20 □ 안에 알맞은 수를 써넣으세요.

(1) 12 cm의 $\frac{1}{2}$은 □ cm입니다.

(2) 12 cm의 $\frac{5}{6}$는 □ cm입니다.

21 그림을 보고 물음에 답해 보세요.

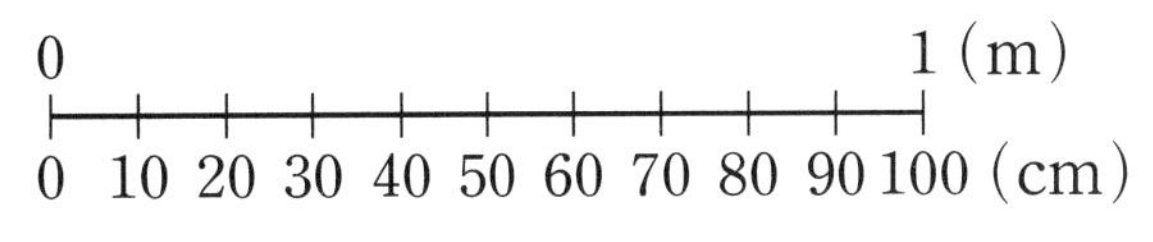

(1) $\frac{1}{5}$ m는 몇 cm인가요?

( )

(2) $\frac{3}{5}$ m는 몇 cm인가요?

( )

22 10 cm의 $\frac{4}{5}$만큼을 색칠하고 10 cm의 $\frac{4}{5}$는 몇 cm인지 구해 보세요.

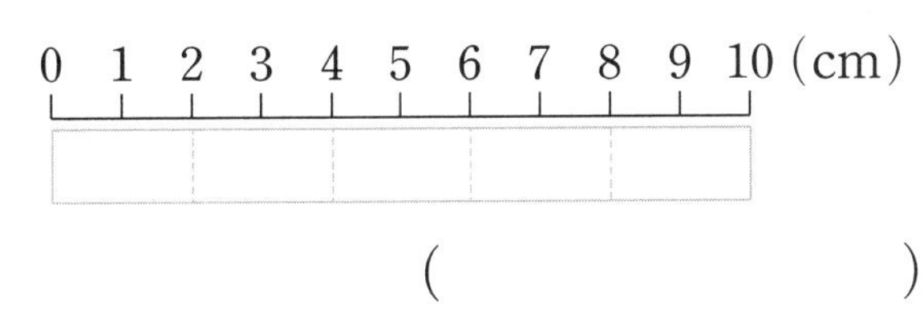

( )

23 종이 테이프가 60 cm 있습니다. 선희가 전체의 $\frac{1}{3}$만큼 사용했다면 선희가 사용한 종이 테이프는 몇 cm인가요?

( )

개념 1 ~ 3 기초력 집중 연습

[1~6] 그림을 보고 □ 안에 알맞은 수를 써넣으세요.

1

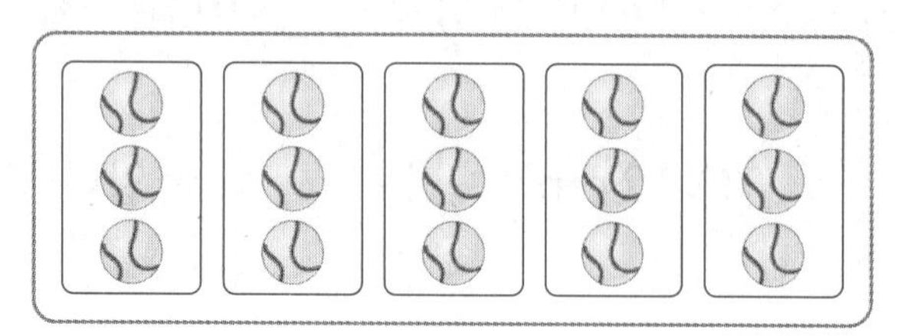

15를 3씩 묶으면 3은 15의 $\frac{\square}{\square}$입니다.

15를 3씩 묶으면 9는 15의 $\frac{\square}{\square}$입니다.

2

20을 5씩 묶으면 10은 20의 $\frac{\square}{\square}$입니다.

20을 5씩 묶으면 15는 20의 $\frac{\square}{\square}$입니다.

3

9의 $\frac{1}{3}$은 □입니다.

9의 $\frac{2}{3}$는 □입니다.

4

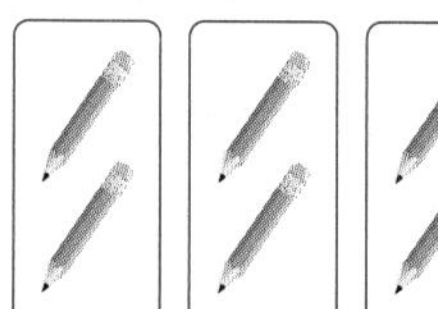
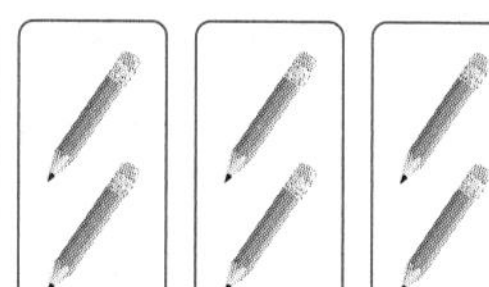

12의 $\frac{1}{6}$은 □입니다.

12의 $\frac{5}{6}$는 □입니다.

5

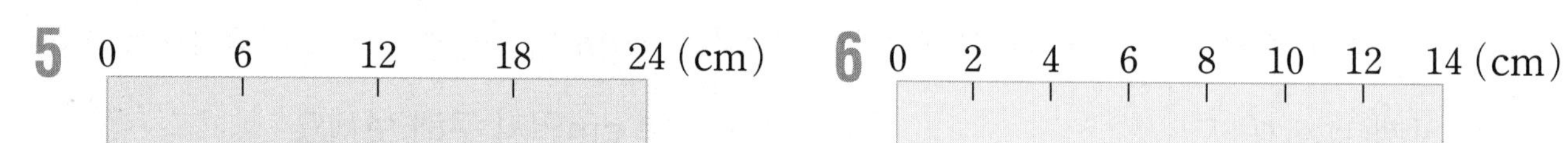

24 cm의 $\frac{1}{4}$은 □ cm입니다.

24 cm의 $\frac{3}{4}$은 □ cm입니다.

6

14 cm의 $\frac{2}{7}$는 □ cm입니다.

14 cm의 $\frac{5}{7}$는 □ cm입니다.

[7~9] □ 안에 알맞은 수를 써넣으세요.

7

18을 3씩 묶으면 3은 18의 $\frac{\square}{\square}$입니다.

18을 3씩 묶으면 12는 18의 $\frac{\square}{\square}$입니다.

8 16의 $\frac{3}{8}$은 □입니다.

9 45 cm의 $\frac{4}{9}$는 □ cm입니다.

유형 진단 TEST

점수 /10점

1 색칠한 부분을 분수로 나타내어 보세요. [1점]

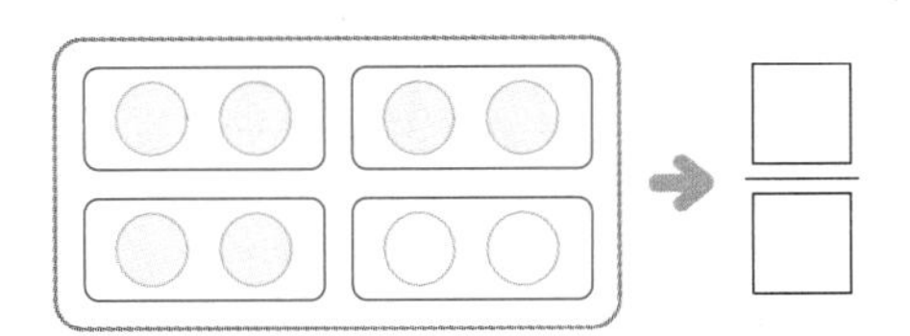

2 다음이 나타내는 것은 몇 cm인가요? [1점]

90 cm의 $\frac{5}{9}$

(　　　　　　　)

3 그림을 보고 □ 안에 알맞은 수를 써넣으세요. [2점]

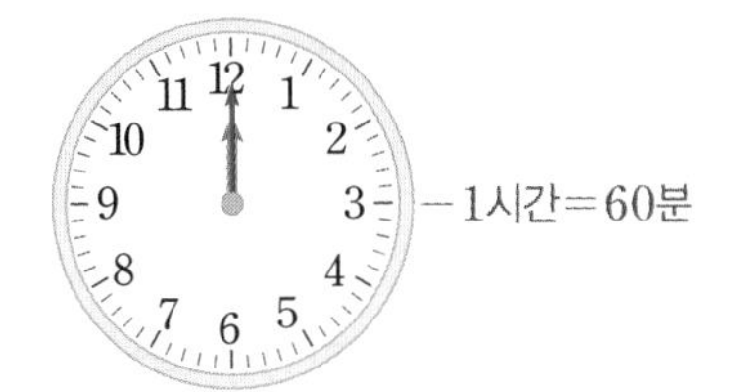

(1) 1시간의 $\frac{1}{3}$은 □분입니다.

(2) 1시간의 $\frac{5}{6}$는 □분입니다.

4 초콜릿의 $\frac{2}{5}$는 몇 개인가요? [2점]

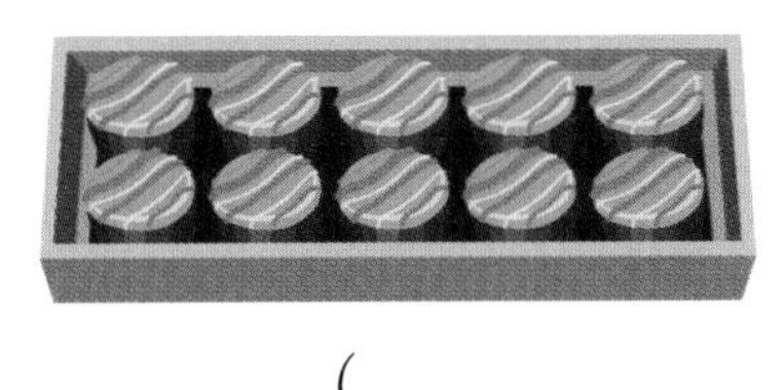

(　　　　　　　)

5 선재가 보관함의 비밀번호 중 일부를 잊어버렸습니다. 선재가 보관함을 열 수 있게 비밀번호를 구해 보세요. [2점]

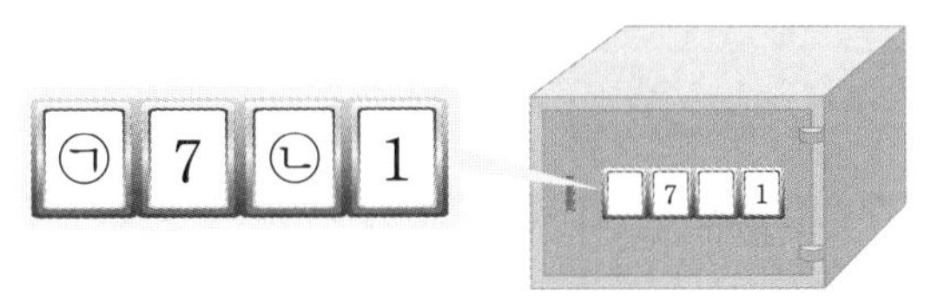

• 24를 3씩 묶으면 12는 24의 $\frac{㉠}{8}$입니다.

• 24를 4씩 묶으면 12는 24의 $\frac{㉡}{6}$입니다.

보관함의 비밀번호는 ㉠□ 7 ㉡□ 1입니다.

6 14의 $\frac{6}{7}$, $\frac{1}{2}$만큼 되는 곳에 알맞은 글자를 찾아 □ 안에 써넣고 문장을 완성해 보세요. [2점]

14의 $\frac{6}{7}$ → 행, 14의 $\frac{1}{2}$ → 운

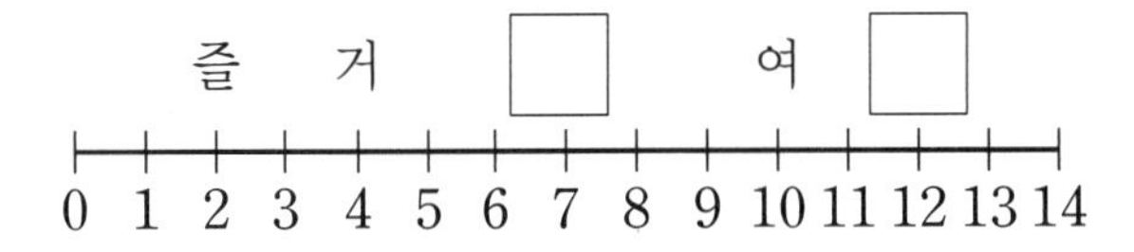

완성한 문장 ______________

개념 4 진분수, 가분수

1. 진분수: 분자가 분모보다 작은 분수

   예 $\frac{1}{4}$, $\frac{2}{4}$, $\frac{3}{4}$ 등

2. 가분수: 분자가 분모와 같거나 분모보다 큰 분수 예 $\frac{4}{4}$, $\frac{5}{4}$, $\frac{6}{4}$, $\frac{7}{4}$ 등

3. 자연수: $\frac{4}{4}$는 1과 같습니다. 1, 2, 3과 같은 수

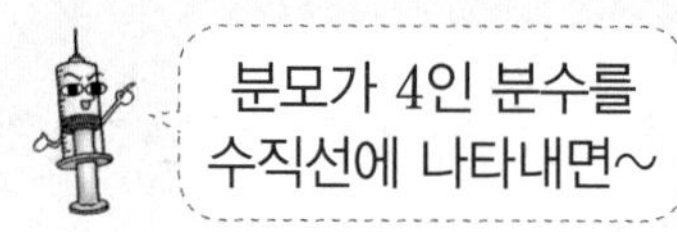

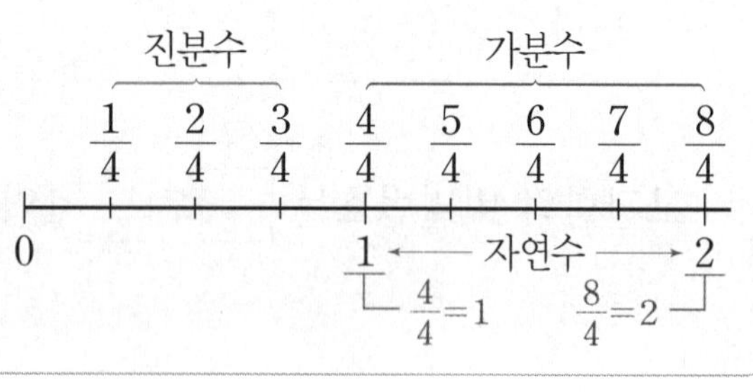

유형

1 수직선에 나타낸 분수를 보고 □ 안에 알맞은 수를 써넣으세요.

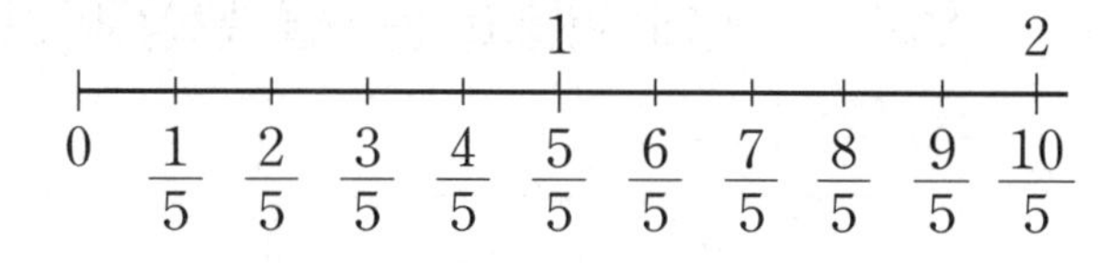

(1) 진분수를 모두 찾으면 $\frac{\square}{5}$, $\frac{\square}{5}$, $\frac{\square}{5}$, $\frac{\square}{5}$입니다.

(2) 가분수를 모두 찾으면 $\frac{\square}{5}$, $\frac{\square}{5}$, $\frac{\square}{5}$, $\frac{\square}{5}$, $\frac{\square}{5}$, $\frac{\square}{5}$입니다.

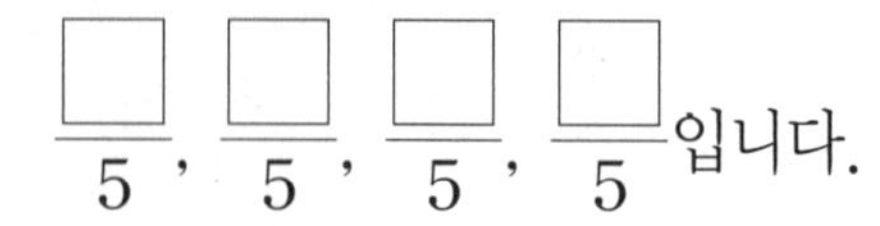

2 그림을 보고 □ 안에 알맞은 수를 써넣으세요.

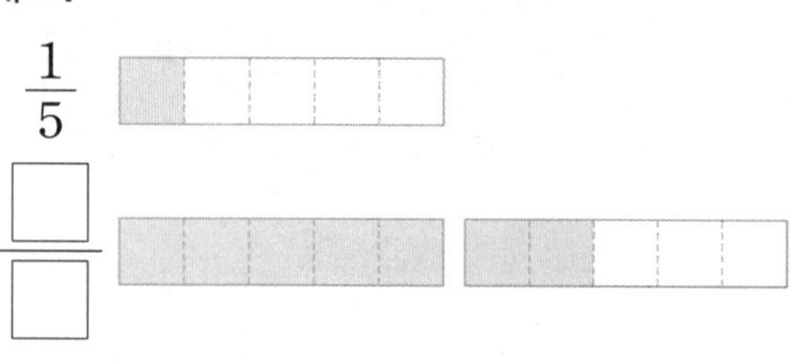

3 □ 안에 알맞은 수를 써넣으세요.

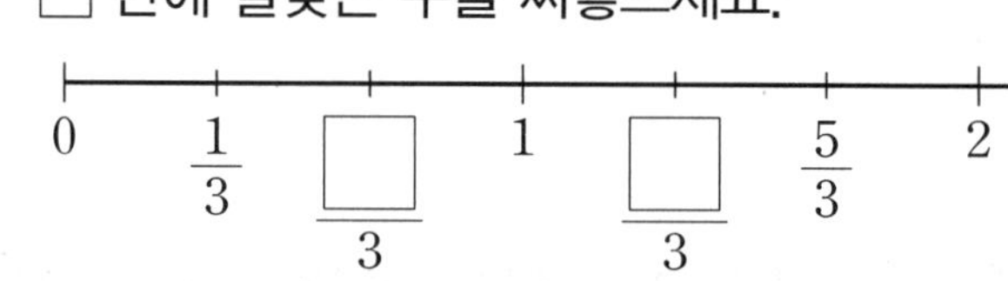

4 진분수에 ○표, 가분수에 △표 하세요.

$\frac{9}{9}$ $\frac{11}{7}$ $\frac{14}{15}$

5 가지고 있는 리본의 길이가 가분수인 학생의 이름을 써 보세요.

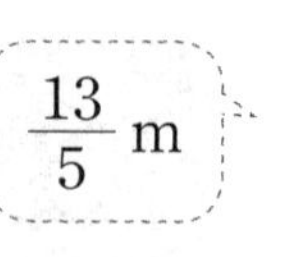

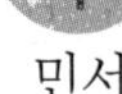

현서 민서

( )

6 사다리를 타고 내려가 도착한 곳이 참이면 ○표, 거짓이면 ×표 하세요.

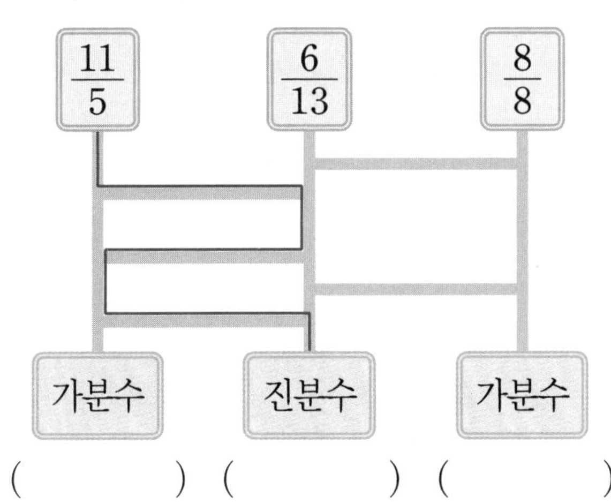

( ) ( ) ( )

7 분모가 3인 진분수를 모두 써 보세요.

( )

[8~9] 딸기주스 4컵을 만드는 데 필요한 재료입니다. 물음에 답해 보세요.

딸기	시럽	우유
$\frac{2}{3}$ 컵	$\frac{2}{7}$ 컵	$\frac{12}{5}$ 컵

8 필요한 양이 진분수인 재료는 무엇인지 모두 써 보세요.

( )

9 필요한 양이 가분수인 재료는 무엇인가요?

( )

개념 5 대분수

대분수: 자연수와 진분수로 이루어진 분수

예 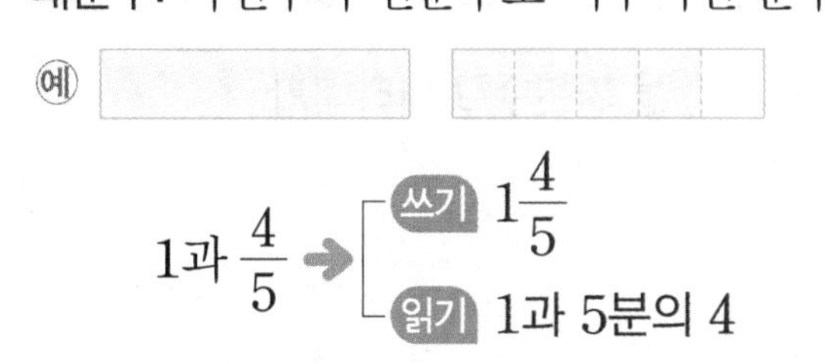

1과 $\frac{4}{5}$ → 쓰기 $1\frac{4}{5}$ / 읽기 1과 5분의 4

유형

10 보기를 보고 오른쪽 그림을 대분수로 나타내어 보세요.

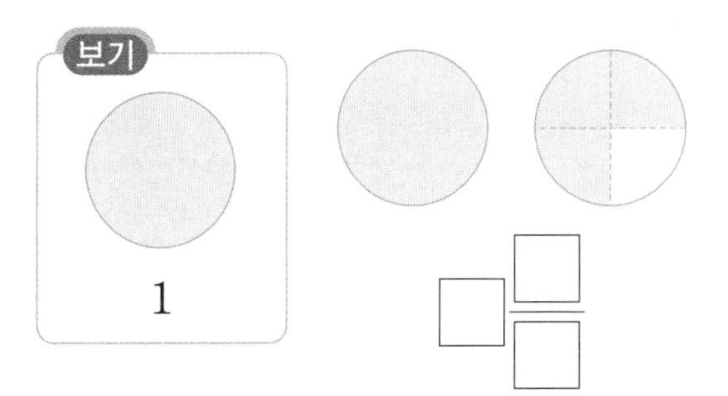

11 대분수를 읽어 보세요.

$2\frac{5}{6}$

( )

12 대분수에 모두 색칠해 보세요.

$7\frac{2}{5}$	$\frac{1}{2}$	$\frac{4}{3}$	$3\frac{2}{3}$

13 끈이 9 m와 $\frac{7}{10}$ m 있습니다. 끈은 모두 몇 m 있는지 대분수로 나타내어 보세요.

( )

4 단원 분수

개념 6 대분수를 가분수로, 가분수를 대분수로 나타내기

1. 대분수를 가분수로 나타내기

예) $1\frac{3}{5}$을 가분수로 나타내기

자연수 1을 가분수 $\frac{5}{5}$로 나타낼 수 있습니다.

$1=\frac{5}{5}$이므로 $1\frac{3}{5}$은 $\frac{1}{5}$이 8개입니다.

➔ $1\frac{3}{5}=\frac{8}{5}$

2. 가분수를 대분수로 나타내기

예) $\frac{5}{3}$를 대분수로 나타내기

가분수 $\frac{3}{3}$은 자연수 1로 나타낼 수 있습니다.

$\frac{5}{3}$는 $\frac{3}{3}(=1)$과 $\frac{2}{3}$이므로 $1\frac{2}{3}$입니다.

➔ $\frac{5}{3}=1\frac{2}{3}$

주의 가분수를 대분수로 나타낼 때 자연수와 가분수로 나타내지 않게 주의해~

유형

[14~15] 그림을 보고 대분수는 가분수로, 가분수는 대분수로 나타내어 보세요.

14

$2\frac{1}{4}=\frac{\square}{\square}$

15

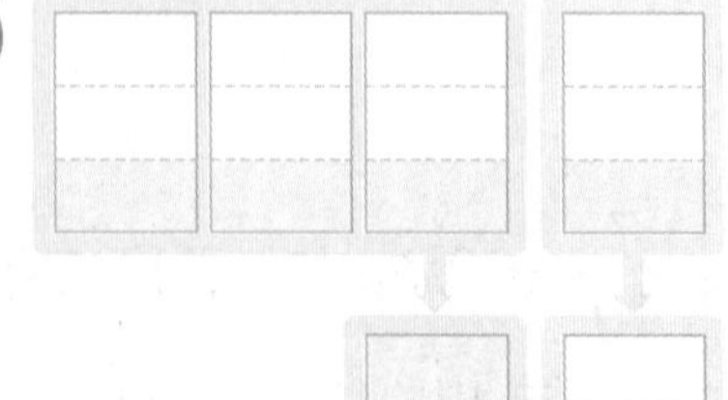

$\frac{4}{3}=\square\frac{\square}{\square}$

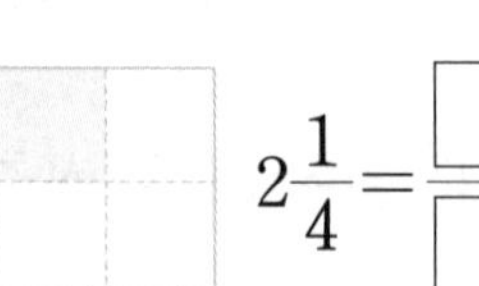

16 대분수는 가분수로, 가분수는 대분수로 나타내어 보세요.

(1) $4\frac{1}{2}$ ➔ (　　　　　　)

(2) $5\frac{4}{7}$ ➔ (　　　　　　)

(3) $\frac{18}{5}$ ➔ (　　　　　　)

(4) $\frac{35}{8}$ ➔ (　　　　　　)

17 가분수를 대분수로 바르게 나타낸 사람의 이름을 써 보세요.

다은: $\frac{16}{7}=2\frac{3}{7}$

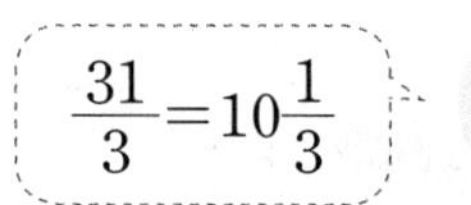

우진: $\frac{31}{3}=10\frac{1}{3}$

(　　　　　　)

18 가방의 무게는 몇 kg인지 가분수로 나타내어 보세요.

무게: $1\frac{3}{4}$ kg

(　　　　　　)

개념 7 분모가 같은 분수의 크기 비교하기

예 $1\frac{2}{3}$와 $\frac{4}{3}$의 크기 비교

방법 1 대분수를 가분수로 나타내어 비교

$1\frac{2}{3}=\frac{5}{3}$

➜ $\frac{5}{3}>\frac{4}{3}$이므로 $1\frac{2}{3}>\frac{4}{3}$입니다.

분모가 같은 가분수는 분자가 큰 분수가 더 커.

방법 2 가분수를 대분수로 나타내어 비교

$\frac{4}{3}=1\frac{1}{3}$

➜ $1\frac{2}{3}>1\frac{1}{3}$이므로 $1\frac{2}{3}>\frac{4}{3}$입니다.

• **분모가 같은 대분수끼리의 크기 비교**
자연수가 다르면 자연수의 크기를 비교하고
자연수가 같으면 분자의 크기를 비교해~

유형

19 그림을 보고 두 분수의 크기를 비교하여 ○ 안에 >, <를 알맞게 써넣으세요.

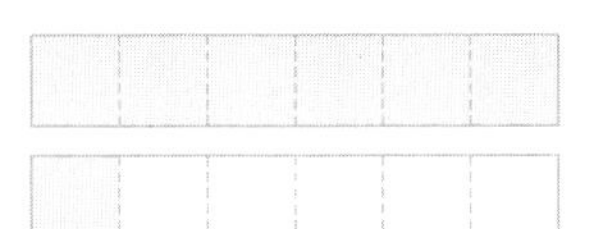

$1\frac{1}{6}$ ○ $1\frac{5}{6}$

20 수직선을 보고 두 분수의 크기를 비교하여 ○ 안에 >, <를 알맞게 써넣으세요.

$\frac{9}{5}$ ○ $1\frac{2}{5}$

21 두 분수의 크기를 비교하여 ○ 안에 >, <를 알맞게 써넣으세요.

(1) $\frac{38}{9}$ ○ $\frac{41}{9}$

(2) $8\frac{1}{7}$ ○ $6\frac{5}{7}$

22 더 큰 분수를 써 보세요.

$2\frac{1}{3}$	$\frac{14}{3}$

( )

23 길이가 더 짧은 실에 ○표 하세요.

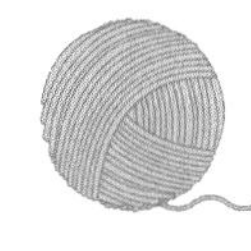

$10\frac{1}{2}$ m ( )

$\frac{19}{2}$ m ( )

24 물을 소라는 $\frac{11}{8}$컵 마셨고, 현우는 $\frac{13}{8}$컵 마셨습니다. 물을 더 많이 마신 사람은 누구인가요?

( )

개념 4 ~ 7 기초력 집중 연습

[1~3] 진분수는 '진', 가분수는 '가', 대분수는 '대'를 써 보세요.

1 $\frac{9}{4}$

(　　　　)

2 $\frac{11}{16}$

(　　　　)

3 $1\frac{1}{7}$

(　　　　)

[4~9] 대분수는 가분수로, 가분수는 대분수로 나타내어 보세요.

4 $2\frac{4}{5}=\frac{\square}{\square}$

5 $1\frac{8}{9}=\frac{\square}{\square}$

6 $5\frac{3}{7}=\frac{\square}{\square}$

7 $\frac{10}{9}=\square\frac{\square}{\square}$

8 $\frac{29}{5}=\square\frac{\square}{\square}$

9 $\frac{49}{6}=\square\frac{\square}{\square}$

[10~15] 두 분수의 크기를 비교하여 ○ 안에 $>$, $=$, $<$를 알맞게 써넣으세요.

10 $\frac{21}{9}$ ○ $\frac{19}{9}$

11 $\frac{39}{4}$ ○ $\frac{41}{4}$

12 $3\frac{5}{11}$ ○ $1\frac{10}{11}$

13 $1\frac{5}{6}$ ○ $2\frac{1}{6}$

14 $7\frac{3}{14}$ ○ $7\frac{9}{14}$

15 $5\frac{5}{8}$ ○ $\frac{45}{8}$

[16~17] 빈칸에 더 큰 분수를 써넣으세요.

16 $6\frac{1}{3}$　$\frac{14}{3}$ → □

17 $\frac{41}{10}$　$2\frac{9}{10}$ → □

유형 진단 TEST

점수 /10점

정답 및 풀이 25쪽

1 $\frac{4}{6}$ m만큼 색칠해 보세요. [1점]

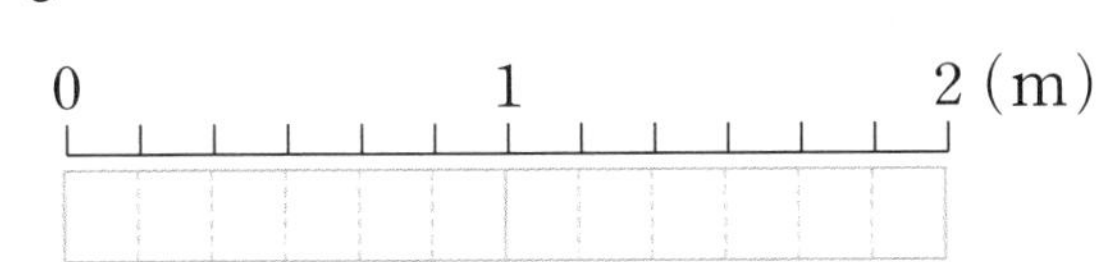

2 ㉠이 나타내는 수를 분모가 8인 대분수와 가분수로 나타내어 보세요. [1점]

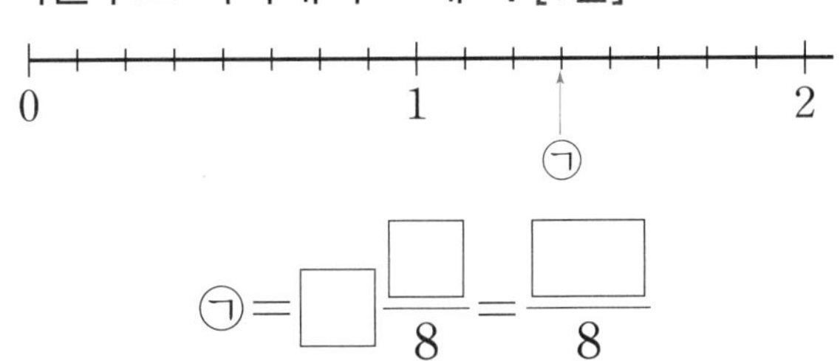

㉠ $= \square\frac{\square}{8} = \frac{\square}{8}$

3 $\frac{\square}{5}$는 가분수입니다. □ 안에 들어갈 수 있는 수를 찾아 써 보세요. [2점]

2	10	3

(　　　　　　　　　)

서술형

4 $\frac{7}{6}$이 진분수가 아닌 이유를 써 보세요. [2점]

이유 ______________________________

____

____

5 서아가 설명하는 분수를 찾아 ○표 하세요. [2점]

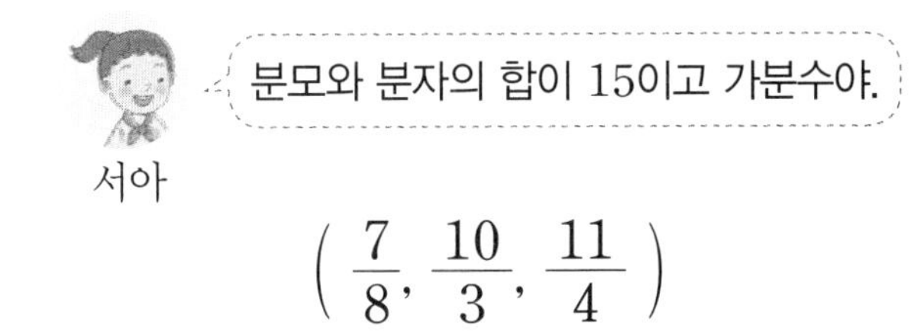

($\frac{7}{8}$, $\frac{10}{3}$, $\frac{11}{4}$)

6 두 분수의 크기를 비교하여 더 큰 분수를 빈칸에 써넣으세요. [2점]

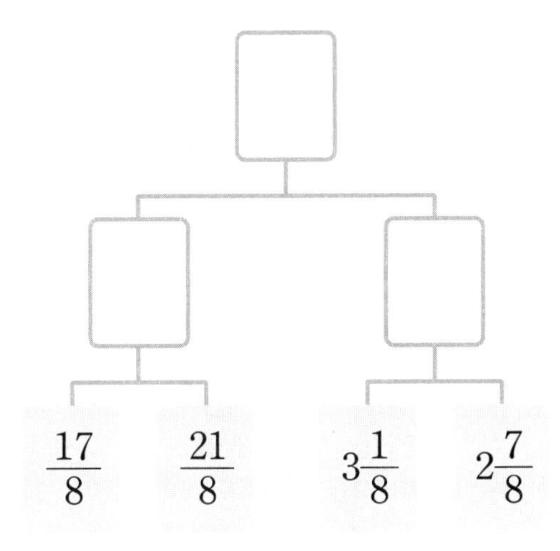

2 STEP 꼬리를 무는 유형

❶ 진분수, 가분수, 대분수 찾기

기본 유형

1 진분수는 '진', 가분수는 '가', 대분수는 '대'를 써 보세요.

(1) $\frac{3}{5}$

(　　　　)

(2) $\frac{12}{7}$

(　　　　)

(3) $1\frac{2}{9}$

(　　　　)

(4) $\frac{8}{8}$

(　　　　)

변형 유형

2 가분수를 찾아 ○표 하세요.

$\frac{3}{4}$　　$\frac{9}{7}$　　$1\frac{5}{11}$

실생활 유형

3 세 학생 중 가지고 있는 색 테이프의 길이가 대분수인 사람은 누구인가요?

$\frac{13}{6}$ m　　$\frac{9}{9}$ m　　$1\frac{13}{14}$ m

지안

하윤

서준

(　　　　　　　　)

❷ 분수를 수직선에 나타내기

기본 유형

4 보기와 같이 분수 $\frac{7}{4}$을 수직선에 ↑로 나타내어 보세요.

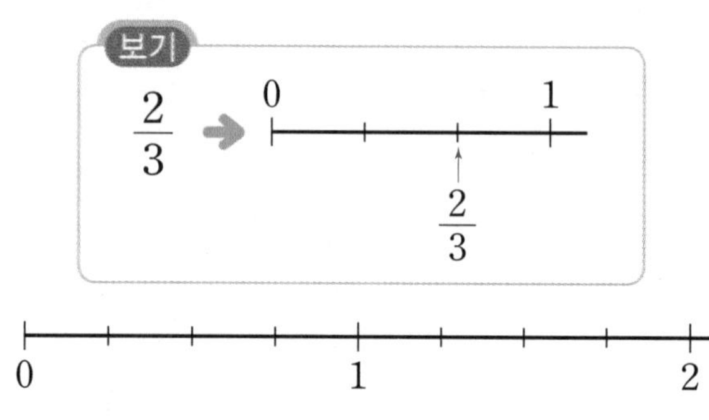

0　　　　1　　　　2

변형 유형

5 분수를 수직선에 ↑로 나타내어 보세요.

$\frac{3}{8}$, $1\frac{1}{8}$

0　　　　1　　　　2

실생활 유형

6 다은이와 시우가 제자리 멀리뛰기를 하였습니다. 두 사람이 뛴 거리를 수직선에 ↑로 나타내고 이름을 표시해 보세요.

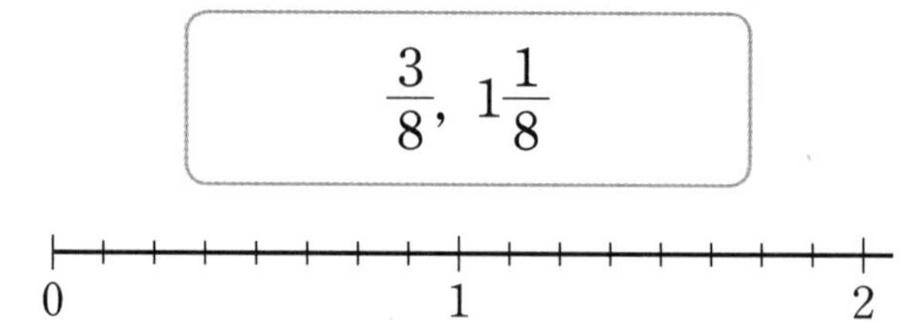

0　　　　1　　　　2 (m)

③ 분수만큼 색칠하기

기본 유형

7 빨간색과 파란색은 각각 몇 개인지 구하고 그 수만큼 색칠하여 무늬를 꾸며 보세요.

빨간색: 12의 $\frac{1}{6}$　　파란색: 12의 $\frac{5}{6}$

빨간색: □개, 파란색: □개

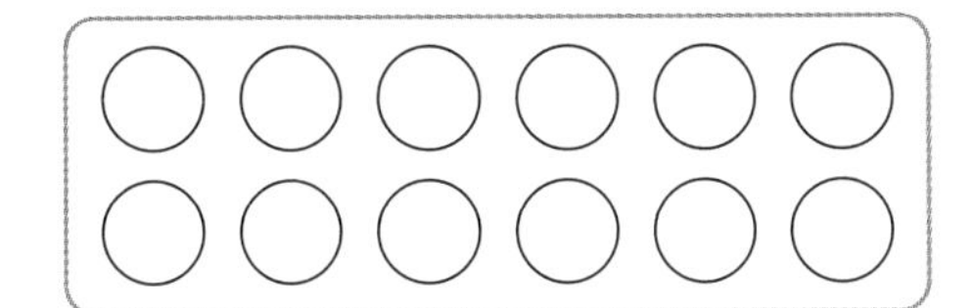

변형 유형

8 □ 안에 알맞은 수를 써넣고, 규칙을 만들어 초록색과 노란색으로 그 수만큼 색칠해 보세요.

초록색: 8의 $\frac{3}{4}$ → □칸
노란색: 8의 $\frac{1}{4}$ → □칸

실생활 유형

9 보라색은 14의 $\frac{4}{7}$, 주황색은 14의 $\frac{3}{7}$이 되도록 색칠하여 벽을 꾸미려고 합니다. 보라색과 주황색으로 그 수만큼 벽을 색칠해 보세요.

④ 부분의 양을 이용하여 전체의 양 구하기

기본 유형

10 □ 안에 알맞은 수를 써넣으세요.

□의 $\frac{1}{2}$은 13입니다.

변형 유형

11 ▲에 알맞은 수를 구해 보세요.

▲의 $\frac{2}{5}$는 8입니다.

(　　　　　　)

문장제 유형

12 어떤 수의 $\frac{1}{9}$은 8입니다. 어떤 수는 얼마인가요?

(　　　　　　)

실생활 유형

13 진우가 가지고 있는 막대의 $\frac{1}{8}$이 10 cm입니다. 이 막대의 전체 길이는 몇 cm인가요?

10 cm

(　　　　　　)

3 STEP 수학 독해력 유형

독해력 유형 1 남은 양을 분수로 나타내기

귤 36개를 4개씩 묶은 후 8개를 먹었습니다. 먹고 남은 귤은 처음에 있던 귤의 몇 분의 몇인지 구해 보세요.

What? 구하려는 것을 찾아 밑줄을 그어 보세요.

How?
❶ 귤 36개를 4개씩 묶으면 몇 묶음인지 구하기
❷ 먹은 귤은 몇 묶음인지 구하기
❸ 먹고 남은 귤은 몇 묶음인지 구하기
❹ 먹고 남은 귤은 처음에 있던 귤의 몇 분의 몇인지 구하기

Solve
❶ 귤 36개를 4개씩 묶으면 몇 묶음인가요?

( )

❷ 먹은 귤은 몇 묶음인가요?

( )

❸ 먹고 남은 귤은 몇 묶음인가요?

( )

❹ 먹고 남은 귤은 처음에 있던 귤의 몇 분의 몇인가요?

( )

구하려는 것을 찾아 밑줄을 그은 후 세운 계획에 따라 문제를 풀어 봐~

쌍둥이 유형 1-1

색종이 40장을 5장씩 묶은 후 25장을 사용했습니다. 사용하고 남은 색종이는 처음에 있던 색종이의 몇 분의 몇인지 구해 보세요.

( )

독해력 유형 2 수 카드로 만든 가분수를 대분수로 나타내기

수 카드 4장 중에서 2장을 한 번씩만 사용하여 분모가 2인 가분수를 만들려고 합니다. 만들 수 있는 가장 큰 가분수를 대분수로 나타내어 보세요.

1 7 2 9

What? 구하려는 것을 찾아 밑줄을 그어 보세요.

How?
❶ 분모가 2인 가분수이므로 분모에 2를 놓고 분자가 분모 2보다 큰 가분수 만들기
❷ ❶에서 구한 수 중 가장 큰 가분수 찾기
❸ ❷에서 찾은 가분수를 대분수로 나타내기

Solve
❶ 수 카드 2장을 한 번씩만 사용하여 분모가 2인 가분수를 모두 만들어 보세요.
( )

❷ ❶에서 만든 가분수 중 가장 큰 가분수를 써 보세요.
( )

❸ ❷에서 구한 가분수를 대분수로 나타내어 보세요.
( )

가분수를 대분수로 나타낼 때에는 자연수로 표현되는 가분수와 진분수로 나누어서 생각해용~

쌍둥이 유형 2-1

수 카드 4장 중에서 2장을 한 번씩만 사용하여 분모가 3인 가분수를 만들려고 합니다. 만들 수 있는 가장 큰 가분수를 대분수로 나타내어 보세요.

2 8 3 7

( )

4 STEP 사고력 플러스 유형

플러스 유형 ① 분수만큼은 얼마인지 알아보기

1-1 다음이 나타내는 수를 구해 보세요.

24의 $\frac{2}{3}$

(　　　　　　　　　　)

1-2 다음이 나타내는 수를 구해 보세요.

18의 $\frac{5}{6}$

(　　　　　　　　　　)

1-3 빵을 만드는 데 바구니에 있는 달걀의 $\frac{1}{3}$만큼 사용하려고 합니다. 사용할 달걀은 몇 개인가요?

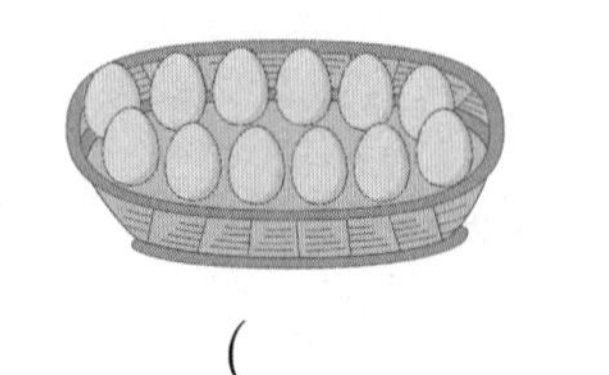

(　　　　　　　　　　)

플러스 유형 ② □ 안에 들어갈 수 없는(있는) 수 알아보기

2-1 $\frac{\square}{7}$는 진분수입니다. □ 안에 들어갈 수 없는 수를 찾아 써 보세요.

3　　6　　8

(　　　　　　　　　　)

2-2 $\frac{\square}{10}$는 진분수입니다. □ 안에 들어갈 수 없는 수를 찾아 써 보세요.

7　　9　　10

(　　　　　　　　　　)

2-3 다음은 가분수입니다. □ 안에 들어갈 수 있는 가장 작은 자연수를 구해 보세요.

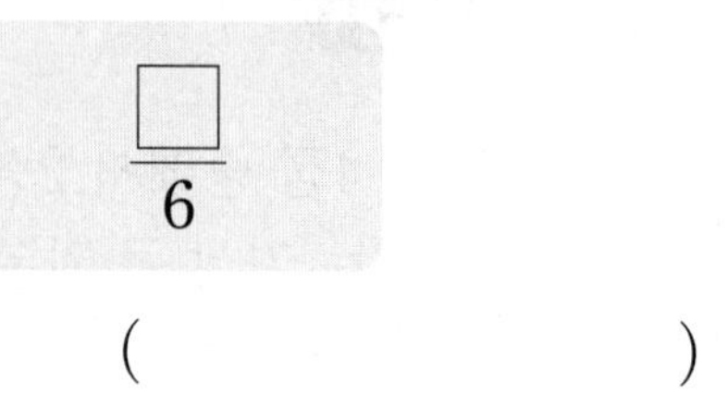

$\frac{\square}{6}$

(　　　　　　　　　　)

플러스 유형 3 두 분수의 크기 비교하기

3-1 더 큰 수에 색칠해 보세요.

$\frac{13}{6}$	$2\frac{5}{6}$

3-2 더 큰 수에 ○표 하세요.

$\frac{17}{4}$ ( ) $2\frac{1}{4}$ ( )

3-3 철사를 지수는 $2\frac{3}{7}$ m, 정후는 $\frac{16}{7}$ m 가지고 있습니다. 가지고 있는 철사의 길이가 더 긴 사람의 이름을 써 보세요.

( )

플러스 유형 처방전

주어진 분수를 가분수 또는 대분수로 통일하여 크기를 비교하라능~

플러스 유형 4 수 카드로 진분수(가분수) 만들기

4-1 수 카드 3장 중에서 2장을 한 번씩만 사용하여 만들 수 있는 진분수를 모두 써 보세요.

3 2 5

( )

서술형

4-2 수 카드 3장 중에서 2장을 한 번씩만 사용하여 만들 수 있는 진분수를 모두 구하려고 합니다. 풀이 과정을 쓰고 답을 구해 보세요.

7 3 4

풀이

답

4-3 수 카드 3장 중에서 2장을 한 번씩만 사용하여 만들 수 있는 가분수를 모두 써 보세요.

3 7 5

( )

플러스 유형 5 남은 양 구하기

5-1 떡이 20개 있습니다. 성하가 전체의 $\frac{1}{5}$만큼을 먹었다면 남은 떡은 몇 개인가요?

(　　　　　　　　　　)

서술형

5-2 공책이 27권 있습니다. 윤호가 전체의 $\frac{2}{9}$만큼 사용했다면 남은 공책은 몇 권인지 풀이 과정을 쓰고 답을 구해 보세요.

풀이

답

사고력 유형

5-3 그림과 같은 끈이 있습니다. 나무를 묶는 데 전체의 $\frac{2}{3}$만큼 사용했다면 남은 끈은 몇 m 인가요?

15 m

(　　　　　　　　　　)

플러스 유형 6 □ 안에 들어갈 수 있는 자연수 구하기

6-1 □ 안에 들어갈 수 있는 자연수를 모두 구해 보세요.

$\frac{17}{7} > 2\frac{\square}{7}$

(　　　　　　　　　　)

서술형

6-2 □ 안에 들어갈 수 있는 자연수를 모두 구하려고 합니다. 풀이 과정을 쓰고 답을 구해 보세요.

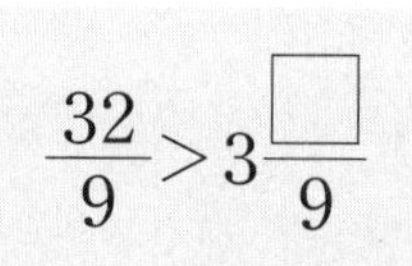

풀이

답

사고력 유형

6-3 □ 안에 들어갈 수 있는 자연수는 모두 몇 개인가요?

$\frac{15}{4} > \square\frac{3}{4}$

(　　　　　　　　　　)

플러스 유형 7 ▲보다 크고 ■보다 작은 분수 찾기

독해력 유형

7-1 보기에서 $\frac{11}{6}$보다 크고 $4\frac{1}{6}$보다 작은 분수를 찾아 써 보세요.

보기

$\frac{7}{6}$ $\frac{29}{6}$ $2\frac{1}{6}$

단계 1 $4\frac{1}{6}$을 가분수로 나타내어 보세요.

( )

단계 2 보기에서 대분수를 찾아 가분수로 나타내어 보세요.

( )

단계 3 보기에서 $\frac{11}{6}$보다 크고 $4\frac{1}{6}$보다 작은 분수를 찾아 써 보세요.

( )

7-2 $\frac{10}{9}$보다 크고 $1\frac{8}{9}$보다 작은 분수를 찾아 써 보세요.

$\frac{7}{9}$ $1\frac{5}{9}$ $\frac{22}{9}$

( )

플러스 유형 8 분모와 분자의 합, 차가 주어진 가분수 구하기

독해력 유형

8-1 분모와 분자의 합이 30이고 차가 8인 가분수를 구해 보세요.

단계 1 분모와 분자의 합이 30이고 차가 8인 두 수를 각각 구해 보세요.

( ), ( )

단계 2 단계 1에서 구한 수 중 가분수의 분모가 될 수 있는 수는 무엇인가요?

( )

단계 3 분모와 분자의 합이 30이고 차가 8인 가분수는 무엇인가요?

( )

8-2 분모와 분자의 합이 33이고 차가 17인 가분수를 구해 보세요.

( )

4 단원

분수

플러스 유형 처방전

가분수는 분자가 분모와 같거나 분모보다 크므로 분모와 분자의 차가 ●일 때 분자를 □라 하면 분모는 □−●라능~

유형 TEST

점수

1 그림을 보고 □ 안에 알맞은 수를 써넣으세요.

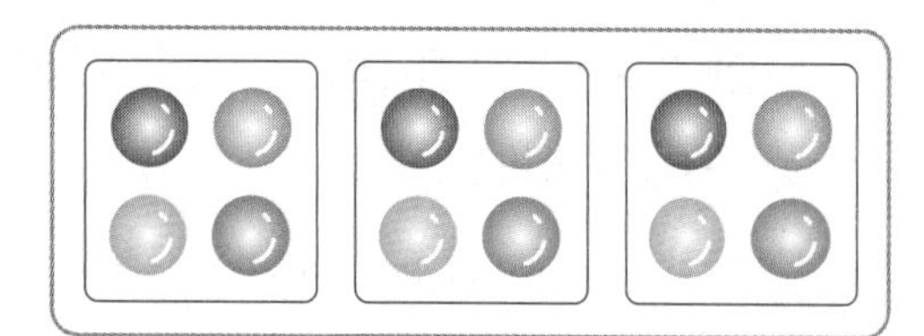

12를 4씩 묶으면 □ 묶음이 됩니다.

4는 12의 $\frac{\square}{\square}$입니다.

2 그림을 보고 □ 안에 알맞은 수를 써넣으세요.

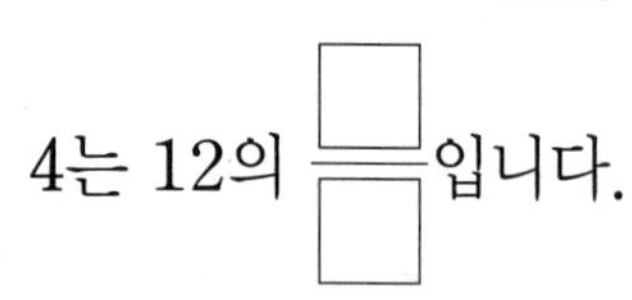

10의 $\frac{4}{5}$는 □입니다.

3 그림을 보고 ○ 안에 >, <를 알맞게 써넣으세요.

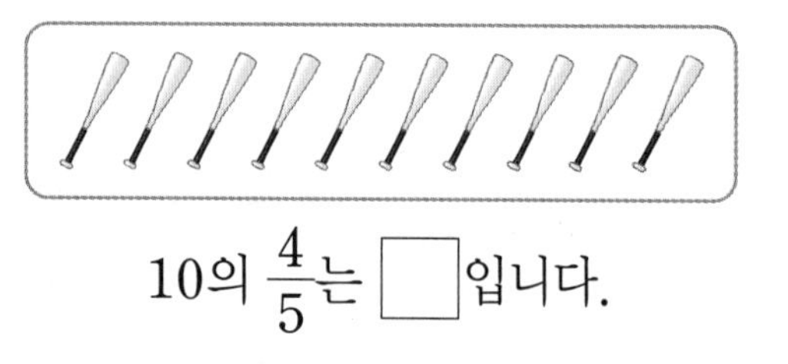

$\frac{11}{6}$ ○ $\frac{7}{6}$

4 진분수를 찾아 ○표 하세요.

$\frac{7}{7}$ $\frac{3}{2}$ $\frac{4}{5}$

( ) ( ) ( )

5 대분수를 찾아 써 보세요.

$\frac{15}{13}$ $\frac{3}{4}$ $1\frac{7}{12}$

( )

6 □ 안에 알맞은 수를 써넣으세요.

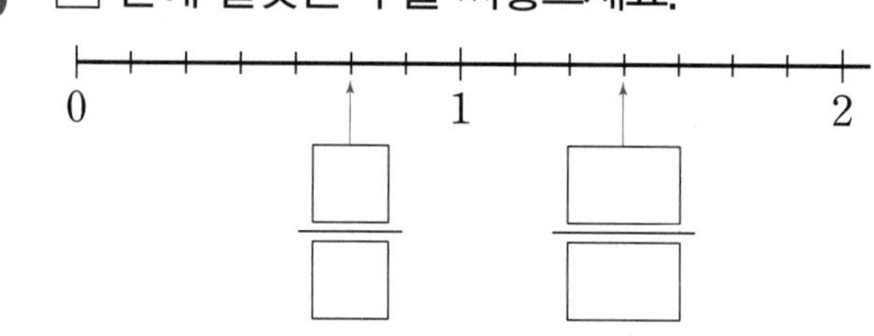

7 $\frac{1}{2}$ m는 몇 cm인가요?

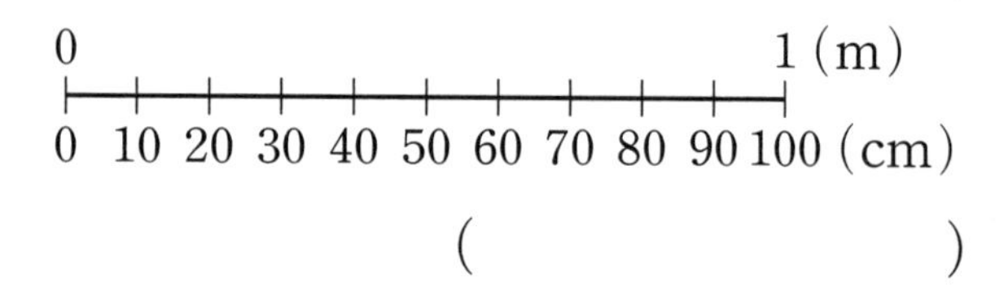

( )

8 크기가 같은 분수를 찾아 이어 보세요.

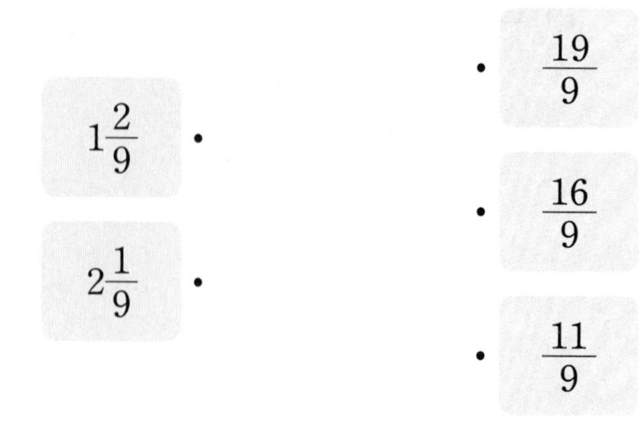

4 단원 분수

9 크기를 비교하여 ○ 안에 >, =, <를 알맞게 써넣으세요.

45의 $\frac{5}{9}$ ○ 20

10 잘못 설명한 것의 기호를 써 보세요.

㉠ 36을 6씩 묶으면 12는 36의 $\frac{2}{6}$입니다.
㉡ 36을 4씩 묶으면 12는 36의 $\frac{4}{9}$입니다.

(　　　　　　)

11 민서가 수영한 시간은 몇 분인가요?

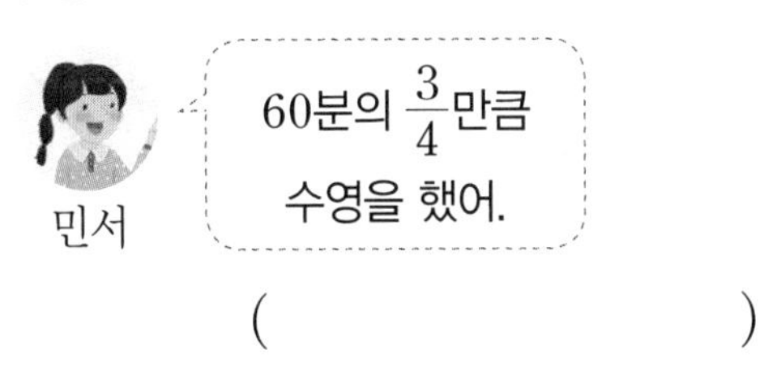

(　　　　　　)

12 다음은 가분수입니다. □ 안에 들어갈 수 없는 수를 찾아 ○표 하세요.

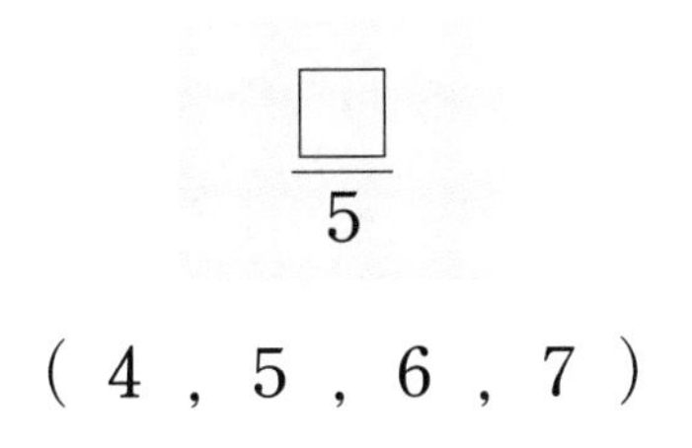

$\frac{\square}{5}$

(4 , 5 , 6 , 7)

13 구슬이 15개 있습니다. 준성이가 전체의 $\frac{2}{5}$만큼 가졌다면 준성이가 가진 구슬은 몇 개인가요?

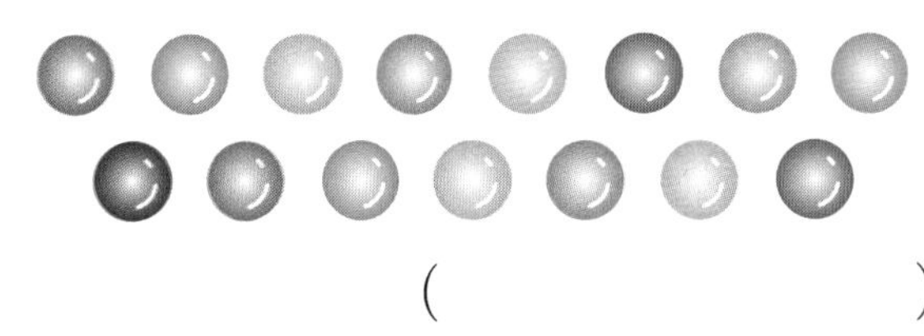

(　　　　　　)

14 □ 안에 알맞은 수를 구해 보세요.

□의 $\frac{3}{8}$은 9입니다.

(　　　　　　)

15 조건을 만족하는 분수를 찾아 ○표 하세요.

조건
분모와 분자의 합이 16이고 가분수입니다.

($\frac{7}{9}$, $\frac{11}{4}$, $\frac{8}{8}$)

16 가장 작은 분수를 찾아 써 보세요.

$\frac{8}{6}$　$1\frac{5}{6}$　$\frac{7}{6}$

(　　　　　　)

정답 및 풀이 28쪽

서술형 » 107쪽 3-3 유사 문제

17 물을 진호는 $1\frac{3}{5}$ L, 서희는 $\frac{11}{5}$ L 마셨습니다. 물을 더 많이 마신 사람은 누구인지 풀이 과정을 쓰고 답을 구해 보세요.

풀이

답

서술형 » 107쪽 4-2 유사 문제

18 수 카드 3장 중에서 2장을 한 번씩만 사용하여 만들 수 있는 진분수를 모두 구하려고 합니다. 풀이 과정을 쓰고 답을 구해 보세요.

풀이

답

서술형 » 108쪽 5-2 유사 문제

19 수지가 리본 72 cm를 가지고 있습니다. 포장을 하는 데 전체의 $\frac{3}{8}$만큼 사용했다면 남은 리본은 몇 cm인지 풀이 과정을 쓰고 답을 구해 보세요.

풀이

답

서술형 » 108쪽 6-2 유사 문제

20 □ 안에 들어갈 수 있는 자연수를 모두 구하려고 합니다. 풀이 과정을 쓰고 답을 구해 보세요.

$$\frac{15}{12} > 1\frac{\square}{12}$$

풀이

답

앞 단원 유형 다시 보기

3-2 3. 원

원의 중심, 반지름, 지름 알아보기

1 □ 안에 알맞은 말을 써넣으세요.

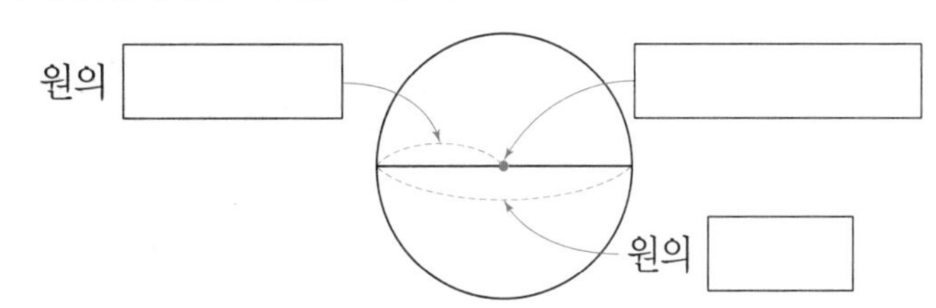

원의 성질 알아보기

2 점 ㅇ은 원의 중심입니다. □ 안에 알맞은 수를 써넣으세요.

(1) 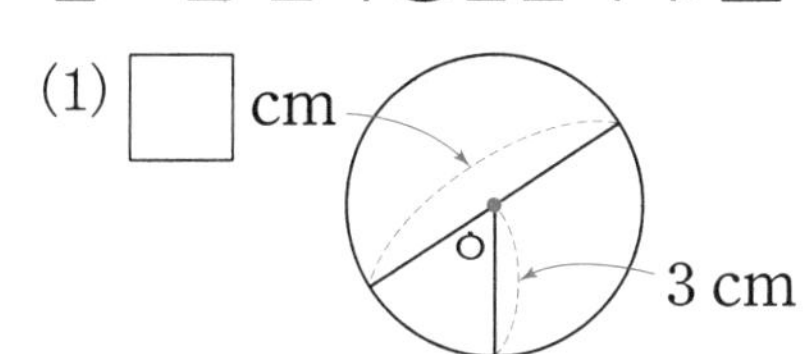

(2) 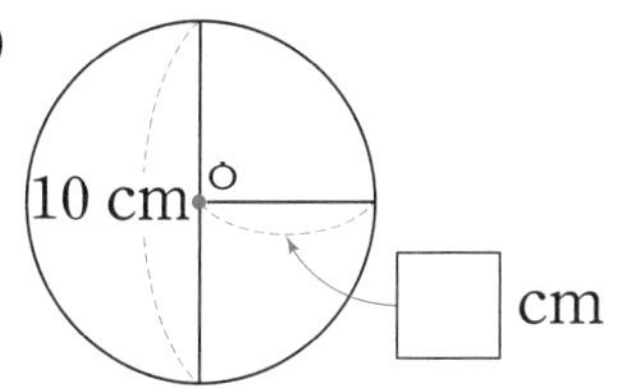

- (원의 지름) =(원의 반지름)$\times 2$
- (원의 반지름) =(원의 지름)$\div 2$

컴퍼스를 이용하여 원 그리기

3 컴퍼스를 이용하여 지름이 20 cm인 원을 그리려고 합니다. 컴퍼스를 몇 cm만큼 벌려야 하나요?

(　　　　　　)

원을 이용하여 여러 가지 모양 그리기

4 오른쪽 모양을 그리기 위하여 컴퍼스의 침을 꽂아야 할 곳은 모두 몇 군데인가요?

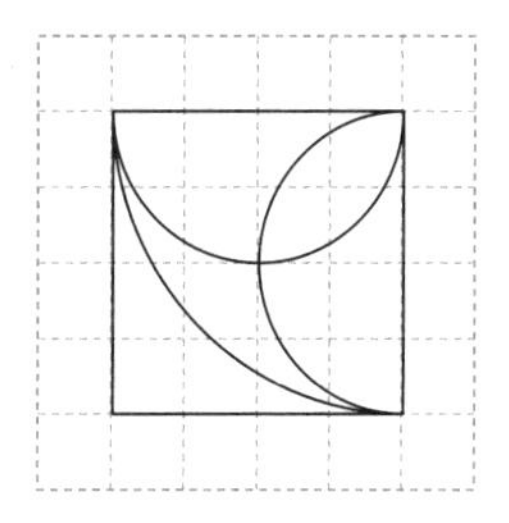

(　　　　　　)

★에 알맞은 분수는?

코딩 1 다음 기준에 따라 분수를 분류하려고 합니다. ★에 알맞은 분수를 찾아보세요.

$3\frac{2}{5}$ $\frac{4}{7}$ $\frac{8}{5}$ $\frac{6}{6}$

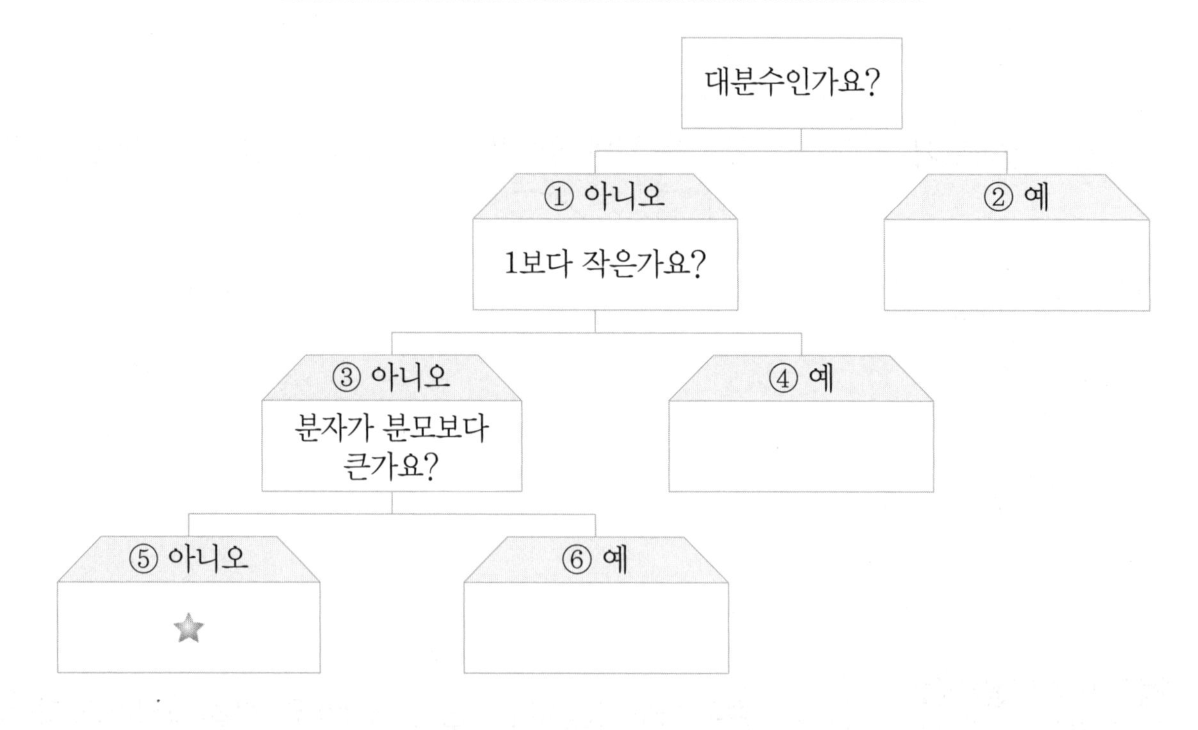

①에 들어갈 분수는 $\frac{4}{7}$, $\frac{8}{5}$, ☐ 이야~

①에 들어갈 분수 중 ③에 들어갈 분수는 $\frac{8}{5}$, ☐ 이지.

그럼…… ⑤에 들어갈 분수는 ③에 들어갈 분수 중 분모와 분자가 같은 분수네.

아하! 그럼 ★에 알맞은 분수는 ☐ 이겠구나~

집으로 가는 길을 찾아라!

창의 2 강아지가 집을 찾아 가려고 합니다. 크기를 비교하여 큰 분수를 따라 강아지가 가는 길에 선을 그어 보세요.

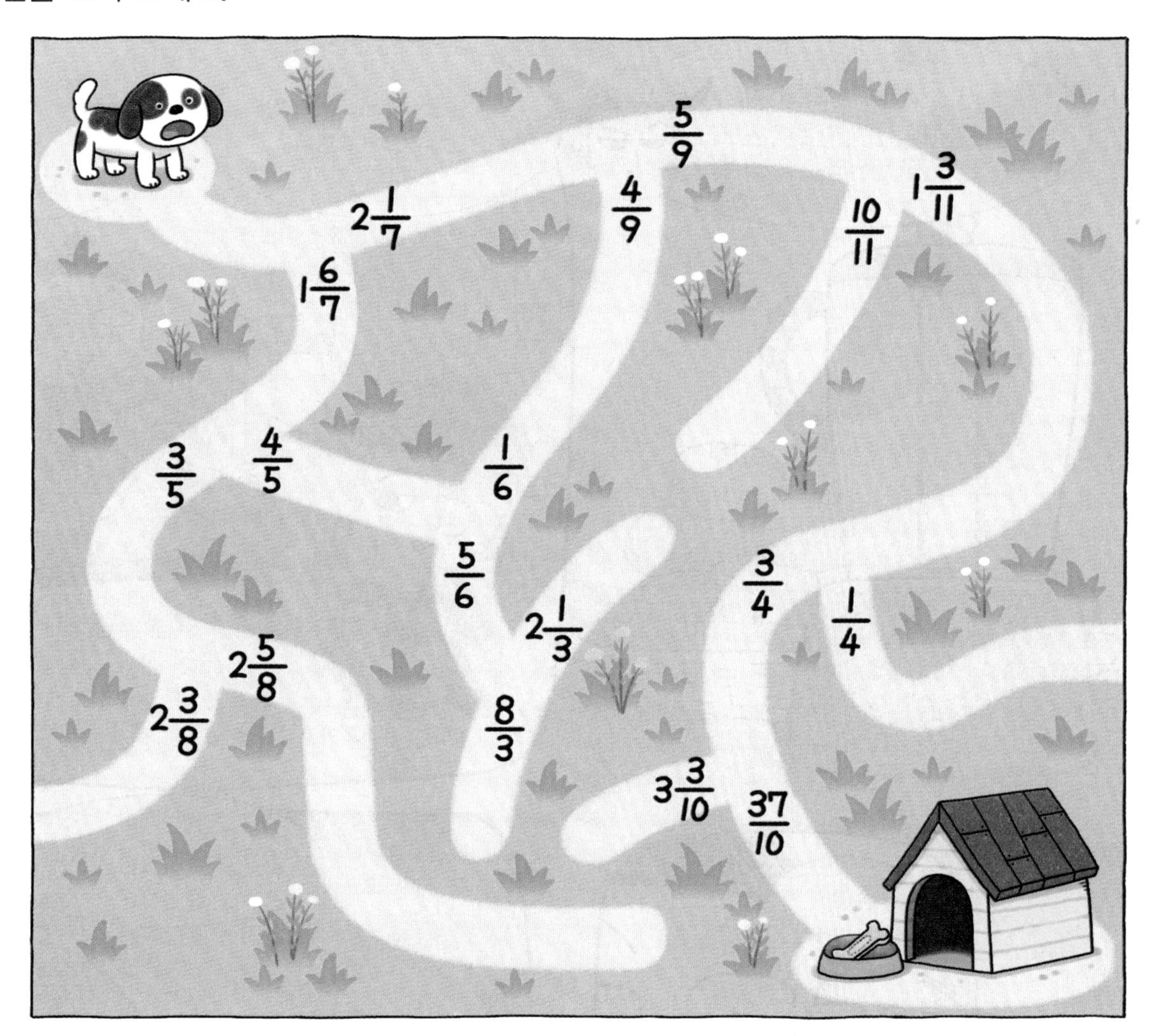

분모가 같은 대분수끼리는 자연수 부분을 먼저 비교하고,
자연수 부분이 같으면 분자를 비교하라능~

분모가 같은 진분수와 가분수는 분자가 클수록 큰 분수야.

분모가 같은 가분수와 대분수는 가분수 또는 대분수로
통일해서 비교하라능~

5 들이와 무게

이 오렌지를 모두 갈면
3 L 500 mL만큼 주스가
될 거라능~
사건 조사하고 올 동안
모두 갈아 놓도록
해용~
넵,
탐정님!
Dr
탐정
유후~
위
잉
윙
몇 시간 후
엥? 왜
2 L 400 mL 밖에
안 되지?

Dr. 유형 탐정 일지
* 오렌지주스는 어디로?

그…… 글쎄요,
오렌지를 다 갈았는데
이상하네요…….
3 L 500 mL
−2 L 400 mL
1 L 100 mL가
없다능~
꺼억!
네 트림에서 나는
오렌지 냄새는 뭐지?
헤헷, 사실은 제가
목이 말라서 좀 마셨어요.

개념 1 들이 비교하기

예 가와 나의 들이 비교하기

방법1 가에 물을 가득 채운 후 나에 옮겨 담아 비교하기

물이 넘쳤으므로 가의 들이가 더 많아.

방법2 가와 나에 물을 가득 채운 후 모양과 크기가 같은 수조에 옮겨 담아 비교하기

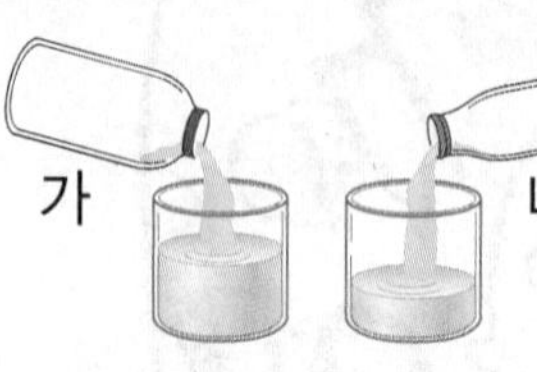

수조의 물의 높이를 비교하면 가의 들이가 더 많아.

방법3 가와 나에 물을 가득 채운 후 모양과 크기가 같은 작은 그릇에 옮겨 담아 비교하기

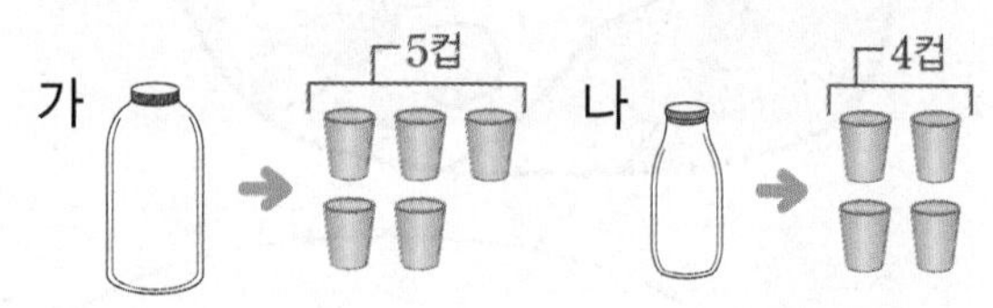

→ 가가 나보다 컵 $5-4=1$(개)만큼 물이 더 들어갑니다.

유형

1 꽃병에 물을 가득 채운 후 물병에 옮겨 담았습니다. 그림과 같이 물을 채웠을 때 알맞은 말에 ○표 하세요.

물병에 물이 가득 차지 않았으므로 (꽃병 , 물병)의 들이가 더 많습니다.

2 들이가 많은 것부터 순서대로 1, 2, 3을 써 보세요.

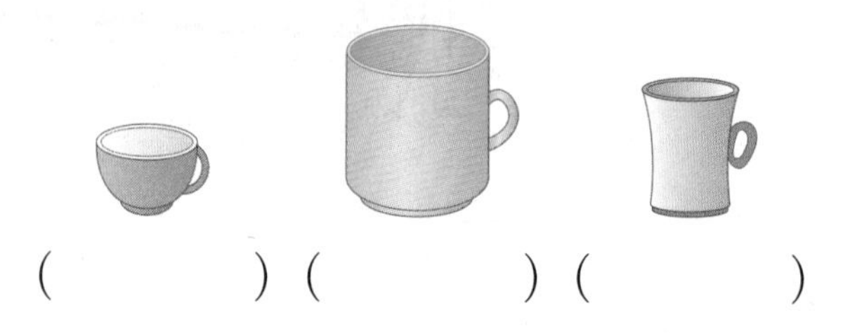

(　　　) (　　　) (　　　)

3 가에 주스를, 나에 두유를 가득 채운 후 모양과 크기가 같은 그릇에 옮겨 담았습니다. 그림과 같이 주스와 두유를 채웠을 때 가와 나 중 들이가 더 많은 것의 기호를 써 보세요.

(　　　　　)

[4~5] 가와 나에 물을 가득 채운 후 모양과 크기가 같은 컵에 옮겨 담았습니다. 물음에 답해 보세요.

4 □ 안에 알맞은 수나 기호를 써넣으세요.

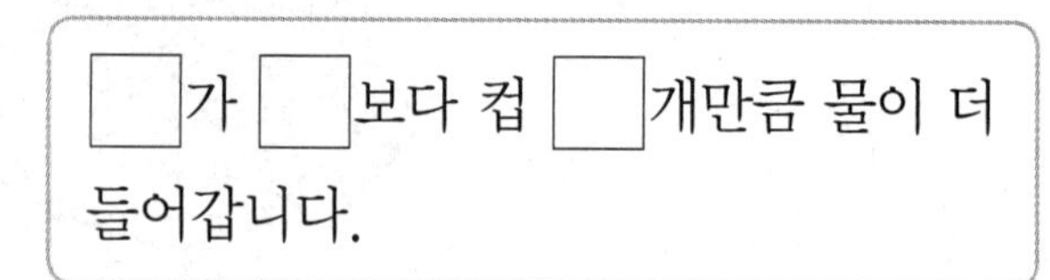

□가 □보다 컵 □개만큼 물이 더 들어갑니다.

5 가의 들이는 나의 들이의 몇 배인가요?

(　　　　　)

개념 2 들이의 단위

1. 들이의 단위: 리터, 밀리리터

단위	1 리터	1 밀리리터
쓰기	1 L	1 mL

1 L=1000 mL

2. 3 L보다 500 mL 더 많은 들이

 3 L 500 mL

 3 리터 500 밀리리터

3 L 500 mL=3500 mL

6 2 L를 쓰고 읽어 보세요.

쓰기

읽기 (　　　　　　　　)

7 □ 안에 알맞은 수를 써넣으세요.

(1) 8 L=□ mL

(2) 5000 mL=□ L

8 물은 몇 L인가요?

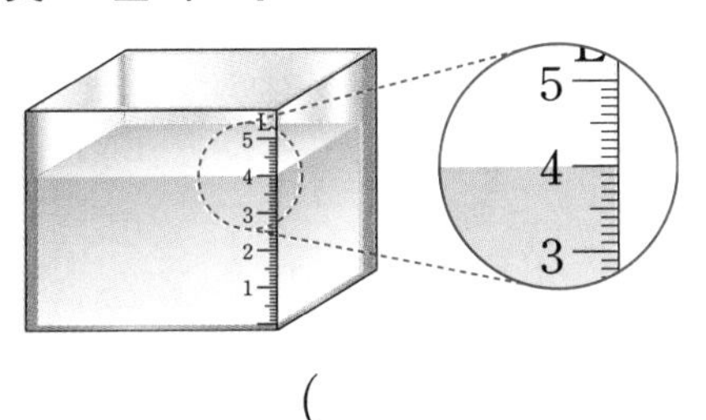

(　　　　　　　　)

9 수 또는 단위가 바르지 않은 문장을 찾아 기호를 써 보세요.

㉠ 종이컵의 들이는 약 180 mL입니다.
㉡ 주전자의 들이는 약 2 mL입니다.

(　　　　　　　　)

10 물이 3 L 들어 있는 어항에 물 400 mL를 더 부었습니다. 어항에 들어 있는 물은 몇 L 몇 mL인가요?

(　　　　　　　　)

11 들이가 나머지와 다른 하나를 찾아 기호를 써 보세요.

㉠ 170 mL
㉡ 1 L 70 mL
㉢ 1070 mL

(　　　　　　　　)

12 정우는 약수터에서 약수 2800 mL를 받았습니다. 정우가 받은 약수는 몇 L 몇 mL인가요?

(　　　　　　　　)

개념 3 들이를 어림하고 재어 보기

들이를 어림하여 말할 때는 약 □ L 또는 약 □ mL라고 합니다.

㉮ 컵의 들이 어림하기

컵의 들이는 200 mL 우유갑으로 한 번쯤 들어갈 것 같으므로 약 200 mL야.

유형

13 왼쪽은 들이가 1 L인 우유갑입니다. 들이가 약 1 L인 것에 ○표 하세요.

( ) ( )

14 병의 들이를 어림해 보세요.

200 mL 우유갑으로 3번쯤
➔ 약 □ mL

15 물병의 들이를 어림한 것이 옳으면 ○표, 틀리면 ×표 하세요.

물병은 1 L 우유갑과 들이가 비슷합니다.
➔ 물병의 들이는 약 1000 mL입니다.

( )

16 양동이에 물을 가득 채운 후 비커에 모두 옮겨 담았더니 그림과 같이 물이 채워졌습니다. 양동이의 들이는 몇 mL인가요?

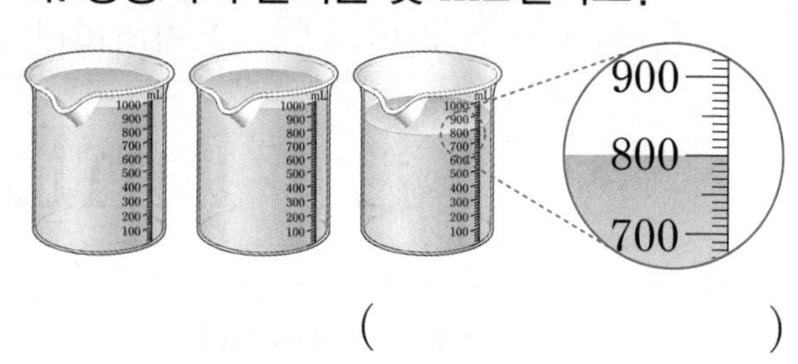

( )

17 □ 안에 알맞은 물건을 보기에서 찾아 써넣으세요.

보기
생수통 종이컵

(1) □의 들이: 약 180 mL

(2) □의 들이: 약 19 L

18 세제통에 물을 가득 채운 후 들이가 1 L인 수조에 모두 옮겨 담았더니 그림과 같이 절반쯤 찼습니다. 세제통의 들이는 약 몇 mL인가요?

세제통

약 ( ) mL

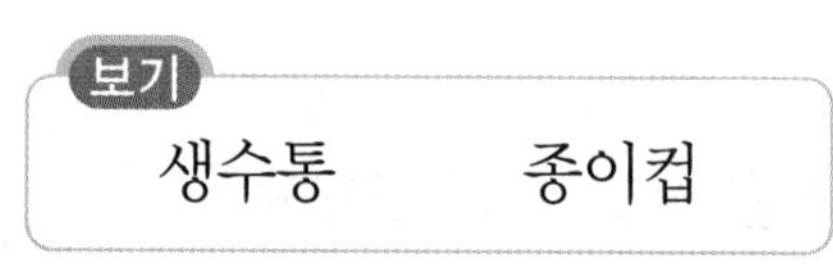

플러스 개념 4 알맞은 단위로 나타내기

mL	L
요쿠르트 병, 음료수 캔, 컵 등	냄비, 주전자, 양동이, 욕조 등

들이가 1 L보다 적은 것은 mL로 나타내~

개념 5 받아올림이 없는 들이의 덧셈

예 2 L 400 mL+3 L 500 mL의 계산

	L	mL
	2 L	400 mL
+	3 L	500 mL
	5 L	900 mL

L는 L끼리 더하고, mL는 mL끼리 더합니다.

유형

19 알맞은 들이의 단위에 ○표 하세요.

음료수 캔의 들이: 약 300 (mL , L)

20 □ 안에 L와 mL 중 알맞은 단위를 써넣으세요.

(1) 요쿠르트 병의 들이는 약 80 □ 입니다.

(2) 욕조의 들이는 약 250 □ 입니다.

21 들이의 단위를 잘못 사용한 사람은 누구인지 이름을 써 보세요.

주사기의 들이는 10 mL야.

시우

내가 어제 마신 물은 1600 L야.

다은

(　　　　　　　　)

유형

22 덧셈을 해 보세요.

	2	L	300	mL
+	6	L	300	mL
	□	L	□	mL

23 □ 안에 알맞은 수를 써넣으세요.

4 L 300 mL

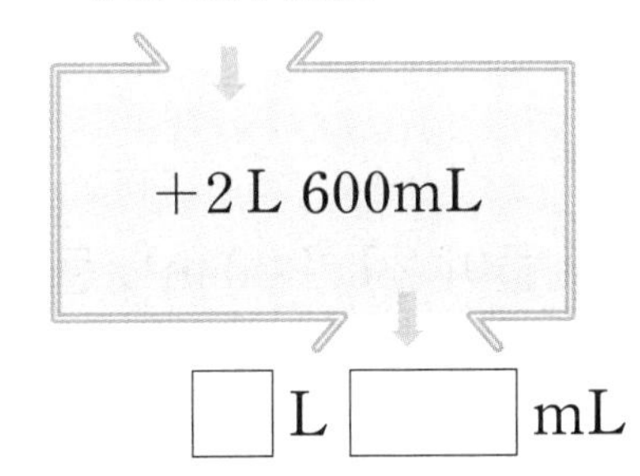

□ L □ mL

24 □ 안에 알맞은 수를 써넣으세요.

3100 mL+1100 mL

= □ mL

= □ L □ mL

25 들이의 합은 몇 L 몇 mL인가요?

4 L 600 mL　　3 L 200 mL

(　　　　　　　　)

26 두 그릇의 들이의 합은 몇 L 몇 mL인가요?

3 L 400 mL

2 L 500 mL

(　　　　　　　　)

27 어항에 물이 2 L 200 mL 들어 있습니다. 이 어항에 물 1 L 300 mL를 더 부었을 때 어항에 들어 있는 물은 모두 몇 L 몇 mL가 되나요?

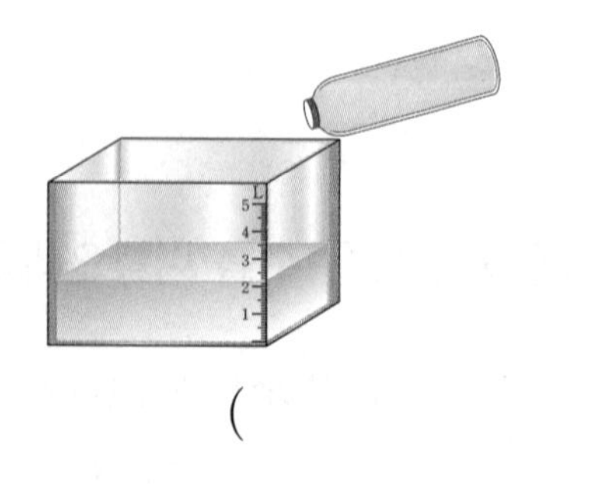

(　　　　　　　　)

개념 6 받아내림이 없는 들이의 뺄셈

예 7 L 500 mL－1 L 200 mL의 계산

	L	mL
	7 L	500 mL
－	1 L	200 mL
	6 L	300 mL

L는 L끼리 빼고, mL는 mL끼리 뺍니다.

유형

28 뺄셈을 해 보세요.

(1)
$$\begin{array}{rrlrl} & 9 & \text{L} & 500 & \text{mL} \\ - & 7 & \text{L} & 100 & \text{mL} \\ \hline & \square & \text{L} & \square & \text{mL} \end{array}$$

(2)
$$\begin{array}{rrlrl} & 8 & \text{L} & 800 & \text{mL} \\ - & 3 & \text{L} & 300 & \text{mL} \\ \hline & \square & \text{L} & \square & \text{mL} \end{array}$$

29 들이의 뺄셈을 하여 몇 L 몇 mL인지 구해 보세요.

5 L 800 mL－1 L 700 mL

(　　　　　　　　)

30 □ 안에 알맞은 수를 써넣으세요.

7900 mL－2400 mL
＝□ mL
＝□ L □ mL

31 두 그릇의 들이의 차는 몇 L 몇 mL인가요?

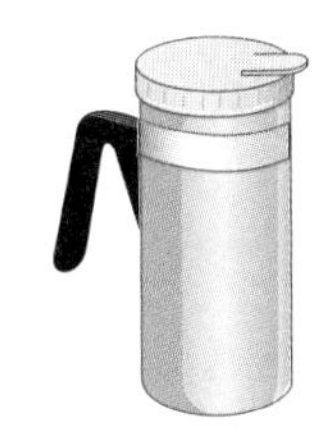

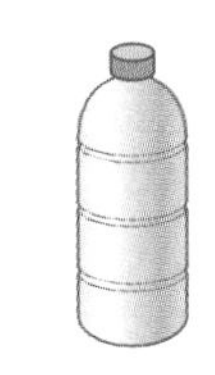

2 L 500 mL　　1 L 200 mL

(　　　　　　　　)

32 계산 결과를 찾아 이어 보세요.

8 L 900 mL −4 L 200 mL	5 L 700 mL −1 L 200 mL

4 L 500 mL　　4 L 700 mL

33 민정이네 가족은 오늘 물 9 L 400 mL 중 4 L 200 mL를 마셨습니다. 민정이네 가족이 마시고 남은 물은 몇 L 몇 mL인가요?

(　　　　　　　　)

플러스 개념 **7** 받아올림과 받아내림이 있는 들이의 덧셈과 뺄셈

mL끼리의 합이 1000 mL와 같거나 크면 1000 mL를 1 L로 받아올림해~

예)
```
   1
   2 L 500 mL
 + 3 L 700 mL
 ------------
   6 L 200 mL
```

mL끼리 뺄 수 없으면 1 L를 1000 mL로 받아내림해~

예)
```
   5    1000
   6 L 100 mL
 − 2 L 200 mL
 ------------
   3 L 900 mL
```

유형

34 계산해 보세요.

(1)
```
    1 L  300 mL
 +  4 L  900 mL
 --------------
    □ L  □ mL
```

(2) 6 L 500 mL − 3 L 700 mL
= □ L □ mL

35 계산을 바르게 한 것에 ○표 하세요.

2 L 800 mL +5 L 900 mL 8 L 700 mL	6 L 700 mL −3 L 800 mL 3 L 900 mL
(　　)	(　　)

36 수돗물을 선주는 1 L 800 mL 받았고, 수혜는 1 L 700 mL 받았습니다. 두 사람이 받은 수돗물은 모두 몇 L 몇 mL인가요?

(　　　　　　　　)

기초력 집중 연습

[1~6] □ 안에 알맞은 수를 써넣으세요.

1 5 L= □ mL

2 7000 mL= □ L

3 2 L 500 mL= □ mL

4 6 L 900 mL= □ mL

5 3400 mL= □ L □ mL

6 1050 mL= □ L □ mL

[7~12] 계산해 보세요.

7
```
  5 L  300 mL
+ 1 L  200 mL
```

8
```
  3 L  200 mL
+ 6 L  500 mL
```

9
```
  2 L  600 mL
+ 4 L  500 mL
```

10
```
  9 L  300 mL
- 4 L  100 mL
```

11
```
  4 L  800 mL
- 2 L  400 mL
```

12
```
  7 L  500 mL
- 2 L  600 mL
```

[13~14] 계산 결과는 몇 L 몇 mL인지 □ 안에 써넣으세요.

13 6 L 100 mL

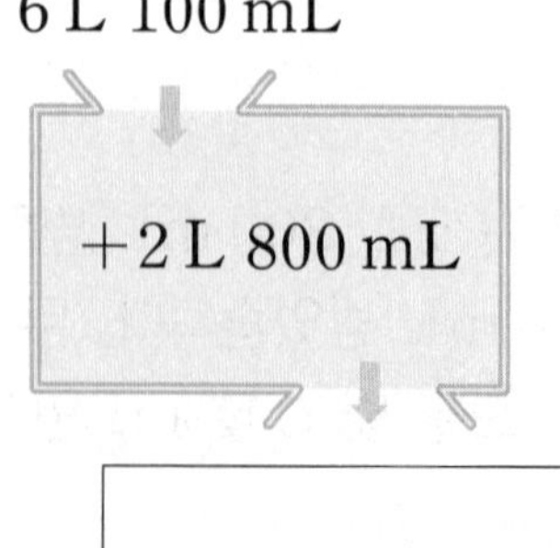

□

14 9 L 700 mL

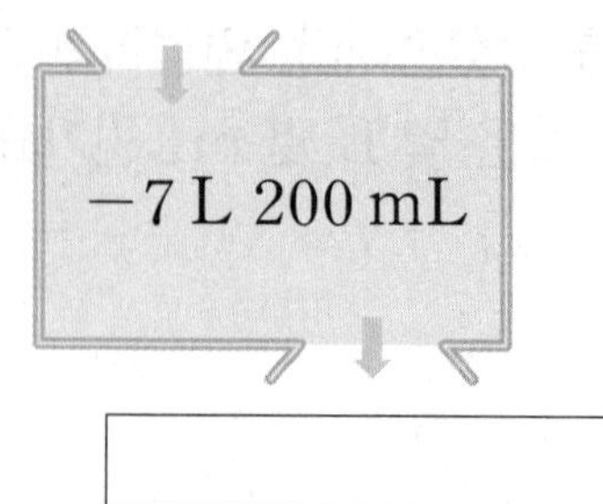

□

유형 진단 TEST

점수 /10점

1 물은 몇 mL인가요? [1점]

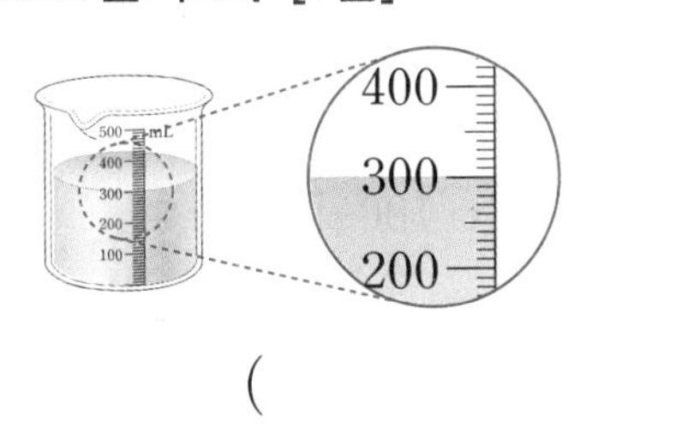

( )

2 들이의 합은 몇 L 몇 mL인지 빈칸에 써넣으세요. [1점]

5 L 300 mL	3 L 100 mL

3 가 그릇과 나 그릇에 물을 가득 채운 후 모양과 크기가 같은 컵에 옮겨 담았더니 다음과 같았습니다. 들이가 더 많은 그릇의 기호를 써 보세요. [2점]

그릇	가	나
컵의 수(개)	9	3

( )

4 들이를 비교하여 ○ 안에 >, =, <를 알맞게 써넣으세요. [2점]

7 L 900 mL ○ 7090 mL

5 그릇의 들이를 더 적절히 어림한 사람은 누구인지 이름을 써 보세요. [2점]

유리병에 물이 300 mL 컵으로 3번쯤 들어갈 것 같아. 유리병의 들이는 약 900 mL야.

물병은 1 L 우유갑과 들이가 비슷하니까 물병의 들이는 약 100 mL야.

( )

6 호영이와 우석이가 마신 우유는 각각 몇 mL인지 구해 보세요. [2점]

마시기 전과 마신 후의 우유의 양

	호영	우석
마시기 전	2 L 500 mL	1 L 900 mL
마신 후	2 L	1 L 200 mL

호영 ( )
우석 ( )

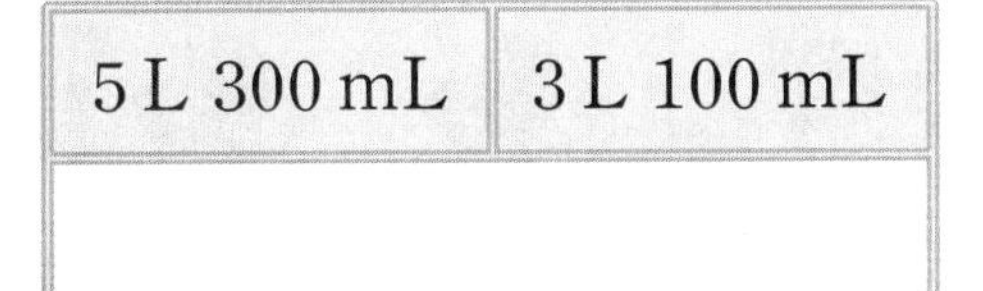

개념 8 무게 비교하기

예 방울토마토와 귤의 무게 비교하기

방법1 양손에 들어서 비교하기

양손에 방울토마토와 귤을 각각 들고 무게를 비교하면 귤이 더 무겁습니다.

방법2 윗접시저울을 사용하여 비교하기

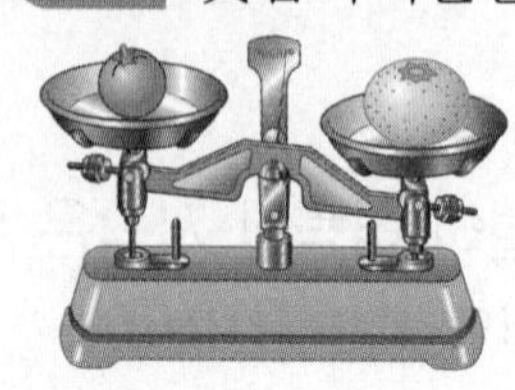

접시가 내려간 쪽이 더 무거우므로 귤이 더 무거워~

방법3 여러 가지 작은 단위로 비교하기

바둑돌 3개

바둑돌 8개

➜ 귤이 방울토마토보다 바둑돌 $8-3=5$(개)만큼 더 무겁습니다.

유형

1 더 무거운 과일에 ○표 하세요.

2 무게가 무거운 것부터 순서대로 1, 2, 3을 써 보세요.

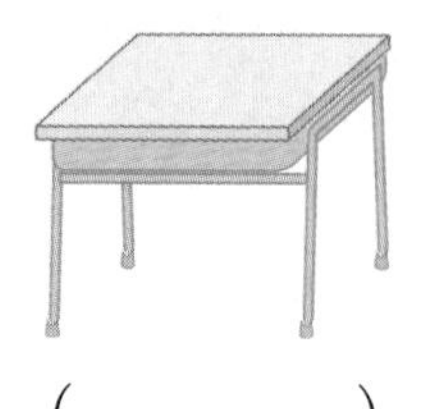

( ) ( ) ( )

3 물감은 연필보다 100원짜리 동전 몇 개만큼 더 무거운가요?

연필 100원짜리 동전 4개

물감 100원짜리 동전 7개

( )

4 저울로 키위, 자두, 귤의 무게를 비교했습니다. 가장 무거운 것을 구해 보세요.

키위 자두

자두 귤

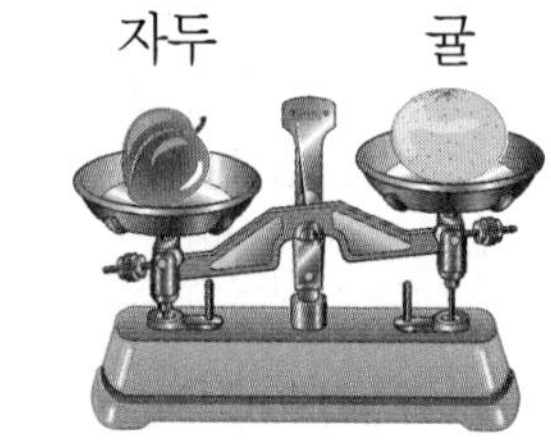

(1) 둘 중 더 무거운 것에 ○표 하세요.

키위	자두

자두	귤

(2) 키위, 자두, 귤 중에서 가장 무거운 것은 어느 것인가요?

( )

5 감자와 양파를 양손에 들어 보니 무게가 비슷하여 어느 것이 더 무거운지 알 수 없었습니다. 두 채소의 무게를 비교할 수 있는 방법을 써 보세요.

감자   양파

저울의 양쪽 접시에 ______________________

____

개념 9 무게의 단위

1. 무게의 단위: 킬로그램, 그램

단위	1 킬로그램	1 그램
쓰기	1 kg	1 g

$1\,\text{kg}=1000\,\text{g}$

2. 1 kg보다 400 g 더 무거운 무게

쓰기 1 kg 400 g

읽기 1 킬로그램 400 그램

$1\,\text{kg}\ 400\,\text{g}=1400\,\text{g}$

3. 1 t: 1000 kg의 무게

  읽기 1 톤

6 주어진 무게를 쓰고, 읽어 보세요.

2 kg 700 g

읽기 ( )

7 □ 안에 알맞은 수를 써넣으세요.

(1) 3 kg= □ g

(2) 8000 kg= □ t

(3) 6 t= □ kg

8 무게가 같은 것끼리 이어 보세요.

4 kg 100 g •	• 4 t
4000 kg •	• 4 kg
4000 g •	• 4100 g

9 코뿔소의 무게는 몇 kg인가요?

난 코뿔소.
내 무게는
3 t이야.

( )

10 무게가 1 kg인 빈 가방에 200 g짜리 책을 한 권 넣었습니다. 책을 넣은 가방의 무게는 몇 kg 몇 g인가요?

( )

11 수 또는 단위가 바르지 않은 문장을 찾아 기호를 써 보세요.

㉠ 못 1개의 무게는 약 2 g입니다.
㉡ 8 kg 60 g은 8060 g입니다.
㉢ 공책 한 권의 무게는 약 15 kg입니다.

( )

개념 10 무게를 어림하고 재어 보기

무게를 어림하여 말할 때는 약 □ kg 또는 약 □ g이라고 합니다.

예 

➔ 국어사전의 무게: 약 1 kg

유형

12 오른쪽 수박의 무게를 어림하려고 합니다. □ 안에 알맞은 수를 써넣으세요.

수박의 무게는 1 kg짜리 5개만큼의 무게와 비슷합니다. ➔ 약 □ kg

13 무게가 약 10 g인 물건을 찾아 ○표 하세요.

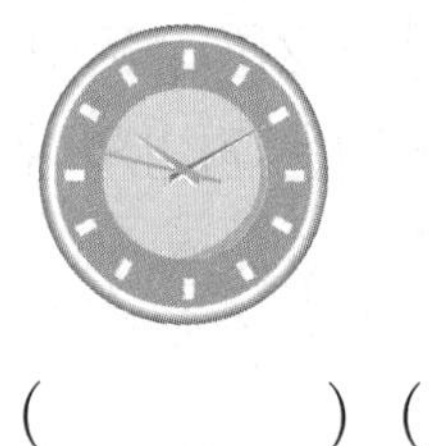  

(　　　) (　　　) (　　　)

14 냉장고의 무게를 가장 알맞게 어림한 것을 찾아 기호를 써 보세요.

㉠ 약 200 g　㉡ 약 2 kg
㉢ 약 200 kg　㉣ 약 20 t

(　　　　　)

15 무게가 1 t보다 무거운 것을 모두 찾아 기호를 써 보세요.

㉠ 트럭 1대　㉡ 책상 1개
㉢ 책 1권　㉣ 기차 1대

(　　　　　)

16 보기에서 알맞은 단어를 찾아 문장을 완성해 보세요.

보기
지우개　코끼리　의자

(1) □의 무게는 약 10 g입니다.

(2) □의 무게는 약 2 kg입니다.

(3) □의 무게는 약 5 t입니다.

17 선생님의 몸무게를 기준으로 1 t의 무게를 어림해 보세요.

(1) 1 t은 몇 kg인가요?

(　　　　　)

(2) 1 t은 선생님의 몸무게의 약 몇 배쯤 되나요?

약 (　　　　　)

플러스 개념 11 알맞은 단위로 나타내기

g	kg	t
연필, 지우개 등	책상, 냉장고 등	트럭, 코끼리 등

무게가 1 kg보다 가벼운 물건은 g으로 나타내~

개념 12 받아올림이 없는 무게의 덧셈

예 1 kg 300 g+4 kg 200 g의 계산

$$\begin{array}{rr} & 1\,\text{kg} \ \ 300\,\text{g} \\ + & 4\,\text{kg} \ \ 200\,\text{g} \\ \hline & 5\,\text{kg} \ \ 500\,\text{g} \end{array}$$

kg은 kg끼리 더하고, g은 g끼리 더합니다.

유형

18 알맞은 무게의 단위에 ○표 하세요.

식탁의 무게 ➔ 약 20 (kg , g)

19 □ 안에 kg과 g 중 알맞은 단위를 써넣으세요.

(1) 연필 1자루의 무게는 약 17 □입니다.

(2) 텔레비전 1대의 무게는 약 30 □입니다.

20 다음 중 t 단위를 사용하여 무게를 나타내기에 알맞은 것을 찾아 기호를 써 보세요.

㉠ 자전거 ㉡ 비행기
㉢ 동화책 ㉣ 탁구공

( )

유형

21 덧셈을 해 보세요.

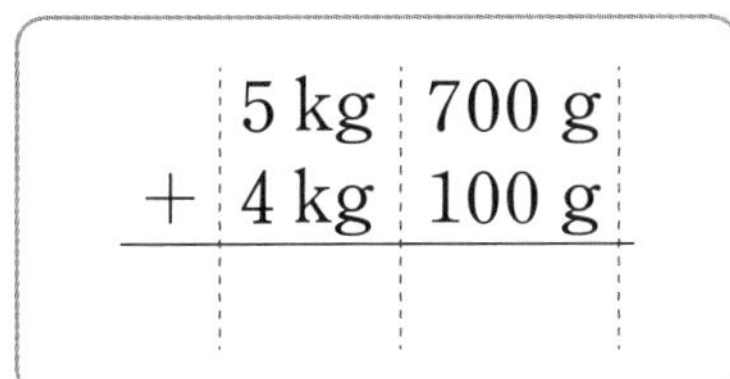

$$\begin{array}{rr} & 5\,\text{kg} \ \ 700\,\text{g} \\ + & 4\,\text{kg} \ \ 100\,\text{g} \\ \hline & \end{array}$$

22 설탕을 올려놓은 저울의 바늘이 1 kg 200 g을 가리키고 있습니다. 설탕 600 g을 더 올려놓으면 설탕의 무게는 모두 얼마인가요?

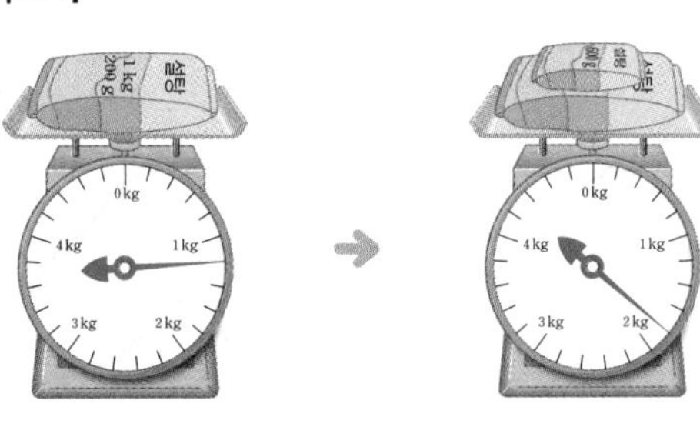

1 kg 200 g+600 g
=□ kg □ g

23 □ 안에 알맞은 수를 써넣으세요.

4200 g + 2600 g = □ g
= □ kg □ g

24 무게의 합은 몇 kg 몇 g인가요?

2 kg 300 g　　3 kg 200 g

(　　　　　　)

25 국어사전 2권의 무게는 몇 kg 몇 g인지 구해 보세요.

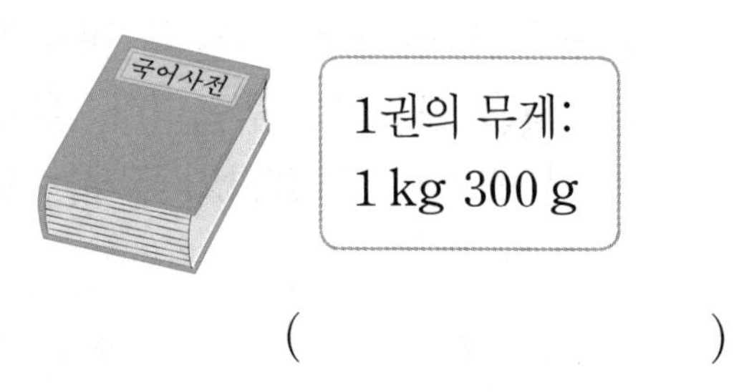

(　　　　　　)

26 고구마를 희주는 3 kg 400 g 캤고, 준우는 희주보다 1 kg 400 g 더 많이 캤습니다. 준우가 캔 고구마는 몇 kg 몇 g인가요?

(　　　　　　)

개념 13 받아내림이 없는 무게의 뺄셈

예 7 kg 800 g − 3 kg 100 g의 계산

	7 kg	800 g
−	3 kg	100 g
	4 kg	700 g

kg은 kg끼리 빼고, g은 g끼리 뺍니다.

유형

27 뺄셈을 해 보세요.

	8 kg	500 g
−	4 kg	200 g
	□ kg	□ g

28 계산을 하여 이어 보세요.

4 kg 500 g − 1 kg 400 g

3 kg 900 g　　3 kg 100 g

29 바르게 계산한 것을 찾아 기호를 써 보세요.

㉠ 5 kg 200 g − 3 kg 200 g = 200 g
㉡ 8 kg 800 g − 2 kg 600 g = 6 kg 200 g

(　　　　　　)

정답 및 풀이 31쪽

30 무게의 차는 몇 kg 몇 g인지 빈칸에 써넣으세요.

9 kg 600 g	2 kg 300 g

31 지혜의 가방은 영호의 가방보다 몇 kg 몇 g 더 무거운가요?

영호: 2 kg 300 g　　지혜: 3 kg 900 g

(　　　　　　)

32 □ 안에 알맞은 수를 구해 보세요.

6 kg 800 g−3 kg 500 g=□ g

(　　　　　　)

33 쌀 8 kg 800 g 중 1 kg 500 g을 먹었습니다. 먹고 남은 쌀은 몇 kg 몇 g인가요?

(　　　　　　)

플러스 개념 **14** 받아올림과 받아내림이 있는 무게의 덧셈과 뺄셈

g끼리의 합이 1000 g과 같거나 크면 1000 g을 1 kg으로 받아올림해~

예
$$\begin{array}{r} 1 \\ 5\text{ kg } 900\text{ g} \\ +3\text{ kg } 700\text{ g} \\ \hline 9\text{ kg } 600\text{ g} \end{array}$$

g끼리 뺄 수 없으면 1 kg을 1000 g으로 받아내림해~

예
$$\begin{array}{r} 3 1000 \\ \cancel{4}\text{ kg } 700\text{ g} \\ -2\text{ kg } 800\text{ g} \\ \hline 1\text{ kg } 900\text{ g} \end{array}$$

유형

34 계산해 보세요.

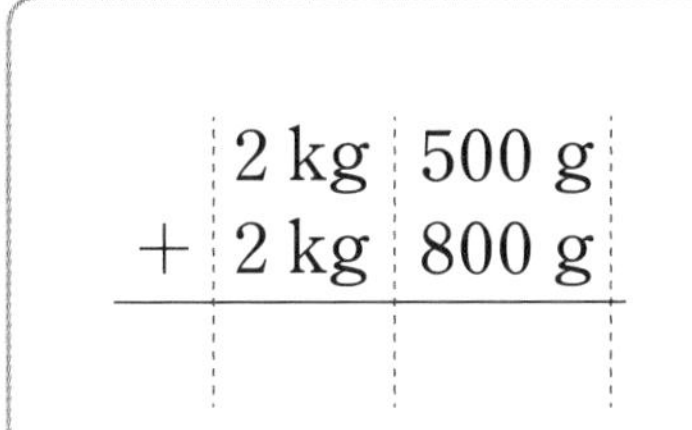

$$\begin{array}{r} 2\text{ kg } 500\text{ g} \\ +\ 2\text{ kg } 800\text{ g} \\ \hline \end{array}$$

35 무게의 차는 몇 kg 몇 g인지 구해 보세요.

7 kg 500 g−2 kg 600 g

(　　　　　　)

36 그릇에 파인애플을 올려놓고 잰 무게는 3 kg 200 g입니다. 빈 그릇의 무게가 1 kg 500 g일 때 파인애플의 무게는 몇 kg 몇 g인가요?

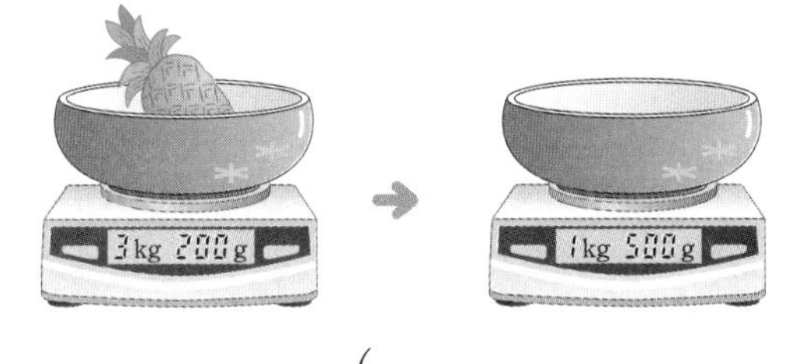

(　　　　　　)

기초력 집중 연습

[1~6] □ 안에 알맞은 수를 써넣으세요.

1 2 kg=□ g

2 9000 kg=□ t

3 2 kg 400 g=□ g

4 1 kg 50 g=□ g

5 7800 g=□ kg □ g

6 5300 g=□ kg □ g

[7~12] 계산해 보세요.

7
```
  3 kg  200 g
+ 1 kg  600 g
```

8
```
  5 kg  700 g
+ 4 kg  100 g
```

9
```
  2 kg  400 g
+ 6 kg  800 g
```

10
```
  4 kg  700 g
- 2 kg  100 g
```

11
```
  7 kg  500 g
- 5 kg  300 g
```

12
```
  6 kg  100 g
- 3 kg  400 g
```

[13~14] □ 안에 알맞은 수를 써넣으세요.

13 7 kg 500 g ⊕ 2 kg 300 g → □ kg □ g

14 7 kg 800 g ⊖ 4 kg 400 g → □ kg □ g

유형 진단 TEST

점수 /10점

정답 및 풀이 33쪽

1 보기에서 알맞은 단위를 찾아 □ 안에 써넣으세요. [1점]

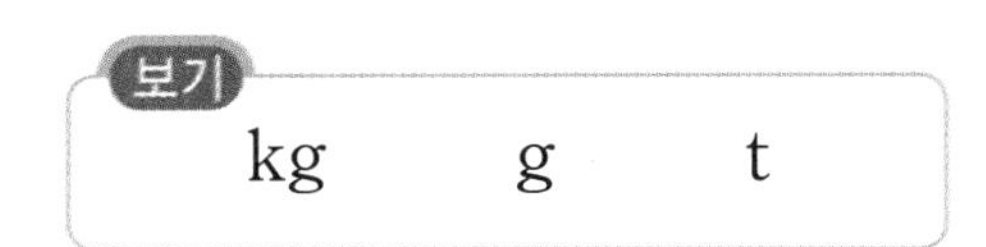

자동차 1대의 무게는 약 2 □입니다.

2 설명하는 무게는 몇 t인가요? [1점]

900 kg보다 100 kg 더 무거운 무게

( )

3 배추의 무게는 몇 kg 몇 g인가요? [2점]

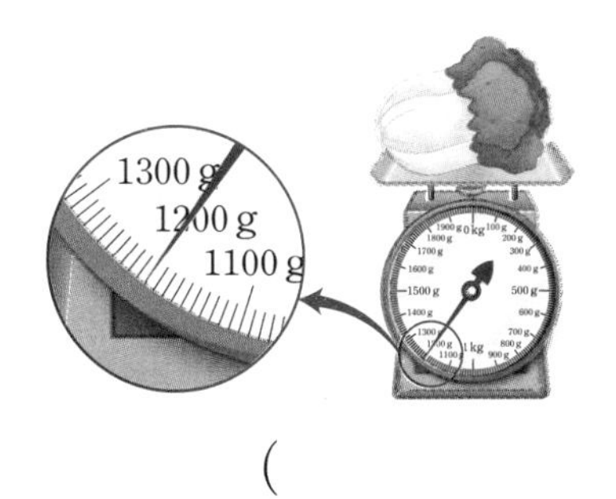

( )

4 유나의 몸무게는 32 kg 200 g이고, 성호의 몸무게는 36 kg 500 g입니다. 성호는 유나보다 몇 kg 몇 g 더 무거운가요? [2점]

( )

5 붓과 풀의 무게를 다음과 같이 비교하였습니다. 바르게 설명한 사람은 누구인지 이름을 써 보세요. [2점]

현서: 붓과 풀의 무게는 각각 동전 6개의 무게와 같으니까 붓과 풀의 무게도 같아.

하윤: 50원짜리 동전과 500원짜리 동전의 무게가 다르니까 붓과 풀의 무게는 달라.

( )

6 성재가 시장에서 산 물건의 무게입니다. □ 안에 물건의 이름을 써넣어 문제를 완성하고, 답을 구해 보세요. [2점]

물건	무게
바나나	1 kg 300 g
소고기	600 g
배	3 kg 200 g

문제 □는 □보다 몇 kg 몇 g 더 무거울까요?

답 ______

STEP 2

꼬리를 무는 유형

❶ 들이의 합(차) 구하기

기본 유형

1 들이의 합은 몇 L 몇 mL인가요?

8 L 100 mL　　1 L 400 mL

(　　　　　　　　)

변형 유형

2 들이의 차는 몇 L 몇 mL인가요?

7 L 600 mL　　5 L 300 mL

(　　　　　　　　)

변형 유형

3 들이의 합은 몇 L 몇 mL인가요?

4500 mL　　2400 mL

(　　　　　　　　)

문장제 유형

4 토마토주스가 2 L 300 mL, 포도주스가 1 L 600 mL 있습니다. 토마토주스와 포도주스의 합은 몇 L 몇 mL인가요?

(　　　　　　　　)

❷ ~보다 ~더 무거운(가벼운) 무게 구하기

기본 유형

5 설명하는 무게는 몇 kg 몇 g인가요?

3 kg 400 g보다
1 kg 500 g 더 무거운 무게

(　　　　　　　　)

변형 유형

6 설명하는 무게는 몇 kg 몇 g인가요?

8 kg 300 g보다
7 kg 100 g 더 가벼운 무게

(　　　　　　　　)

실생활 유형

7 서준이가 딴 딸기는 몇 kg 몇 g인가요?

지안: 난 딸기를 1 kg 700 g 땄어.

서준: 나는 너보다 딸기를 400 g 더 많이 땄어.

(　　　　　　　　)

❸ 같은 단위로 바꾸어 들이 비교하기

기본 유형

8 들이가 더 적은 것의 기호를 써 보세요.

㉠ 3200 mL　　㉡ 2 L 800 mL

(　　　　　　　)

문장제 유형

9 우유가 1200 mL, 물이 1 L 100 mL 있습니다. 우유와 물 중 더 많은 것은 무엇인가요?

(　　　　　　　)

10 들이가 더 적은 것을 써 보세요.

주전자	물병
1 L 300 mL	1250 mL

(　　　　　　　)

❹ □ 안에 알맞은 수 구하기

기본 유형

11 □ 안에 알맞은 수를 써넣으세요.

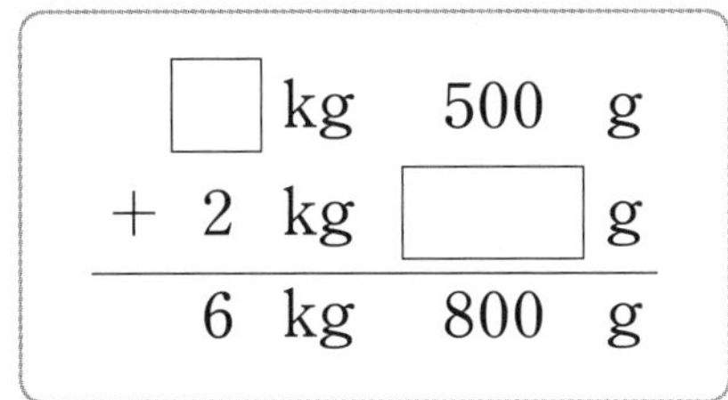

변형 유형

12 □ 안에 알맞은 수를 써넣으세요.

$$\begin{array}{r} 6\text{ kg}\ \square\text{ g} \\ -\ \square\text{ kg}\ 700\text{ g} \\ \hline 3\text{ kg}\ 200\text{ g} \end{array}$$

문장제 유형

13 종이의 일부분이 지워져 보이지 않습니다. 보이지 않는 부분 ㉠, ㉡에 알맞은 수를 각각 구해 보세요.

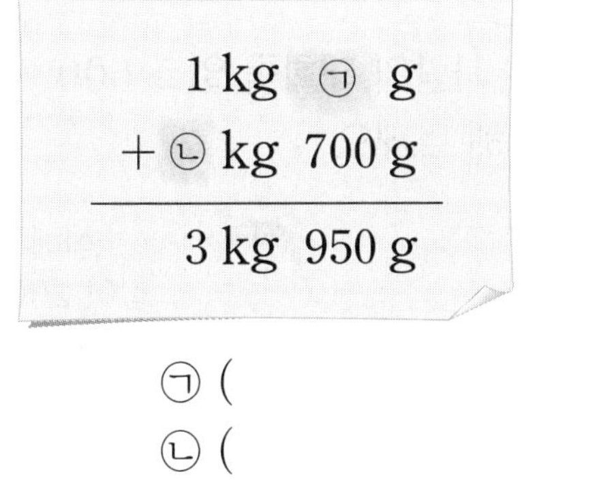

㉠ (　　　　　　　)
㉡ (　　　　　　　)

STEP 3 수학 독해력 유형

독해력 유형 1 같은 금액으로 더 많이 사는 방법 구하기

두 사람의 대화를 읽고 2000원으로 더 많은 양의 주스를 사려면 어느 주스를 사야 하는지 구해 보세요.

사과주스 1병은 값이 2000원이고, 양이 1 L 200 mL야.

토마토주스 1병은 값이 1000원이고, 양이 700 mL야.

What? 구하려는 것을 찾아 밑줄을 그어 보세요.

How?
❶ 2000원으로 살 수 있는 토마토주스의 양 구하기
❷ 2000원으로 살 수 있는 사과주스와 토마토주스의 양을 비교하여 사야 하는 주스 구하기

Solve
❶ 2000원으로 살 수 있는 토마토주스는 몇 L 몇 mL인가요?

( )

❷ 2000원으로 더 많은 양의 주스를 사려면 어느 주스를 사야 하나요?

( )

쌍둥이 유형 1-1

두 사람의 대화를 읽고 6000원으로 더 많은 양의 음료를 사려면 어느 음료를 사야 하는지 구해 보세요.

식혜 1병은 값이 2000원이고, 양이 500 mL야.

수정과 1병은 값이 6000원이고, 양이 1 L 800 mL야.

( )

독해력 유형 2 합과 차가 주어진 경우의 무게 구하기

서희와 진하가 딴 귤의 무게를 합하면 9 kg입니다. 서희가 딴 귤의 무게는 진하가 딴 귤의 무게보다 3 kg 더 무겁습니다. 서희가 딴 귤의 무게는 몇 kg인지 구해 보세요.

What? 구하려는 것을 찾아 밑줄을 그어 보세요.

How?
1. 서희와 진하가 딴 귤의 무게의 합을 이용하여 표 완성하기
2. 서희가 딴 귤의 무게 구하기

Solve

1. 두 사람이 딴 귤의 무게의 합이 9 kg일 때 표를 완성해 보세요.

두 사람이 딴 귤의 무게의 합(kg)	9	9	9	9
서희가 딴 귤의 무게(kg)	8	7	6	5
진하가 딴 귤의 무게(kg)	1	2		

2. 서희가 딴 귤의 무게는 몇 kg인가요?

( )

쌍둥이 유형 2-1

정우와 재희가 캔 감자의 무게를 합하면 12 kg입니다. 정우가 캔 감자의 무게는 재희가 캔 감자의 무게보다 2 kg 더 무겁습니다. 정우가 캔 감자의 무게는 몇 kg인지 구해 보세요.

( )

4 STEP 사고력 플러스 유형

플러스 유형 1 잘못된 곳을 찾아 바르게 계산하기

1-1 계산에서 잘못된 곳을 찾아 바르게 계산해 보세요.

$$\begin{array}{r} 2\text{ L}\ 300\text{ mL} \\ +6\text{ L}\ 800\text{ mL} \\ \hline 8\text{ L}\ 100\text{ mL} \end{array} \rightarrow \begin{array}{r} 2\text{ L}\ 300\text{ mL} \\ +6\text{ L}\ 800\text{ mL} \\ \hline \end{array}$$

1-2 계산에서 잘못된 곳을 찾아 바르게 계산해 보세요.

$$\begin{array}{r} 4\text{ kg}\ 600\text{ g} \\ +1\text{ kg}\ 800\text{ g} \\ \hline 5\text{ kg}\ 400\text{ g} \end{array} \rightarrow \begin{array}{r} 4\text{ kg}\ 600\text{ g} \\ +1\text{ kg}\ 800\text{ g} \\ \hline \end{array}$$

1-3 계산에서 잘못된 곳을 찾아 바르게 계산해 보세요.

$$\begin{array}{r} 5\text{ L}\ 100\text{ mL} \\ -3\text{ L}\ 400\text{ mL} \\ \hline 2\text{ L}\ 700\text{ mL} \end{array} \rightarrow \begin{array}{r} 5\text{ L}\ 100\text{ mL} \\ -3\text{ L}\ 400\text{ mL} \\ \hline \end{array}$$

플러스 유형 처방전

(1) mL끼리의 합이 1000 mL와 같거나 크면 1000 mL를 1 L로 받아올림해용~

(2) mL끼리 뺄 수 없으면 1 L를 1000 mL로 받아내림해용~

플러스 유형 2 어느 것이 얼마나 더 무거운지 구하기

2-1 필통과 가위 중 어느 것이 얼마나 더 무거운지 □ 안에 알맞게 써넣으세요.

□이 □보다 100원짜리 동전 □개만큼 더 무겁습니다.

2-2 귤과 키위 중 어느 것이 얼마나 더 무거운지 □ 안에 알맞게 써넣으세요.

□가 □보다 바둑돌 □개만큼 더 무겁습니다.

2-3 물감과 붓 중 어느 것이 바둑돌 몇 개만큼 더 무거운지 차례로 써 보세요.

(　　　　　), (　　　　　)

플러스 유형 ❸ 같은 단위로 바꾸어 합(차) 구하기

3-1 들이의 합은 몇 L 몇 mL인지 빈칸에 써넣으세요.

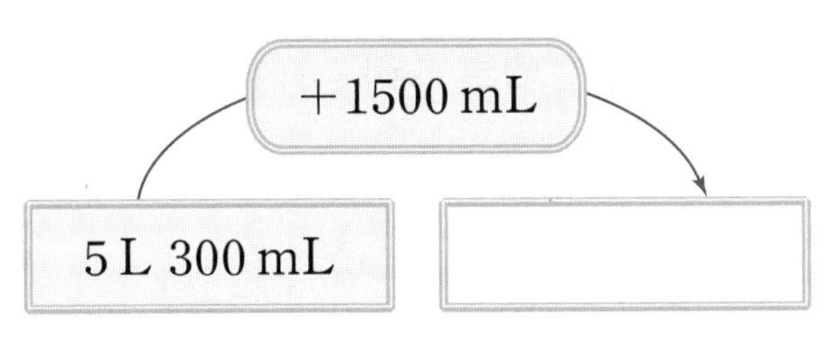

3-2 무게의 합은 몇 kg 몇 g인지 빈칸에 써넣으세요.

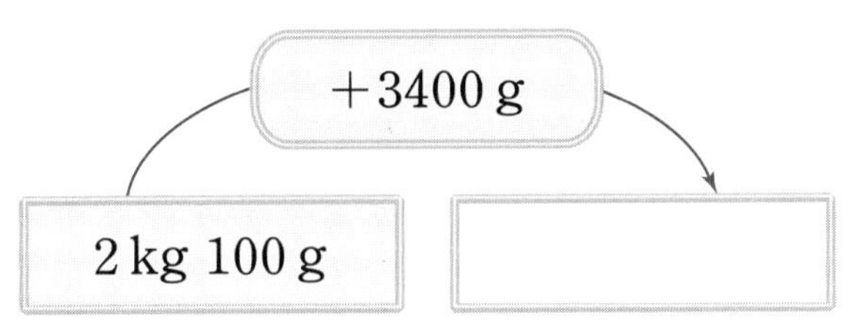

3-3 들이의 차는 몇 L 몇 mL인가요?

4 L 500 mL	2300mL

( )

플러스 유형 ❹ 들이가 많은 컵 구하기

4-1 ㉮, ㉯, ㉰, ㉱ 컵으로 각각 똑같은 양동이에 물을 가득 채우려면 다음과 같이 부어야 합니다. 들이가 가장 많은 컵은 어느 컵인가요?

㉮ 컵	㉯ 컵	㉰ 컵	㉱ 컵
4번	7번	5번	6번

( )

서술형

4-2 ㉮, ㉯, ㉰, ㉱ 컵으로 각각 똑같은 어항에 물을 가득 채우려면 다음과 같이 부어야 합니다. 들이가 가장 많은 컵은 어느 컵인지 풀이 과정을 쓰고 답을 구해 보세요.

㉮ 컵	㉯ 컵	㉰ 컵	㉱ 컵
11번	9번	8번	12번

풀이

답

사고력 유형

4-3 ㉮, ㉯, ㉰ 컵으로 각각 똑같은 항아리에 물을 가득 채우려면 다음과 같이 부어야 합니다. 들이가 적은 컵부터 순서대로 써 보세요.

㉮ 컵: 8번	㉯ 컵: 6번	㉰ 컵: 12번

( )

플러스 유형 5 물건이 실린 전체 무게 구하기

5-1 무게가 700 kg인 승강기에 50 kg짜리 상자를 6개 실었습니다. 상자가 실린 승강기의 무게는 몇 t인지 구해 보세요.

(　　　　　　　　)

서술형

5-2 무게가 800 kg인 승강기에 20 kg짜리 물건을 10개 실었습니다. 물건이 실린 승강기의 무게는 몇 t인지 풀이 과정을 쓰고 답을 구해 보세요.

풀이

답

사고력 유형

5-3 무게가 2300 kg인 컨테이너에 35 kg짜리 통나무를 20개 실었습니다. 통나무가 실린 컨테이너의 무게는 몇 t인지 구해 보세요.

(　　　　　　　　)

플러스 유형 처방전

실은 물건의 무게의 합을 먼저 구해 보세용~

플러스 유형 6 물 담는 방법 알아보기

6-1 ㉮ 컵과 ㉯ 컵을 모두 사용하여 냄비에 물 2 L를 담는 방법을 써 보세요.

㉮ 컵의 들이	㉯ 컵의 들이
300 mL	500 mL

방법 ㉮ 컵에 물을 가득 담아

서술형

6-2 ㉮ 그릇과 ㉯ 그릇을 모두 사용하여 수조에 물 3 L를 담는 방법을 써 보세요.

㉮ 그릇의 들이	㉯ 그릇의 들이
500 mL	1 L 500 mL

방법

서술형

6-3 ㉮ 그릇과 ㉯ 그릇을 모두 사용하여 냄비에 물 400 mL를 담는 방법을 쓰고, 그렇게 생각한 이유를 써 보세요.

㉮ 그릇: 600 mL

㉯ 그릇: 200 mL

방법

이유

플러스 유형 7 그릇의 들이 구하기

독해력 유형

7-1 1분 동안 물 1 L 700 mL가 나오는 수도꼭지를 틀어 빈 어항에 물을 받고 있습니다. 3분이 지났을 때 물 300 mL가 흘러 넘쳤다면 어항의 들이는 몇 L 몇 mL인지 구해 보세요.

단계 1 3분 동안 수도꼭지에서 나온 물의 양은 몇 L 몇 mL인가요?

( )

단계 2 어항의 들이는 몇 L 몇 mL인가요?

( )

7-2 1분 동안 물 2 L 300 mL가 나오는 수도꼭지를 틀어 빈 수조에 물을 받고 있습니다. 4분이 지났을 때 물 500 mL가 흘러 넘쳤다면 수조의 들이는 몇 L 몇 mL인지 구해 보세요.

( )

플러스 유형 처방전

먼저 수도꼭지에서 나온 물의 양을 구해용~

플러스 유형 8 빈 바구니의 무게 구하기

독해력 유형

8-1 바구니에 무게가 똑같은 사과 6개를 넣어 무게를 재었더니 1 kg 900 g이었습니다. 이 바구니에서 사과 2개를 꺼낸 후 무게를 재었더니 1 kg 300 g이 되었습니다. 빈 바구니의 무게는 몇 g인지 구해 보세요.

단계 1 사과 2개의 무게는 몇 g인가요?

( )

단계 2 사과 1개의 무게는 몇 g인가요?

( )

단계 3 사과 6개의 무게는 몇 kg 몇 g인가요?

( )

단계 4 빈 바구니의 무게는 몇 g인가요?

( )

8-2 상자에 무게가 똑같은 축구공 5개를 넣어 무게를 재었더니 2 kg 300 g이었습니다. 이 상자에서 축구공 2개를 꺼낸 후 무게를 재었더니 1 kg 500 g이 되었습니다. 빈 상자의 무게는 몇 g인지 구해 보세요.

( )

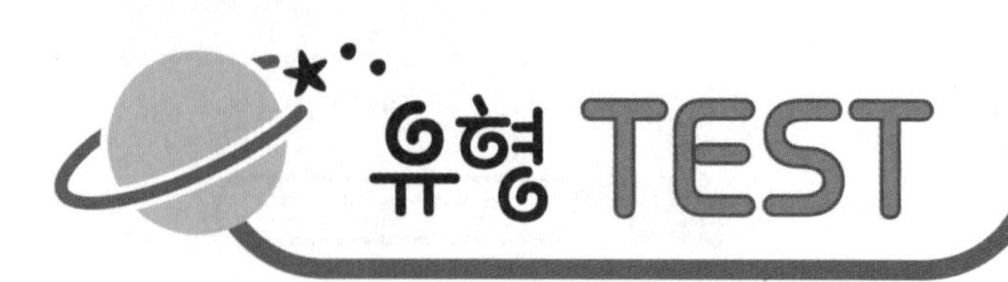

점수

1 □ 안에 알맞은 수를 써넣으세요.

5 t=□kg

2 □ 안에 알맞은 단위를 보기에서 찾아 써넣으세요.

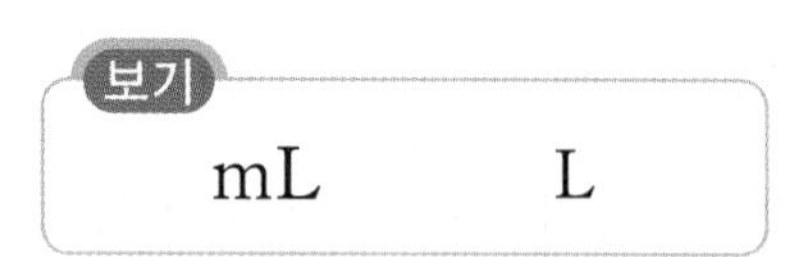

컵의 들이는 약 300 □입니다.

3 가에 물을 가득 채운 후 나에 옮겨 담았더니 그림과 같이 물이 넘쳤습니다. 들이가 더 많은 그릇의 기호를 써 보세요.

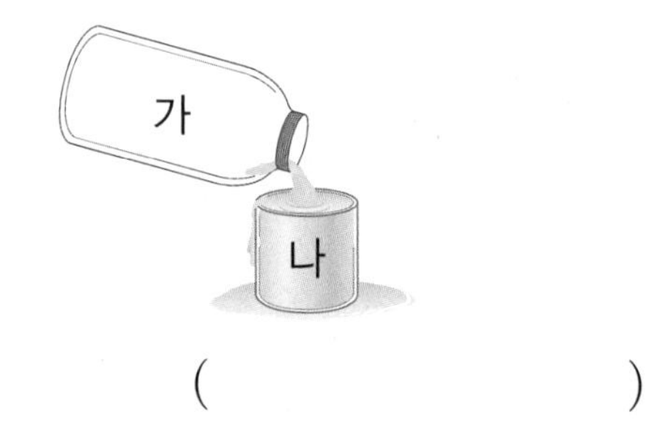

(　　　　　　　)

4 무의 무게는 몇 g인가요?

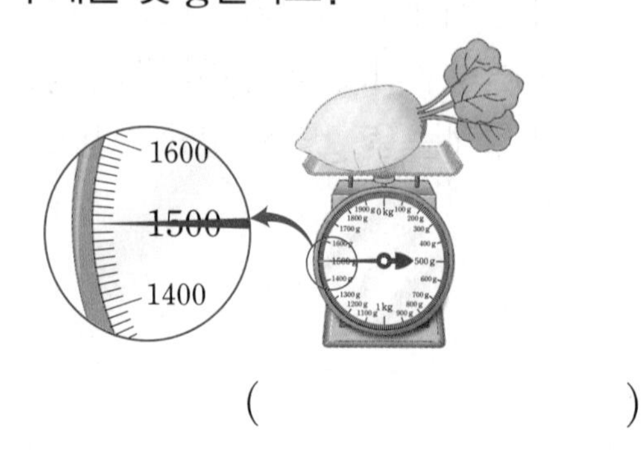

(　　　　　　　)

5 들이의 차는 몇 L 몇 mL인지 □ 안에 써넣으세요.

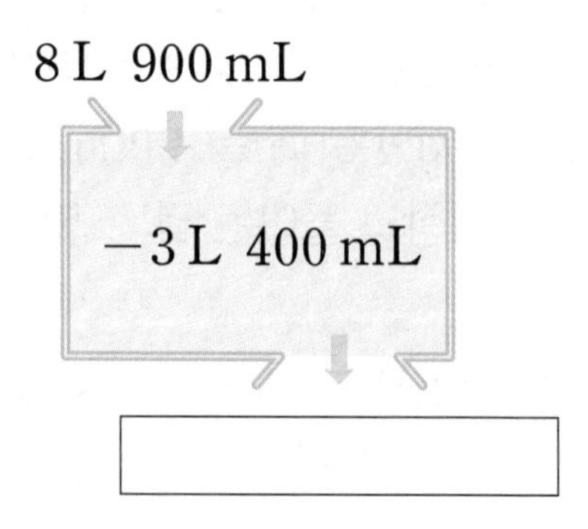

□

6 무게가 1 t보다 가벼운 것을 찾아 기호를 써 보세요.

㉠ 사다리차　㉡ 비행기
㉢ 세탁기　㉣ 코끼리

(　　　　　　　)

7 잘못 나타낸 것을 찾아 기호를 써 보세요.

㉠ 5300 mL=5 L 300 mL
㉡ 1 L 50 mL=150 mL

(　　　　　　　)

8 무게의 차는 몇 kg 몇 g인지 구해 보세요.

5 kg 700 g　　3 kg 200 g

(　　　　　　　)

정답 및 풀이 36쪽

9 냄비에 물을 가득 채운 후 비커에 모두 옮겨 담았더니 다음과 같았습니다. 냄비의 들이는 몇 mL인가요?

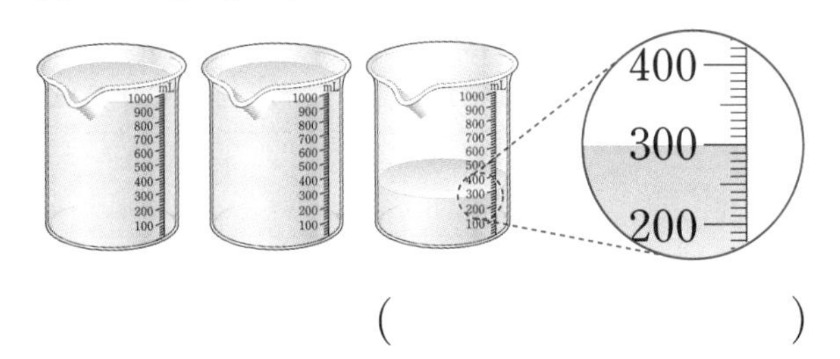

( )

10 계산에서 잘못된 곳을 찾아 바르게 계산해 보세요.

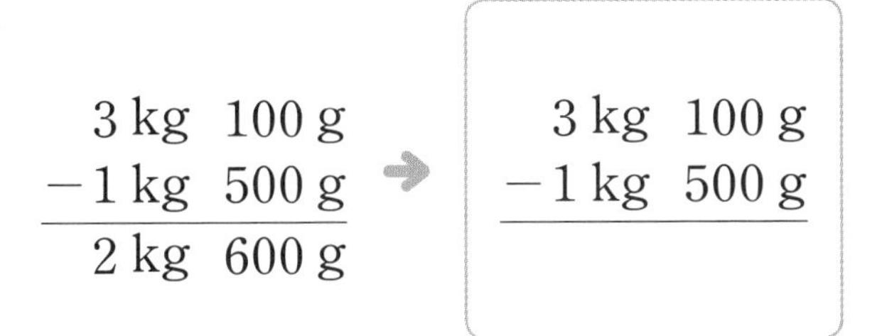

3 kg 100 g − 1 kg 500 g 2 kg 600 g	→ 3 kg 100 g − 1 kg 500 g

11 수 또는 단위가 바르지 않은 문장을 찾아 기호를 쓰고, 바르게 고쳐 보세요.

㉠ 텔레비전의 무게는 약 27 kg입니다.
㉡ 주사기의 들이는 약 5 L입니다.

( )

바르게 고친 문장 ____________________

12 키위와 딸기 중 어느 것이 바둑돌 몇 개만큼 더 무거운지 차례로 써 보세요.

( ), ( )

13 무게를 비교하여 ○ 안에 >, =, <를 알맞게 써넣으세요.

3 kg 200 g ◯ 3090 g

14 들이의 합은 몇 L 몇 mL인가요?

2300 mL　　3 L 500 mL

( )

15 감자, 고구마, 당근 중 가장 무거운 것은 어느 것인가요?

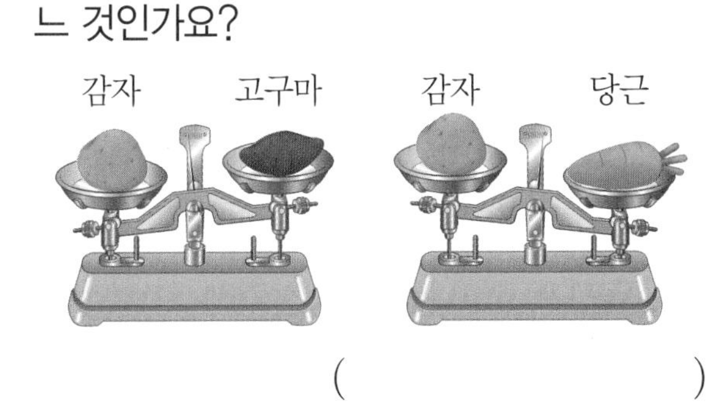

( )

16 들이가 4 L 500 mL인 수조에 그림과 같이 물이 들어 있습니다. 물을 몇 L 몇 mL 더 부어야 수조를 가득 채울 수 있는지 구해 보세요.

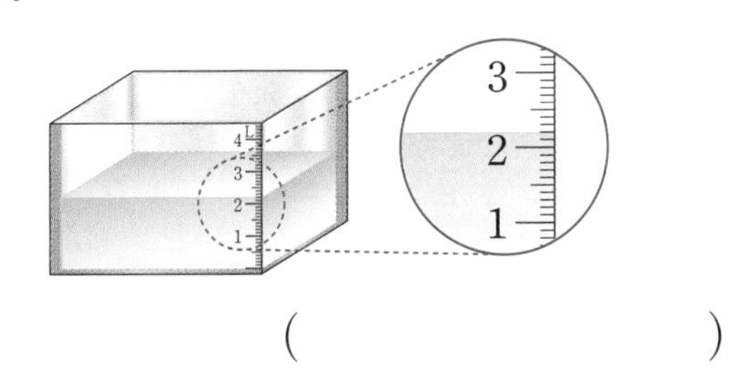

( )

서술형 » 139쪽 4-2 유사 문제

17 ㉮, ㉯, ㉰, ㉱ 컵으로 각각 똑같은 냄비에 물을 가득 채우려면 다음과 같이 부어야 합니다. 들이가 가장 많은 컵은 어느 컵인지 풀이 과정을 쓰고 답을 구해 보세요.

㉮ 컵	㉯ 컵	㉰ 컵	㉱ 컵
15번	12번	14번	13번

풀이

답

서술형 » 140쪽 5-2 유사 문제

18 무게가 600 kg인 승강기에 80 kg짜리 상자를 5개 실었습니다. 상자가 실린 승강기의 무게는 몇 t인지 풀이 과정을 쓰고 답을 구해 보세요.

풀이

답

서술형 » 140쪽 6-2 유사 문제

19 ㉮ 그릇과 ㉯ 그릇을 모두 사용하여 수조에 물 5 L를 담는 방법을 써 보세요.

㉮ 그릇의 들이	㉯ 그릇의 들이
7 L 500 mL	2 L 500 mL

방법

독해력 유형 서술형 » 141쪽 8-1 유사 문제

20 바구니에 무게가 똑같은 빵 8개를 넣어 무게를 재었더니 1 kg 900 g이었습니다. 이 바구니에서 빵 2개를 꺼낸 후 무게를 재었더니 1 kg 500 g이 되었습니다. 빈 바구니의 무게는 몇 g인지 풀이 과정을 쓰고 답을 구해 보세요.

풀이

답

앞 단원 유형 다시 보기

분수만큼은 얼마인지 알아보기

1 그림을 보고 ㉠과 ㉡에 알맞은 수를 각각 구해 보세요.

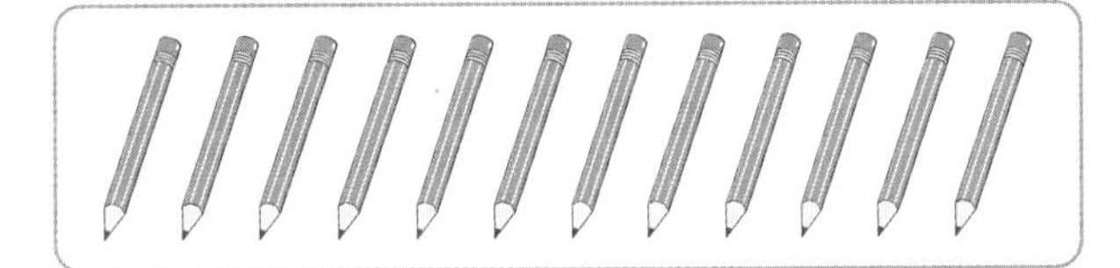

• 12의 $\frac{1}{2}$은 ㉠입니다. • 12의 $\frac{1}{4}$은 ㉡입니다.

㉠ ( ), ㉡ ( )

분수만큼은 얼마인지 알아보기

2 18 cm의 $\frac{4}{6}$는 몇 cm인가요?

( )

여러 가지 분수 알아보기

3 딸기 우유 3잔을 만드는 데 필요한 재료입니다. 필요한 양이 진분수인 재료를 찾아 써 보세요.

딸기	시럽	우유
$\frac{3}{2}$컵	$\frac{1}{2}$컵	$\frac{9}{7}$컵

( )

분수의 크기 비교하기

4 $3\frac{1}{5}$보다 크고 $\frac{19}{5}$보다 작은 분수를 찾아 써 보세요.

$3\frac{4}{5}$ $\frac{17}{5}$ $4\frac{3}{5}$

( )

버튼에 규칙이 있다고?

코딩 1

버튼을 누르면 다음과 같은 규칙으로 무게가 변해~

규칙  : 1000배

버튼을 눌렀을 때 변하는 무게의 단위를 □ 안에 써넣어 봐~

1 g → ★ → 1 ?

1 g의 1000배는 1000 g이고,
1000 g=1 □ 이니까
1 g의 1000배는
1 □ 이야.

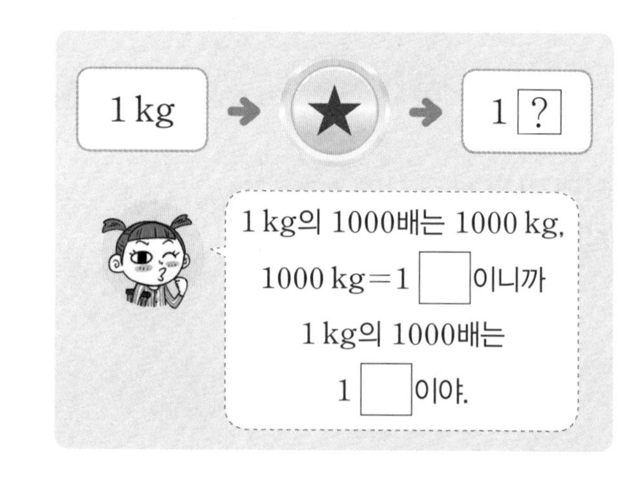

2 g → ★  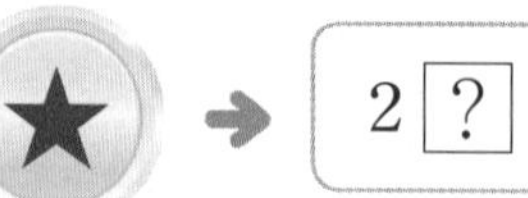 → 2 ?

헉! 버튼을 2번 눌렀네?

2 g일 때 버튼을 한 번 누르면 2 □ 이 되고, 한 번 더 누르면

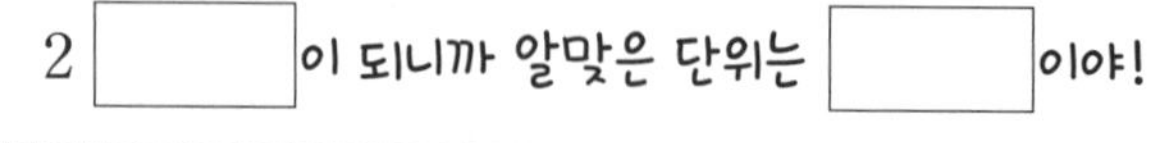
2 □ 이 되니까 알맞은 단위는 □ 이야!

되로 주고 말로 받는다?

창의 2

'되로 주고 말로 받는다.'는 속담은 조금 주고 더 많은 대가를 받는다는 뜻이야.

누군가를 골탕 먹였다가 더 크게 당한다는
의미로 쓰이기도 해. 그런데 '되'랑 '말'은 뭐야?

옛날에 쓰던 단위인데 '되'는 약 1 L 800 mL, '말'은 약 18 L야.

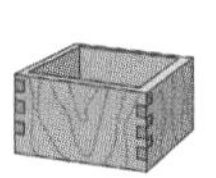

되=1 L 800 mL

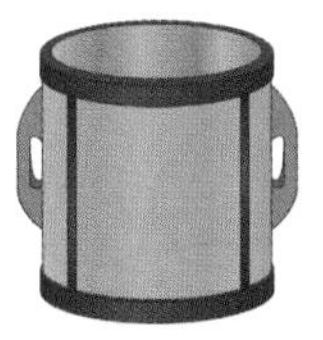

말=18 L

우와! 그럼 되로 주고 말로 받으면 얼마나 더 받는 거야?

18 L−1 L 800 mL=□ L □ mL나 더 받는 거네~

6 자료의 정리

장소	숙직실	식당	창고	합계
횟수 (회)	3	2	5	10

Dr. 유형 탐정 일지
*범인이 가장 많이 다녀간 곳은 어디?

찾았다, 멍!
여기 있어요, 멍!
창고
고마워요,
탐정님~
이 정도로 뭘~
근데 뭐가 들어 있냐능?
크……
나의 보물♥
내가 아끼고 사랑하는
나의 왕뼈다귀!
멍멍!
헉, 기껏 뼈다귀를
보물 상자에 넣어 둔
거였어?!!
Dr.
탐정

개념 1 표를 보고 내용 알아보기

예 학생들이 좋아하는 과일

과일	사과	귤	포도	합계
학생 수(명)	5	8	10	23

(1) 가장 많은 학생이 좋아하는 과일: 포도
(2) 귤을 좋아하는 학생은 사과를 좋아하는 학생보다 3명 더 많습니다.
└ 8−5=3(명)

유형

[1~3] 원호네 반 학생들이 좋아하는 운동을 조사하여 표로 나타내었습니다. 물음에 답해 보세요.

학생들이 좋아하는 운동

운동	축구	농구	야구	배구	합계
학생 수(명)	11	3	7	2	23

1 농구를 좋아하는 학생은 몇 명인가요?

( )

2 조사한 학생은 모두 몇 명인가요?

( )

3 가장 많은 학생이 좋아하는 운동은 무엇인가요?

( )

[4~7] 주하네 반 학생들이 태어난 계절을 조사하여 표로 나타내었습니다. 물음에 답해 보세요.

학생들이 태어난 계절

계절	봄	여름	가을	겨울	합계
학생 수(명)	4	5	9	6	

4 위 표의 빈칸에 알맞은 수를 써넣으세요.

5 주하네 반 학생들이 태어난 계절 중 5명이 태어난 계절은 언제인가요?

( )

6 위의 표를 보고 잘못 설명한 것을 찾아 기호를 써 보세요.

㉠ 봄에 태어난 학생은 4명입니다.
㉡ 겨울에 태어난 학생은 봄에 태어난 학생보다 3명 더 많습니다.

( )

7 가장 적은 학생이 태어난 계절부터 순서대로 써 보세요.

( )

[8~11] 민호네 학교 3학년 1반과 2반 학생들이 좋아하는 과목을 조사하여 표로 나타내었습니다. 물음에 답해 보세요.

학생들이 좋아하는 과목

과목	수학	영어	체육	합계
1반 학생 수(명)	6	8	9	23
2반 학생 수(명)	5	7	9	21

8 1반 학생 중 영어를 좋아하는 학생은 몇 명인가요?

( )

9 조사한 2반 학생은 모두 몇 명인가요?

( )

10 1반과 2반에서 좋아하는 과목의 학생 수가 같은 과목은 무엇인가요?

( )

11 각 반에서 가장 많은 학생이 좋아하는 과목은 무엇인지 각각 써 보세요.

1반 ( )
2반 ( )

개념 2 자료를 수집하여 표로 나타내기

조사할 내용 정하기
↓
자료 수집 방법을 정하고 자료 수집하기
└ 직접 손 들기, 붙임딱지 붙이기 등
↓
조사한 결과를 정리하여 표로 나타내기

표로 나타낼 때에는 제목을 정하고, 항목의 수에 맞게 칸을 나누어 자료의 수를 쓰고 합계가 맞는지 확인해~

유형

[12~14] 미희네 반 학생들이 좋아하는 색깔을 조사하였습니다. 물음에 답해 보세요.

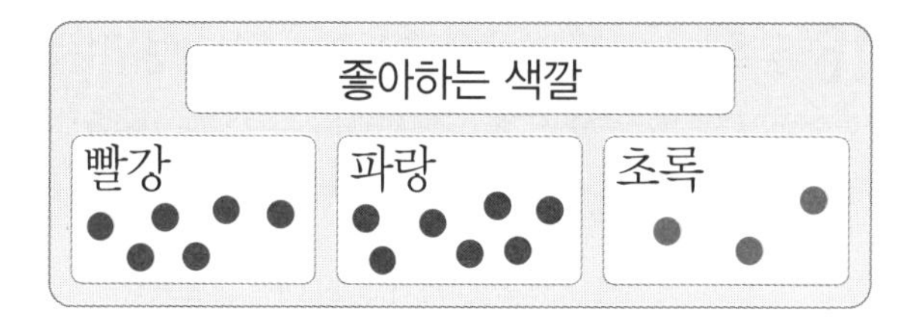

12 조사한 것은 무엇인지 ○표 하세요.

좋아하는 색깔	
옷의 색깔	

13 누구를 대상으로 조사하였나요?

( )

14 조사한 자료를 보고 표로 나타내어 보세요.

학생들이 좋아하는 색깔

색깔	빨강	파랑	초록	합계
학생 수(명)				

15 선생님이 설명하시는 조사 방법을 찾아 기호를 써 보세요.

이 조사 방법은 짧은 시간에 자료를 수집할 수 있지만 모든 학생이 한 번에 참여할 수 있어야 해요.

㉠ 붙임딱지 붙이기 ㉡ 직접 손 들기

( )

16 우희네 모둠 학생들이 좋아하는 반려동물을 조사하였습니다. 조사한 자료를 보고 표를 완성해 보세요.

학생들이 좋아하는 반려동물

이름	반려동물	이름	반려동물
우희	강아지	태민	햄스터
민아	고양이	연하	강아지
현성	햄스터	주영	햄스터
재인	햄스터	민주	햄스터

반려동물	강아지	고양이	햄스터	합계
학생 수 (명)	2			

플러스 개념 3 조사 대상을 구분하여 표로 나타내기

조사 대상을 구분하여 자료를 수집하고 조사 결과를 정리하여 표로 나타냅니다.

유형

[17~19] 종우네 반 학생들이 좋아하는 음식을 조사하였습니다. 물음에 답해 보세요.

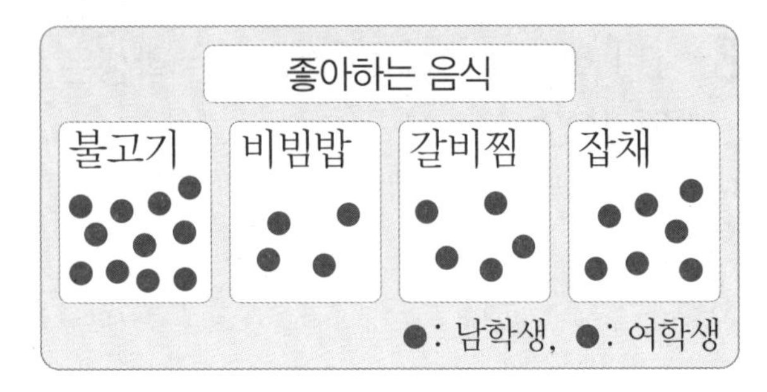

17 비빔밥을 좋아하는 남학생과 여학생은 각각 몇 명인가요?

남학생 ( )

여학생 ( )

18 조사한 자료를 보고 표를 완성해 보세요.

학생들이 좋아하는 음식

음식	불고기	비빔밥	갈비찜	잡채	합계
남학생 수(명)	5		2		13
여학생 수(명)			3	4	

19 조사한 학생은 모두 몇 명인가요?

( )

개념 4 그림그래프

• 그림그래프: 알려고 하는 수(조사한 수)를 그림으로 나타낸 그래프

예 학생들이 좋아하는 꽃

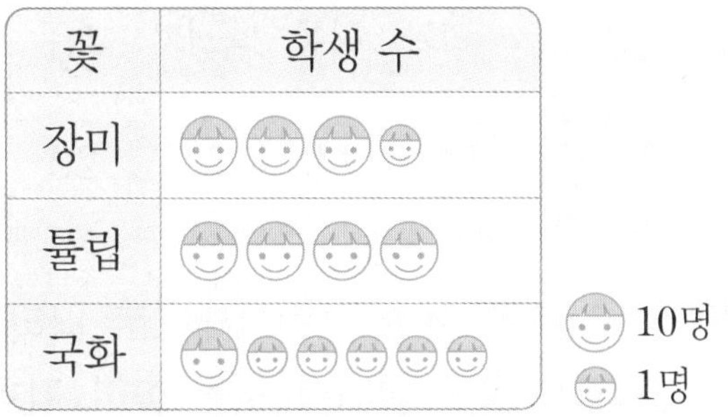

꽃	학생 수
장미	⊙⊙⊙∘
튤립	⊙⊙⊙⊙
국화	⊙∘∘∘∘∘∘

⊙ 10명, ∘ 1명

(1) ⊙은 10명, ∘은 1명을 나타냅니다.
(2) 가장 많은 학생이 좋아하는 꽃: 튤립
└ 큰 그림의 수가 많을수록 학생 수가 많습니다.

유형

[20~21] 지수네 학교 3학년 학생들이 기르는 채소를 조사하여 그래프로 나타내었습니다. 물음에 답해 보세요.

학생들이 기르는 채소

채소	학생 수
고추	⊙⊙∘∘∘
상추	⊙⊙⊙⊙⊙∘∘
오이	⊙⊙⊙∘

⊙ 10명, ∘ 1명

20 위와 같이 조사한 수를 그림으로 나타낸 그래프를 무엇이라고 하나요?

( )

21 그림 ⊙과 ∘은 각각 몇 명을 나타내고 있나요?

⊙ ( ), ∘ ( )

[22~25] 각 반의 학급문고 수를 조사하여 그림그래프로 나타내었습니다. 물음에 답해 보세요.

반별 학급문고 수

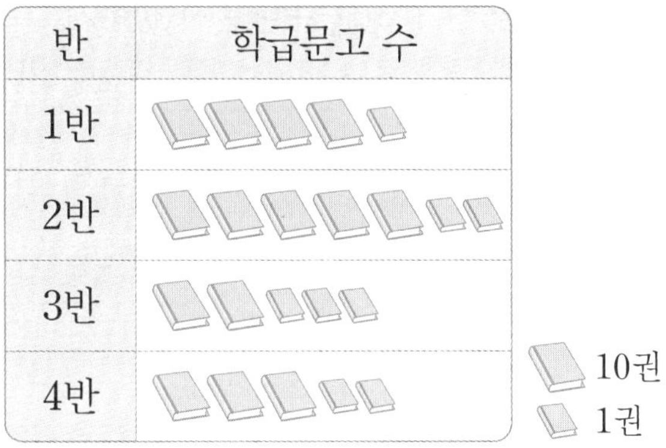

반	학급문고 수
1반	📕📕📕📕▫
2반	📕📕📕📕📕▫▫
3반	📕📕▫▫▫
4반	📕📕📕▫▫

📕 10권, ▫ 1권

22 1반의 학급문고는 몇 권인가요?

( )

23 학급문고가 23권인 반은 몇 반인가요?

( )

24 학급문고가 가장 많은 반은 몇 반인가요?

( )

25 위의 그림그래프를 보고 잘못 설명한 것을 찾아 기호를 써 보세요.

㉠ 그림 📕은 10권, ▫은 1권을 나타냅니다.
㉡ 2반의 학급문고는 52권입니다.
㉢ 1반의 학급문고가 4반의 학급문고보다 더 적습니다.

( )

개념 5 그림그래프로 나타내기

- 그림을 몇 가지로 나타낼지 정하기
- 어떤 그림으로 나타내고 단위는 어떻게 할지 정하기
- 조사한 수에 맞도록 그림 그리기
- 알맞은 제목 붙이기

유형

[26~27] 어느 꽃 가게에 있는 꽃의 수를 조사하여 표로 나타내었습니다. 물음에 답해 보세요.

종류별 꽃의 수

꽃	장미	수국	튤립	합계
꽃의 수(송이)	52	21	34	107

26 표를 보고 그림그래프를 그릴 때 알맞은 그림의 단위 2개를 찾아 ○표 하세요.

100송이	10송이	1송이
(　　)	(　　)	(　　)

27 위의 표를 보고 그림그래프를 완성해 보세요.

종류별 꽃의 수

꽃	꽃의 수
장미	◎◎◎◎◎○○
수국	
튤립	

◎ 10송이
○ 1송이

[28~30] 서우네 학교 3학년 학생들이 운동회에 참여한 종목을 조사하여 표로 나타내었습니다. 물음에 답해 보세요.

종목별 참여한 학생 수

종목	달리기	씨름	줄넘기	피구	합계
학생 수(명)	16	40	31	23	110

28 위의 표를 보고 그림그래프로 나타내려고 합니다. 잘못 설명한 것을 찾아 기호를 써 보세요.

㉠ 그림을 10명과 1명으로 나타냅니다.
㉡ 복잡한 그림으로 나타냅니다.
㉢ 제목을 '종목별 참여한 학생 수'로 붙입니다.

(　　　　　)

29 위의 표를 보고 그림그래프로 나타내어 보세요.

종목별 참여한 학생 수

종목	학생 수
달리기	
씨름	
줄넘기	
피구	

10명
1명

30 참여한 학생 수가 가장 적은 종목은 무엇인가요?

(　　　　　)

[31~32] 농장별 귤 수확량을 조사하여 표로 나타내었습니다. 물음에 답해 보세요.

농장별 귤 수확량

농장	가	나	다	라	합계
수확량 (kg)	120	80	320	250	770

31 표를 보고 그림그래프로 나타내었습니다. 그림그래프에서 잘못 그린 농장은 어느 농장인가요?

농장별 귤 수확량

농장	수확량
가	◎○○
나	○○○○○○○○
다	◎◎○○○
라	◎◎○○○○○○

◎ 100 kg
○ 10 kg

(　　　　　　　　)

32 위의 표를 보고 그림그래프를 바르게 나타내어 보세요.

농장별 귤 수확량

농장	수확량
가	
나	
다	
라	

◎ 100 kg
○ 10 kg

개념 6 **표와 그림그래프의 다른 점**

표	• 그림을 세지 않아도 조사한 양의 크기를 바로 알 수 있습니다. • 조사한 전체 수를 쉽게 알 수 있습니다.
그림그래프	• 많고 적음이 그림으로 한눈에 쉽게 비교가 됩니다.

유형

[33~34] 수미네 학교 3학년의 반별 안경을 쓴 학생 수를 조사하여 표와 그림그래프로 나타내었습니다. 물음에 답해 보세요.

반별 안경 쓴 학생 수

반	1반	2반	3반	합계
학생 수(명)	20	24	23	67

반별 안경 쓴 학생 수

반	학생 수
1반	큰 얼굴 2개
2반	큰 얼굴 2개, 작은 얼굴 4개
3반	큰 얼굴 2개, 작은 얼굴 3개

(큰 얼굴) 10명
(작은 얼굴) 1명

33 반별 안경 쓴 학생 수의 많고 적음을 그림으로 한눈에 쉽게 알아볼 수 있는 것은 표와 그림그래프 중 어느 것인가요?

(　　　　　　　　)

34 조사한 학생은 모두 몇 명인지 알아볼 때 더 편리한 것은 표와 그림그래프 중 어느 것인가요?

(　　　　　　　　)

[1~2] 주호네 반 학생들이 가고 싶은 나라를 조사하여 표로 나타내었습니다. □ 안에 알맞은 수를 써넣으세요.

학생들이 가고 싶은 나라

나라	미국	영국	인도	합계
학생 수(명)	6	15	5	26

1 조사한 학생은 모두 □명입니다.

2 미국에 가고 싶은 학생은 □명, 인도에 가고 싶은 학생은 □명입니다.

[3~5] 연주네 학교 3학년 학생들이 좋아하는 음식을 조사하여 그림그래프로 나타내었습니다. □ 안에 알맞은 수나 말을 써넣으세요.

학생들이 좋아하는 음식

음식	학생 수
자장면	
피자	
치킨	
라면	

10명
1명

3 그림 은 □명, 은 □명을 나타냅니다.

4 피자를 좋아하는 학생은 □명입니다.

5 30명이 좋아하는 음식은 □입니다.

[6~7] 표를 보고 그림그래프로 나타내어 보세요.

6

학생들이 딴 딸기 수

이름	현서	호진	윤하	합계
딸기 수(개)	32	41	25	98

학생들이 딴 딸기 수

이름	딸기 수
현서	
호진	
윤하	

◎ 10개
○ 1개

7

가게별 팔린 쿠키 수

가게	가	나	다	합계
쿠키 수(개)	400	510	330	1240

가게별 팔린 쿠키 수

가게	쿠키 수
가	
나	
다	

◎ 100개
○ 10개

유형 진단 TEST

점수 /10점

공부한 날 월 일

정답 및 풀이 38쪽

[1~4] 선규네 반 학생들이 배우고 싶은 운동을 조사하였습니다. 물음에 답해 보세요.

야구	축구	축구	검도
수영	야구	수영	야구
축구	수영	축구	수영
검도	야구	축구	축구

1 위의 자료를 표로 나타내어 보세요. [1점]

학생들이 배우고 싶은 운동

운동	야구	축구	검도	수영	합계
학생 수(명)					

2 조사한 학생은 모두 몇 명인가요? [1점]

( )

3 배우고 싶은 운동의 학생 수가 같은 운동은 무엇과 무엇인가요? [2점]

( ), ( )

4 축구를 배우고 싶은 학생은 수영을 배우고 싶은 학생보다 몇 명 더 많나요? [2점]

( )

5 현서가 9월부터 12월까지 매달 읽은 책의 수를 조사하여 표로 나타내었습니다. 표를 보고 그림그래프로 나타내어 보세요. [2점]

월별 읽은 책 수

월	9월	10월	11월	12월	합계
책 수(권)	12	14	20	7	53

월	책 수
9월	
10월	
11월	
12월	

10권, 1권

6 은지와 친구들이 줄넘기를 한 횟수를 그림그래프로 나타낸 것입니다. 그림그래프를 보고 표로 나타내어 보세요. [2점]

줄넘기를 한 횟수

이름	횟수
은지	(10회 4개, 1회 5개)
하연	(10회 5개, 1회 3개)
준호	(10회 3개, 1회 6개)

10회, 1회

줄넘기를 한 횟수

이름	은지	하연	준호	합계
횟수(회)				

STEP 2

꼬리를 무는 유형

① 표를 보고 가장 많은(적은) 항목 알아보기

기본 유형

1 보라네 반 학생들이 받고 싶은 선물을 조사하여 표로 나타내었습니다. 가장 많은 학생이 받고 싶은 선물은 무엇이고, 몇 명인지 차례로 써 보세요.

학생들이 받고 싶은 선물

선물	책	가방	옷	신발	합계
학생 수(명)	3	8	2	9	22

(　　　　　　), (　　　　　　)

변형 유형

2 위 ①의 표에서 가장 적은 학생이 받고 싶은 선물은 무엇이고, 몇 명인지 차례로 써 보세요.

(　　　　　　), (　　　　　　)

실생활 유형

3 지안이네 반 학생들이 입은 윗옷의 색깔을 조사하여 표로 나타내었습니다. 지안이가 입은 윗옷의 색깔은 무엇인가요?

학생들이 입은 윗옷의 색깔

색깔	파랑	검정	초록	분홍	합계
학생 수(명)	7	5	3	8	23

지안

내가 입은 윗옷의 색깔은 가장 적은 학생이 입은 윗옷의 색깔이야.

(　　　　　　)

② 그림그래프를 보고 합(차) 구하기

기본 유형

4 서주네 아파트 동별 자동차 수를 조사하여 그림그래프로 나타내었습니다. 1동과 3동의 자동차 수의 합은 몇 대인가요?

동별 자동차 수

동	자동차 수
1동	🚗🚗🚗🚙🚙
2동	🚗🚗🚗🚗🚙
3동	🚗🚗🚙🚙🚙🚙🚙

🚗 10대　🚙 1대

(　　　　　　)

변형 유형

5 위 ④의 그림그래프에서 2동의 자동차 수는 3동의 자동차 수보다 몇 대 더 많은가요?

(　　　　　　)

실생활 유형

6 간식 100 g에 들어 있는 설탕을 조사하여 그림그래프로 나타내었습니다. 젤리 100 g과 초콜릿 100 g에 들어 있는 설탕은 모두 몇 g인가요?

간식 100 g에 들어 있는 설탕 양

간식	설탕 양
젤리	■■■■■■■
아이스크림	■■▪
초콜릿	■■■■■▪▪▪

■ 10 g　▪ 1 g

(　　　　　　)

❸ 그림그래프로 나타내기

기본 유형

7 목장별 우유 생산량을 조사하여 표로 나타내었습니다. 표를 보고 그림그래프로 나타내어 보세요.

목장별 우유 생산량

목장	가	나	다	라	합계
생산량(kg)	35	26	32	17	110

목장별 우유 생산량

목장	생산량
가	
나	
다	
라	

◎ 10 kg
○ 1 kg

변형 유형

8 위 7 의 표를 보고 단위를 다르게 하여 그림그래프를 완성해 보세요.

목장별 우유 생산량

목장	생산량
가	◎◎◎△
나	
다	
라	

◎ 10 kg
△ 5 kg
○ 1 kg

❹ 표에서 모르는 수 구하기

기본 유형

9 경수네 반 학생들이 좋아하는 음악 종류를 조사하여 표로 나타내었습니다. 빈칸에 알맞은 수를 써넣으세요.

학생들이 좋아하는 음악

종류	가요	재즈	클래식	합계
학생 수(명)		7	5	23

변형 유형

10 준호네 반 학생 24명이 방과 후 배우고 싶은 과목을 조사하여 표로 나타내었습니다. 빈칸에 알맞은 수를 써넣으세요.

학생들이 방과 후 배우고 싶은 과목

과목	수학	영어	컴퓨터	과학	합계
학생 수(명)	5	4		8	

변형 유형

11 주리네 반 학생들이 좋아하는 빵을 조사하여 나타낸 표입니다. 빈칸에 알맞은 수를 써넣으세요.

학생들이 좋아하는 빵

빵	피자빵	도넛	크림빵	합계
남학생 수(명)	6	7		14
여학생 수(명)	4		5	15

수학 독해력 유형

독해력 유형 1 그림그래프를 보고 얼마나 더 수확해야 하는지 구하기

과수원별 사과 수확량을 조사하여 그림그래프로 나타내었습니다. 하늘 과수원의 사과 수확량이 300상자가 되려면 하늘 과수원은 사과를 몇 상자 더 수확해야 하는지 구해 보세요.

과수원별 사과 수확량

과수원	수확량
하늘	
바람	
달콤	

100상자
10상자

What? 구하려는 것을 찾아 밑줄을 그어 보세요.

How? ❶ 하늘 과수원의 수확량 구하기

❷ 뺄셈을 이용하여 하늘 과수원은 몇 상자를 더 수확해야 하는지 구하기

Solve ❶ 하늘 과수원의 수확량은 몇 상자인가요?

( )

❷ 하늘 과수원의 수확량이 300상자가 되려면 하늘 과수원은 사과를 몇 상자 더 수확해야 하나요?

( )

그림그래프의 큰 그림과 작은 그림의 수를 세어 사과 수확량을 구한 후 뺄셈을 하여 더 수확해야 하는 상자 수를 구해~

쌍둥이 유형 1-1

위 독해력 유형 1 의 그림그래프에서 달콤 과수원의 사과 수확량이 250상자가 되려면 달콤 과수원은 사과를 몇 상자 더 수확해야 하는지 구해 보세요.

( )

독해력 유형 2 두 반이 함께 가면 좋을 장소 구하기

주희네 반과 성호네 반은 함께 현장 체험 학습을 가기로 하고, 학생들이 가고 싶은 장소를 조사하여 표로 나타내었습니다. 두 반이 함께 현장 체험 학습을 가려면 어디로 가면 좋을지 구해 보세요.

현장 체험 학습으로 가고 싶은 장소

장소	소방서	청와대	방송국	합계
주희네 반 학생 수(명)	2	9	10	21
성호네 반 학생 수(명)	7	4	11	22

What? 구하려는 것을 찾아 밑줄을 그어 보세요.

How? ❶ 각 장소별로 가고 싶은 학생 수의 합 구하기
❷ ❶에서 구한 학생 수를 비교하여 두 반이 함께 가면 좋을 현장 체험 학습 장소 구하기

Solve ❶ 장소별 두 반의 학생 수의 합은 각각 몇 명인가요?
소방서 ( ), 청와대 ( ), 방송국 ( )

❷ 두 반이 함께 현장 체험 학습을 가려면 어디로 가면 좋을까요?
( )

쌍둥이 유형 2-1

하리네 학교 3학년 1반과 2반은 함께 봉사 활동을 가기로 하고, 학생들이 가고 싶은 장소를 조사하여 표로 나타내었습니다. 두 반이 함께 봉사 활동을 가려면 어디로 가면 좋을지 구해 보세요.

봉사 활동으로 가고 싶은 장소

장소	요양원	복지관	박물관	합계
1반 학생 수(명)	5	6	4	15
2반 학생 수(명)	3	8	6	17

( )

4 STEP 사고력 플러스 유형

플러스 유형 1 그림그래프를 보고 단위 알아보기

1-1 경주네 학교 3학년 학생들이 심고 싶은 나무를 조사하였습니다. 그림그래프의 □ 안에 알맞은 수를 써넣으세요.

학생들이 심고 싶은 나무

나무	소나무	감나무	밤나무	합계
학생 수(명)	51	34	43	128

학생들이 심고 싶은 나무

나무	학생 수
소나무	큰 나무 5개, 작은 나무 1개
감나무	큰 나무 3개, 작은 나무 4개
밤나무	큰 나무 4개, 작은 나무 3개

(큰 나무) □명 (작은 나무) □명

1-2 체육관에 있는 공의 수를 조사하였습니다. 그림그래프의 □ 안에 알맞은 수를 써넣으세요.

체육관에 있는 공 수

공	축구공	농구공	배구공	합계
개수(개)	200	250	150	600

체육관에 있는 공 수

공	공 수
축구공	◎◎
농구공	◎◎○○○○○
배구공	◎○○○○○

◎ □개 ○ □개

플러스 유형 2 표를 보고 내용 알아보기

[2-1~2-2] 성주네 반 학생들이 좋아하는 반찬을 조사하여 표로 나타내었습니다. 물음에 답해 보세요.

학생들이 좋아하는 반찬

반찬	생선찜	불고기	계란찜	햄	합계
학생 수(명)	3	6	5	9	23

2-1 계란찜보다 더 많은 학생이 좋아하는 반찬을 모두 써 보세요.

(　　　　　　　　)

2-2 계란찜보다 더 적은 학생이 좋아하는 반찬을 써 보세요.

(　　　　　　　　)

2-3 민지가 색종이를 색깔별로 몇 장 가지고 있는지 조사하여 표로 나타내었습니다. 가장 적은 색깔의 색종이의 색부터 순서대로 써 보세요.

색깔별 색종이 수

색깔	빨강	파랑	노랑	초록	합계
색종이 수(장)	17	21	15	11	64

(　　　　　　　　)

플러스 유형 3 그림그래프를 보고 가장 많은 것과 가장 적은 것의 합 구하기

3-1 효주네 반 학급문고의 수를 조사하여 그림그래프로 나타내었습니다. 가장 많은 책과 가장 적은 책 수의 합은 몇 권인가요?

종류별 학급문고 수

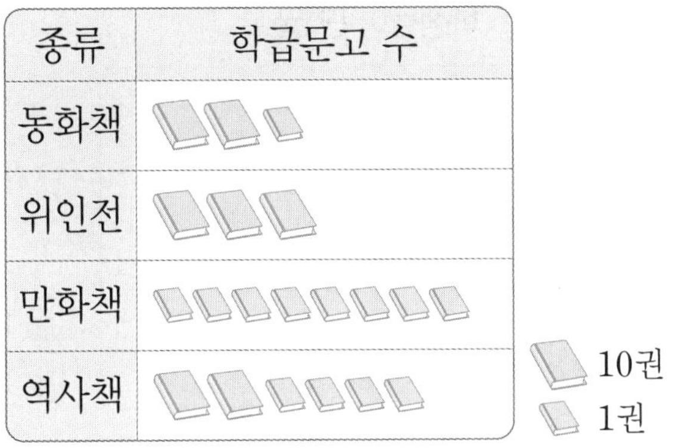

종류	학급문고 수
동화책	
위인전	
만화책	
역사책	

10권 1권

( )

3-2 마을별 감자 생산량을 조사하여 그림그래프로 나타내었습니다. 생산량이 가장 많은 마을과 가장 적은 마을의 감자 생산량의 합은 몇 kg인가요?

마을별 감자 생산량

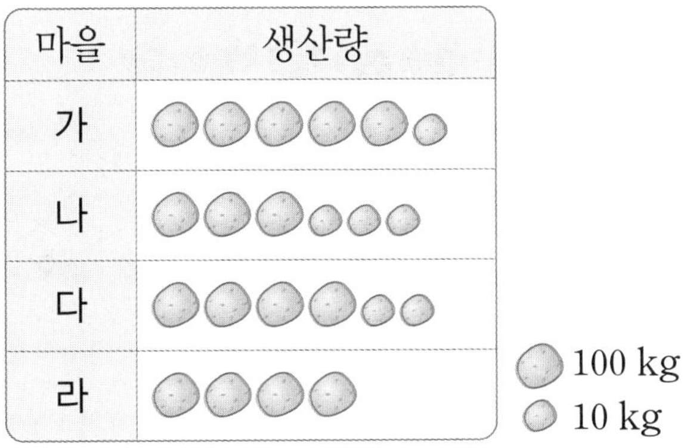

마을	생산량
가	
나	
다	
라	

100 kg 10 kg

( )

플러스 유형 4 표와 그림그래프 완성하기

사고력 유형

4-1 꽃집에서 오늘 판매한 꽃의 수를 조사하였습니다. 표와 그림그래프를 각각 완성해 보세요.

오늘 판매한 꽃의 수

꽃	장미	튤립	국화	합계
꽃의 수 (송이)	51	25		

오늘 판매한 꽃의 수

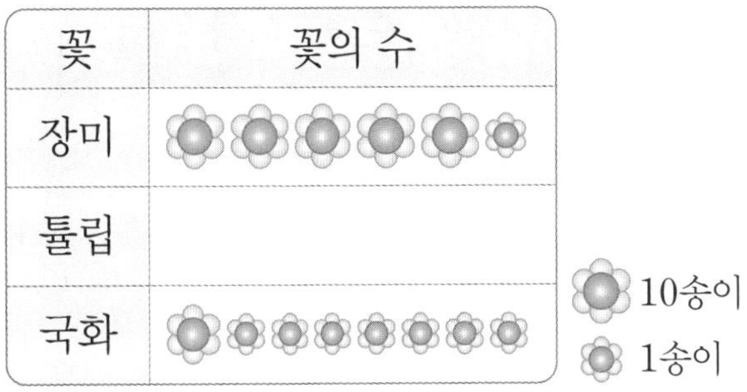

꽃	꽃의 수
장미	
튤립	
국화	

10송이 1송이

4-2 서희네 학교 3학년 학생들이 즐겨 보는 TV 프로그램을 조사하였습니다. 표와 그림그래프를 각각 완성해 보세요.

학생들이 즐겨 보는 TV 프로그램

프로그램	만화	드라마	예능	음악	합계
학생 수 (명)	25		31	42	

학생들이 즐겨 보는 TV 프로그램

프로그램	학생 수
만화	
드라마	
예능	
음악	

10명 1명

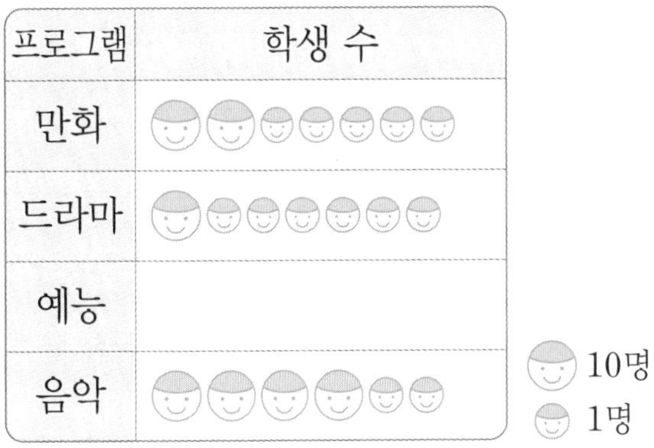

플러스 유형 5 가장 많이 준비하면 좋은 것 알아보기

사고력 유형

5-1 어느 분식집에서 이번 주에 팔린 음식 수를 조사하여 그림그래프로 나타내었습니다. 다음 주에는 어떤 음식을 가장 많이 준비하면 좋을까요?

이번 주에 팔린 음식 수

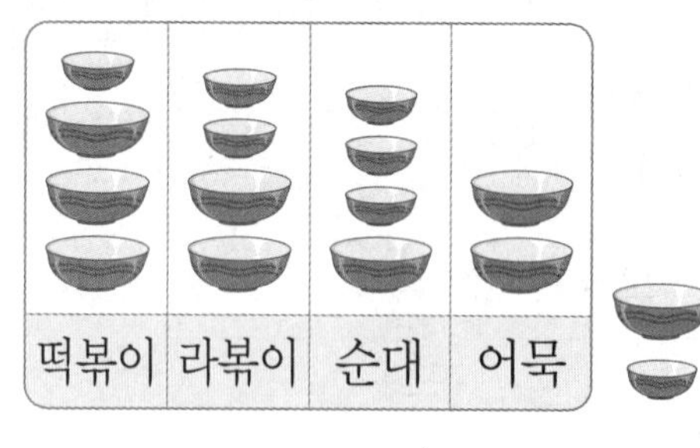

100인분
10인분

(　　　　　　　　　　)

서술형

5-2 어느 가게에서 이번 주에 팔린 우유 수를 조사하여 그림그래프로 나타내었습니다. 다음 주에는 어떤 우유를 가장 많이 준비하면 좋을지 풀이 과정을 쓰고 답을 구해 보세요.

이번 주에 팔린 우유 수

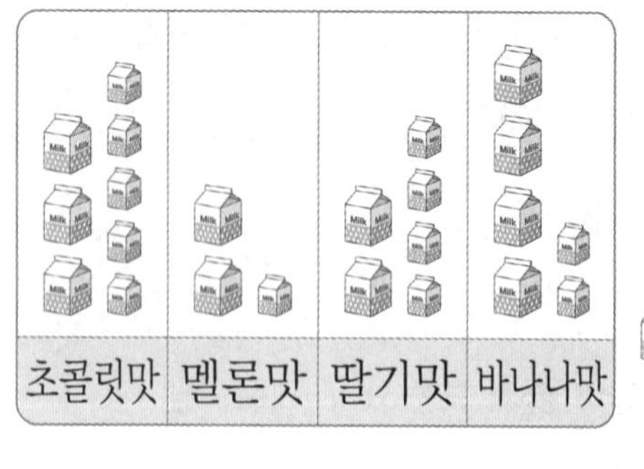

100갑
10갑

풀이

답

플러스 유형 6 그림그래프를 보고 모르는 항목의 수 구하기

6-1 예서네 모둠 학생들이 딴 귤 수를 조사하여 그림그래프로 나타내었습니다. 세 사람이 딴 귤의 합이 55개일 때 예서가 딴 귤은 몇 개인가요?

학생들이 딴 귤 수

이름	귤 수
예서	
윤하	
성민	

10개
1개

(　　　　　　　　　　)

서술형

6-2 우희네 학교 3학년 학생들이 반별로 모은 헌 종이의 무게를 조사하여 그림그래프로 나타내었습니다. 세 반이 모은 헌 종이의 합이 108 kg일 때 2반이 모은 헌 종이는 몇 kg인지 풀이 과정을 쓰고 답을 구해 보세요.

반별 모은 헌 종이 무게

반	헌 종이 무게
1반	
2반	
3반	

10 kg
1 kg

풀이

답

플러스 유형 7 그림의 단위를 바꾸어 그림그래프 그리기

독해력 유형

7-1 ㉮ 그림그래프의 그림의 단위를 바꾸어 ㉯ 그림그래프를 완성해 보세요.

㉮ 반별 우유를 마시는 학생 수

반	1반	2반	3반
학생 수	◎◎ ○	◎○○ ○○○○	○○○ ○○

◎ 10명 ○ 1명

㉯ 반별 우유를 마시는 학생 수

반	1반	2반	3반
학생 수			

◎ 10명 △ 5명 ○ 1명

단계 1 반별 우유를 마시는 학생은 각각 몇 명인지 써 보세요.

1반 (　　　　), 2반 (　　　　),
3반 (　　　　)

단계 2 ㉯ 그림그래프를 완성해 보세요.

7-2 그림그래프의 그림의 단위를 바꾸어 아래 그림그래프를 완성해 보세요.

학생별 모은 붙임딱지 수

이름	설아	호진	윤경
붙임딱지 수	◎◎◎ ○○	○○○○ ○○○○	◎○○○ ○○○○

◎ 10장 ○ 1장

학생별 모은 붙임딱지 수

이름	설아	호진	윤경
붙임딱지 수			

◎ 10장 △ 5장 ○ 1장

플러스 유형 8 모르는 자료의 수 구하기

독해력 유형

8-1 현서네 학교 3학년 학생들이 좋아하는 민속놀이를 조사하여 표로 나타내었습니다. 윷놀이를 좋아하는 학생이 제기차기를 좋아하는 학생보다 12명 더 많을 때 윷놀이를 좋아하는 학생은 몇 명인지 구해 보세요.

학생들이 좋아하는 민속놀이

민속놀이	투호놀이	윷놀이	제기차기	딱지치기	합계
학생 수(명)	18			40	116

단계 1 윷놀이와 제기차기를 좋아하는 학생 수의 합은 몇 명인가요?

(　　　　)

단계 2 제기차기를 좋아하는 학생은 몇 명인가요?

(　　　　)

단계 3 윷놀이를 좋아하는 학생은 몇 명인가요?

(　　　　)

8-2 어느 미술관의 요일별 입장객 수를 조사하여 표로 나타내었습니다. 금요일은 화요일보다 입장객이 20명 더 많을 때 금요일의 입장객은 몇 명인지 구해 보세요.

요일별 입장객 수

요일	화	수	목	금	합계
입장객 수(명)		21	46		115

(　　　　)

[1~4] 윤하네 반 학생들이 좋아하는 음료를 조사하였습니다. 물음에 답해 보세요.

윤하	호진	현성	태민	민하	희원
시우	윤정	다은	서윤	인재	도진

: 콜라, : 사이다, : 우유, : 주스

1 시우가 좋아하는 음료는 무엇인가요?

( )

2 위의 자료를 보고 표를 완성해 보세요.

학생들이 좋아하는 음료

음료	콜라	사이다	우유	주스	합계
학생 수 (명)					12

3 조사한 학생은 모두 몇 명인가요?

( )

4 가장 많은 학생이 좋아하는 음료는 무엇인가요?

( )

[5~7] 마을별 학생 수를 조사하여 그림그래프로 나타내었습니다. 물음에 답해 보세요.

마을별 학생 수

마을	학생 수
가	
나	
다	
라	

10명
1명

5 가 마을의 학생은 몇 명인가요?

( )

6 학생 수가 가장 많은 마을은 어느 마을인가요?

( )

7 현서가 사는 마을은 어느 마을인가요?

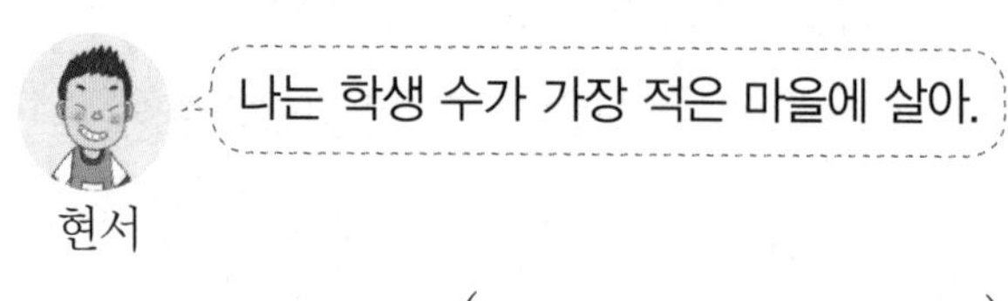

( )

8 자료를 그림으로 한눈에 비교하기 쉬운 것을 찾아 기호를 써 보세요.

㉠ 표 ㉡ 그림그래프

( )

[9~12] 하루 동안 목장별 우유 생산량을 조사하여 표로 나타내었습니다. 물음에 답해 보세요.

목장별 우유 생산량

목장	가	나	다	라	합계
생산량 (kg)	18	21	13	9	61

9 우유 생산량이 다 목장보다 적은 목장은 어느 목장인가요?

( )

10 나 목장은 다 목장보다 우유 생산량이 몇 kg 더 많은가요?

( )

11 우유 생산량이 가장 적은 목장부터 순서대로 써 보세요.

( )

12 위의 표를 보고 그림그래프로 나타내어 보세요.

목장별 우유 생산량

목장	생산량
가	
나	
다	
라	

◎ 10 kg
○ 1 kg

[13~14] 농장별 쌀 수확량을 조사하여 그림그래프로 나타내었습니다. 물음에 답해 보세요.

농장별 쌀 수확량

농장	쌀 수확량
은빛	
풍성	
하늘	

100 kg
10 kg

13 쌀 수확량이 풍성 농장보다 많은 농장은 어느 농장인가요?

( )

14 그림그래프를 보고 표로 나타내어 보세요.

농장별 쌀 수확량

농장	은빛	풍성	하늘	합계
수확량(kg)				

[15~16] 미연이네 학교 3학년 1반과 2반 학생들이 좋아하는 간식을 조사하였습니다. 물음에 답해 보세요.

학생들이 좋아하는 간식

간식	피자	도넛	치킨	합계
1반 학생 수(명)	7	5		18
2반 학생 수(명)	9	5	7	21

15 위 표의 빈칸에 알맞은 수를 써넣으세요.

16 1반과 2반이 함께 먹을 간식을 정한다면 어떤 간식으로 하면 좋을까요?

( )

» 163쪽 4-1 유사 문제

17 동민이네 학교 3학년 학생들이 동물원에서 보고 싶은 동물을 조사하였습니다. 표와 그림그래프를 각각 완성해 보세요.

학생들이 보고 싶은 동물

동물	펭귄	사자	기린	합계
학생 수(명)	42	32		

학생들이 보고 싶은 동물

동물	학생 수
펭귄	
사자	◎◎◎○○
기린	◎◎○○○○○○○

◎ 10명
○ 1명

서술형

» 164쪽 5-2 유사 문제

18 어느 중국집에서 이번 주에 팔린 음식 수를 조사하여 그림그래프로 나타내었습니다. 다음 주에는 어떤 음식을 가장 많이 준비하면 좋을지 풀이 과정을 쓰고 답을 구해 보세요.

이번 주에 팔린 음식 수

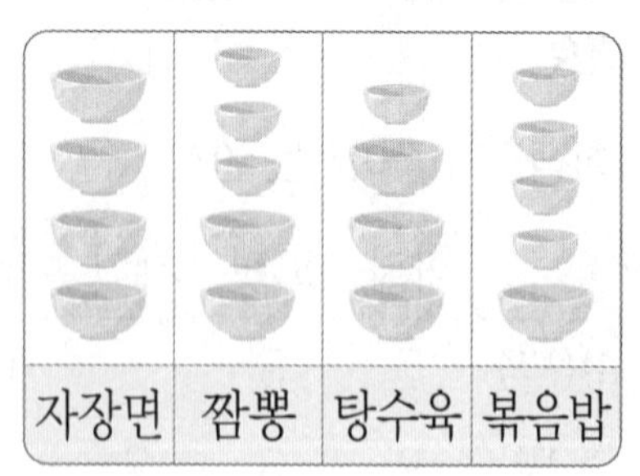

100인분
10인분

풀이

답

서술형

» 164쪽 6-2 유사 문제

19 마을별 나무 수를 조사하여 그림그래프로 나타내었습니다. 세 마을의 나무의 합이 1400그루일 때 가 마을의 나무는 몇 그루인지 풀이 과정을 쓰고 답을 구해 보세요.

마을별 나무 수

마을	나무 수
가	
나	
다	

100그루
10그루

풀이

답

독해력 유형 서술형

» 165쪽 8-1 유사 문제

20 수미네 반 학생들의 혈액형을 조사하여 표로 나타내었습니다. B형인 학생이 AB형인 학생보다 3명 더 많을 때 B형은 몇 명인지 풀이 과정을 쓰고 답을 구해 보세요.

학생들의 혈액형

혈액형	A형	B형	O형	AB형	합계
학생 수(명)	11		7		27

풀이

답

앞 단원 유형 다시 보기

들이의 단위

1 바르게 나타낸 것을 찾아 기호를 써 보세요.

㉠ 4 L 350 mL=4350 mL
㉡ 2080 mL=20 L 80 mL

(　　　　　　　)

들이의 덧셈

2 들이의 합은 몇 L 몇 mL인지 구해 보세요.

1 L 600 mL, 7 L 200 mL

(　　　　　　　)

무게의 단위

3 무게가 3000 kg인 하마가 있습니다. 이 하마의 무게는 몇 t인가요?

(　　　　　　　)

무게의 뺄셈

4 가장 무거운 것과 가장 가벼운 것의 무게의 차는 몇 kg 몇 g인가요?

5 kg 500 g

1200 g

1 kg 800 g

(　　　　　　　)

부모님 초대…… 찬성? 반대?

우리 학교 3학년 학생들이 학예회 때 부모님 초대에 찬성하는지, 반대하는지 투표를 했어~

다음과 같은 순서대로 분류한 후 □ 안에 알맞은 수를 써넣고 알맞은 말에 ○표 해 봐.

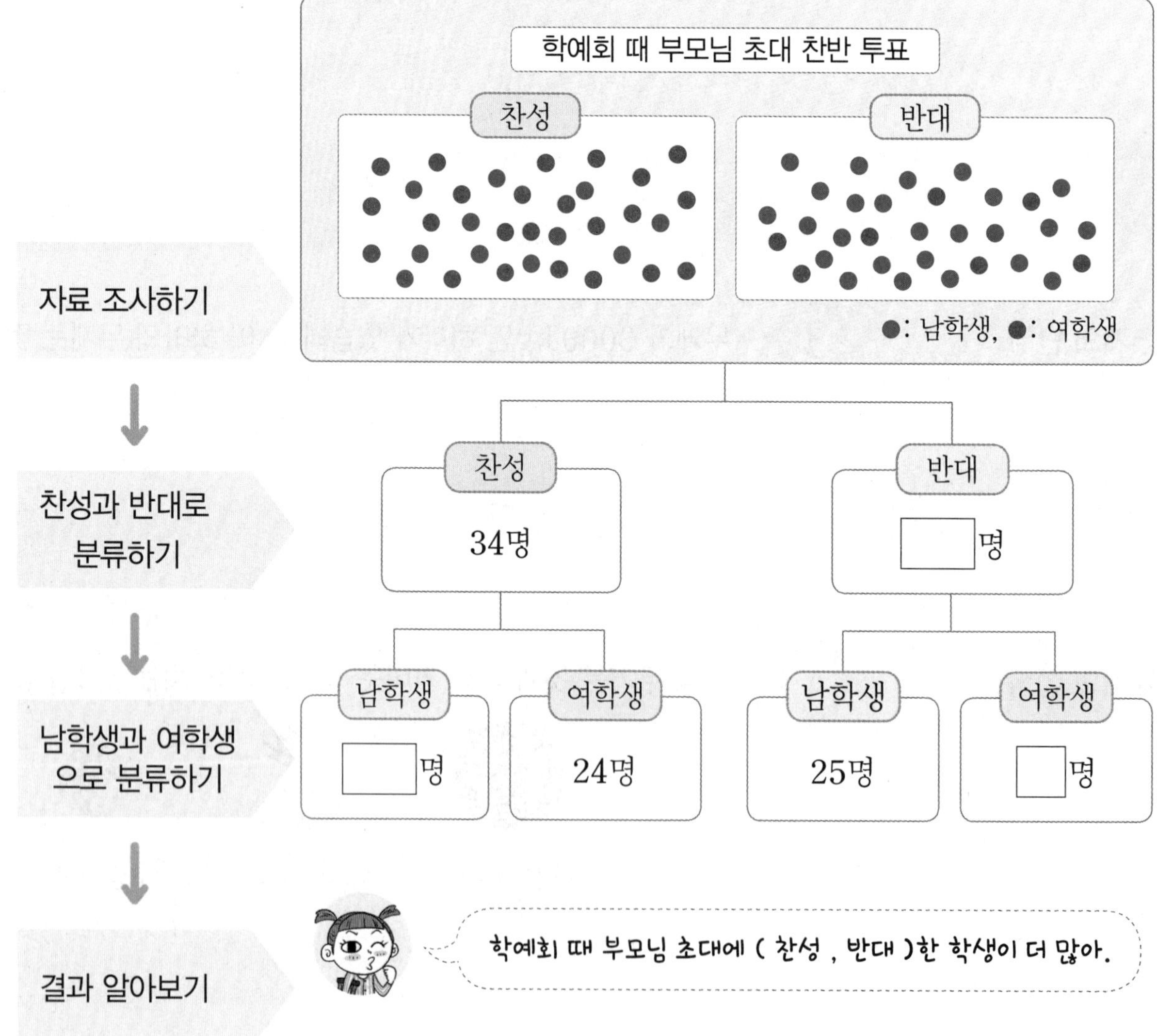

자료 조사하기
↓
찬성과 반대로 분류하기
↓
남학생과 여학생으로 분류하기
↓
결과 알아보기

학예회 때 부모님 초대에 (찬성 , 반대)한 학생이 더 많아.

찬성한 학생 중에는 (남학생 , 여학생)이 더 많아.

틀린 그림을 찾아라!

우리 학교 학생들이 사는 마을을 조사해서 그림그래프로 나타낸 거야.
두 그림에서 서로 다른 곳을 3군데 찾아봐~

대화를 읽고 빈칸에 알맞은 수나 말을 써넣어 봐~

가장 많은 학생이 사는 마을은 어느 마을일까?

큰 그림이 많을수록 학생 수가 많은 거니까…….

아하! 가장 많은 학생이 사는 마을은 ☐ 마을이야!

그리고 그 마을에 사는 학생 수는 ☐ 명이야~!

점선대로 잘라서 파이널 테스트지로 활용하세요.

단원평가 1. 곱셈

3학년 이름 :

날짜 . .

점수

1 수 모형을 보고 □ 안에 알맞은 수를 써넣으세요.

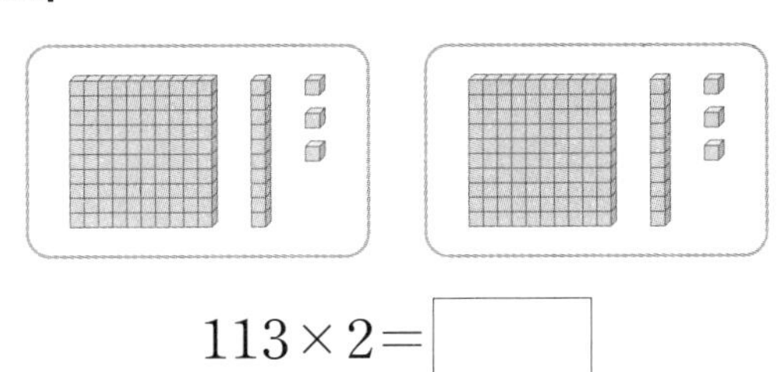

$113 \times 2 = \square$

2 계산해 보세요.

(1) 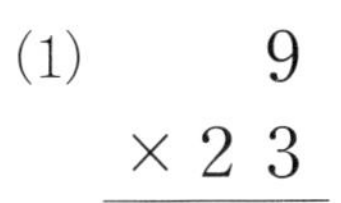

$$\begin{array}{r} 9 \\ \times\ 2\ 3 \\ \hline \end{array}$$

(2)

$$\begin{array}{r} 5\ 2 \\ \times\ 1\ 4 \\ \hline \end{array}$$

3 빈 곳에 알맞은 수를 써넣으세요.

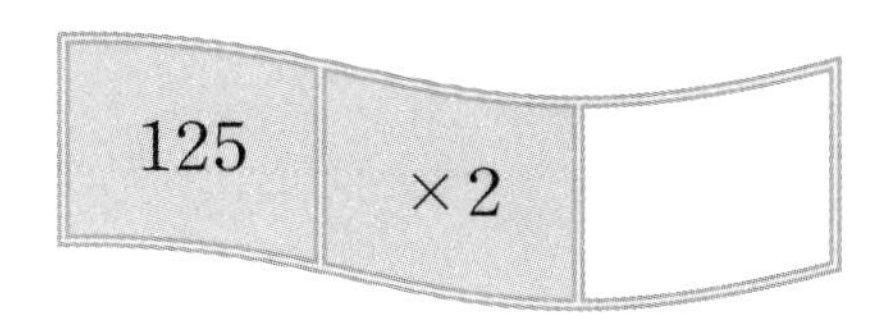

4 계산이 잘못된 곳을 찾아 바르게 계산해 보세요.

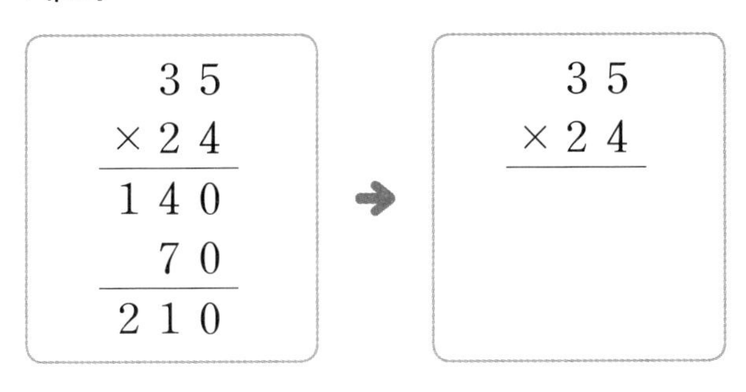

$$\begin{array}{r} 3\ 5 \\ \times\ 2\ 4 \\ \hline 1\ 4\ 0 \\ 7\ 0 \\ \hline 2\ 1\ 0 \end{array} \rightarrow \begin{array}{r} 3\ 5 \\ \times\ 2\ 4 \\ \hline \end{array}$$

5 두 수의 곱을 구해 보세요.

431 7

( )

6 바르게 계산한 것을 찾아 기호를 써 보세요.

㉠ $62 \times 32 = 310$ ㉡ $543 \times 2 = 1086$

( )

7 설명하는 수를 구해 보세요.

53의 21배

( )

8 덧셈식을 곱셈식으로 나타내어 계산해 보세요.

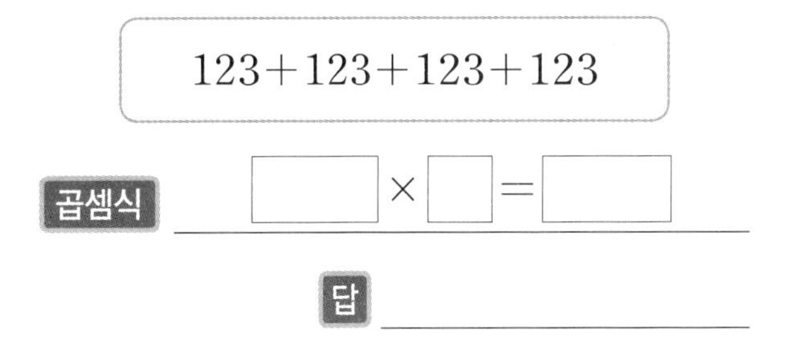

$123 + 123 + 123 + 123$

곱셈식 $\square \times \square = \square$

답 ____________

9 가장 큰 수와 가장 작은 수의 곱을 구해 보세요.

213 7 3

( )

10 클립이 한 상자에 304개씩 들어 있습니다. 2상자에 들어 있는 클립은 모두 몇 개인가요?

( )

11 30×40과 계산 결과가 같은 것을 찾아 기호를 써 보세요.

㉠ 60×20	㉡ 70×20

( )

12 크기를 비교하여 ○ 안에 >, =, <를 알맞게 써넣으세요.

320 ○ 7×45

13 지우개 1개는 750원입니다. 지우개 9개는 얼마인가요?

( )

14 □ 안에 알맞은 수를 써넣으세요.

$$\begin{array}{r} 7 \\ \times \square\ 5 \\ \hline 2\ 4\ 5 \end{array}$$

15 1년은 12개월입니다. 40년은 몇 개월인가요?

( )

16 계산 결과가 큰 순서대로 기호를 써 보세요.

㉠ 127×3	㉡ 19×20	㉢ 21×18

( )

17 경주는 동화책을 하루에 42쪽씩 읽으려고 합니다. 1주일에 7일씩, 4주 동안 읽을 수 있는 동화책은 모두 몇 쪽인가요?

( )

18 수 카드 2, 4, 6, 7 중 2장을 골라 계산 결과가 가장 큰 곱셈식을 만들려고 합니다. □ 안에 알맞은 수를 써넣으세요.

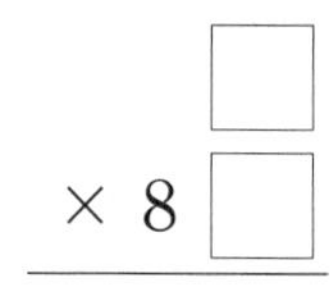

19 어떤 수에 15를 곱해야 할 것을 잘못하여 더했더니 27이 되었습니다. 바르게 계산하면 얼마인가요?

( )

20 ㉠◆㉡을 보기 와 같이 계산할 때 46◆27을 계산해 보세요.

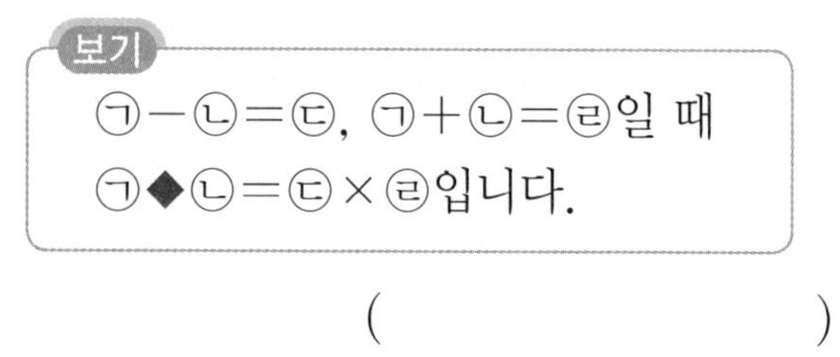

( )

단원평가

2. 나눗셈

3학년　　이름 :

날짜　　.　　.

점수

1 □ 안에 알맞은 수를 써넣으세요.

$9 \div 9 = \square$ ➔ $90 \div 9 = \square$

2 계산해 보세요.

$54 \div 3$

3 빈칸에 알맞은 수를 써넣으세요.

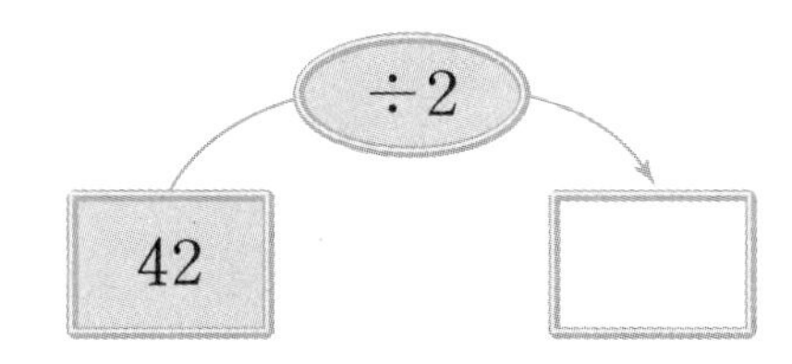

4 큰 수를 작은 수로 나눈 몫을 빈칸에 써넣으세요.

42	3

5 잘못 계산한 곳을 찾아 바르게 계산해 보세요.

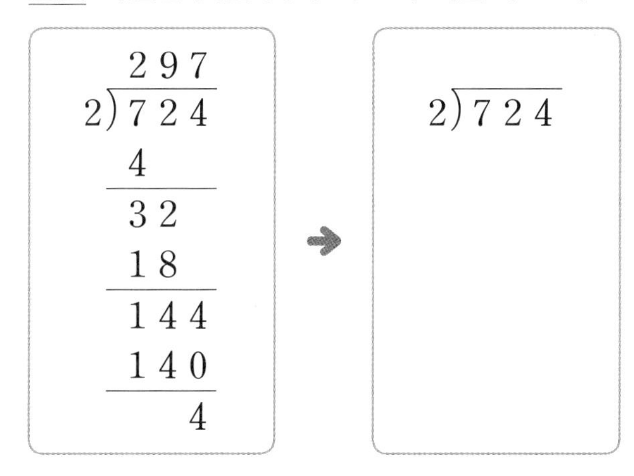

6 몫과 나머지를 각각 구해 보세요.

$48 \div 5$

몫 ________　나머지 ________

7 계산을 바르게 한 것을 찾아 기호를 써 보세요.

㉠ $60 \div 5 = 14$　㉡ $324 \div 9 = 36$

(　　　　　　)

8 나머지를 찾아 이어 보세요.

$125 \div 3$ •　　• 1

$469 \div 4$ •　　• 2

9 계산을 하고, 계산 결과가 맞는지 확인해 보세요.

$43 \div 3$

몫 ________　나머지 ________

확인 ________, ________

10 지우개 80개를 4명에게 똑같이 나누어 주려고 합니다. 한 명에게 지우개를 몇 개씩 줄 수 있나요?

(　　　　　　)

11 몫이 더 큰 것을 찾아 기호를 써 보세요.

㉠ $48 \div 2$ ㉡ $92 \div 4$

( )

12 주한이네 학교 3학년 학생은 152명입니다. 3학년 학생들을 4모둠으로 똑같이 나누면 한 모둠은 몇 명인가요?

( )

13 문제 를 바르게 설명한 것을 찾아 기호를 써 보세요.

문제
$78 \div 5 = \square \cdots \triangle$

㉠ 몫은 15보다 큽니다.
㉡ 나머지는 5보다 작습니다.

( )

14 나머지가 5가 될 수 없는 식은 어느 것인가요? ( )

① $\square \div 9$ ② $\square \div 8$ ③ $\square \div 7$
④ $\square \div 6$ ⑤ $\square \div 5$

15 귤이 217개 있습니다. 6명이 똑같이 나누어 가진다면 한 명이 귤을 몇 개씩 가질 수 있고, 몇 개가 남는지 차례로 써 보세요.

( ), ( )

16 어떤 나눗셈식을 계산하고 계산 결과가 맞는지 확인한 식이 보기 와 같습니다. 계산한 나눗셈식을 쓰고, 몫과 나머지를 구해 보세요.

보기
$3 \times 16 = 48, 48 + 1 = 49$

➜ $\square \div 3 = \square \cdots \square$

17 운동장에 남학생 25명과 여학생 35명이 있습니다. 한 줄에 학생들이 5명씩 서면 몇 줄이 되는지 구해 보세요.

( )

18 몫이 다른 하나는 어느 것인가요? ( )

① $48 \div 4$ ② $84 \div 7$ ③ $72 \div 6$
④ $108 \div 9$ ⑤ $99 \div 9$

19 어떤 수를 7로 나누었더니 몫이 9, 나머지가 3이 되었습니다. 어떤 수는 얼마인가요?

( )

20 1부터 9까지의 수 중에서 32를 나누어떨어지게 하는 수를 모두 구해 보세요.

( )

1 원의 중심을 찾아 ○표 하세요.

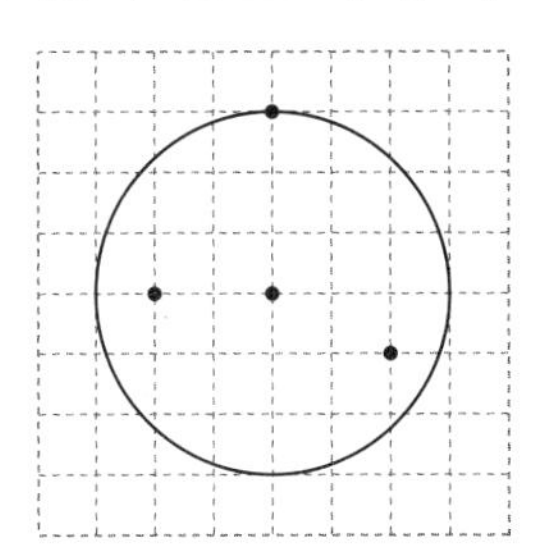

2 □ 안에 알맞은 말을 써넣으세요.

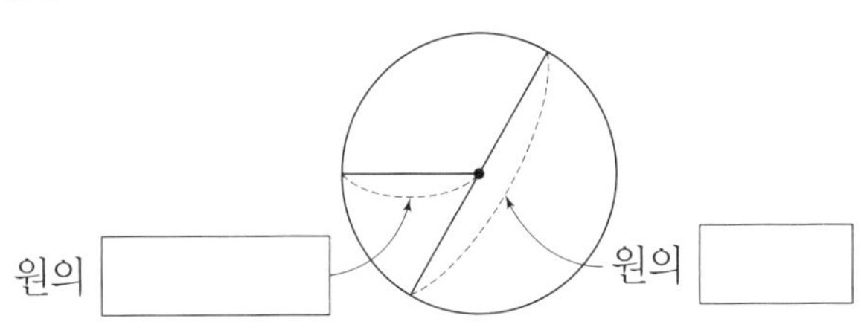

3 원의 중심과 원 위의 한 점을 잇는 선분을 1개 그어 보세요.

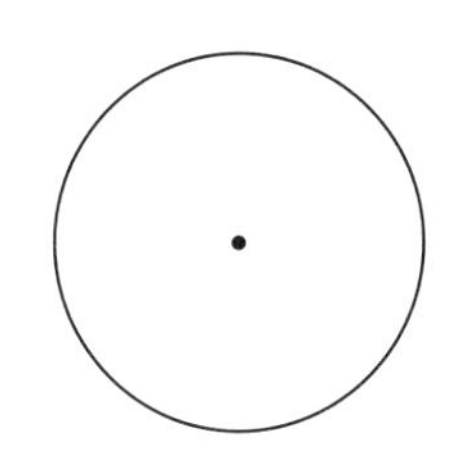

4 오른쪽 모양을 그리기 위해 컴퍼스의 침을 꽂아야 할 곳을 모눈종이에 모두 표시해 보세요.

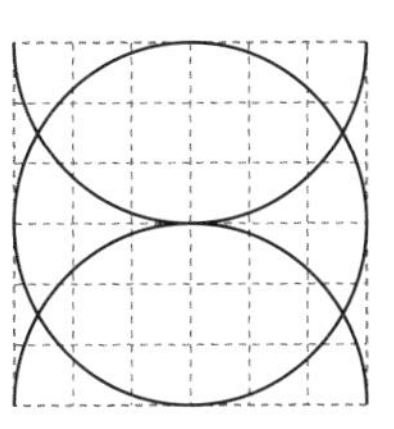

5 오른쪽 원의 반지름은 몇 cm인가요?

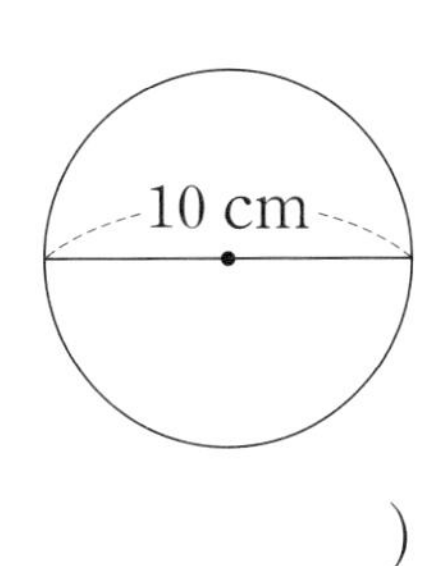

( )

6 오른쪽 모양을 그리기 위해 컴퍼스의 침은 몇 군데 꽂아야 하는지 써 보세요.

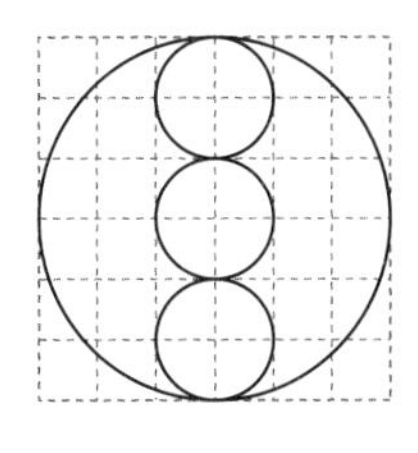

( )

7 컴퍼스를 4 cm가 되도록 벌려서 원을 그렸습니다. 이 원의 지름은 몇 cm인가요?

( )

8 오른쪽 원에서 원의 반지름을 나타내는 선분은 모두 몇 개인가요?

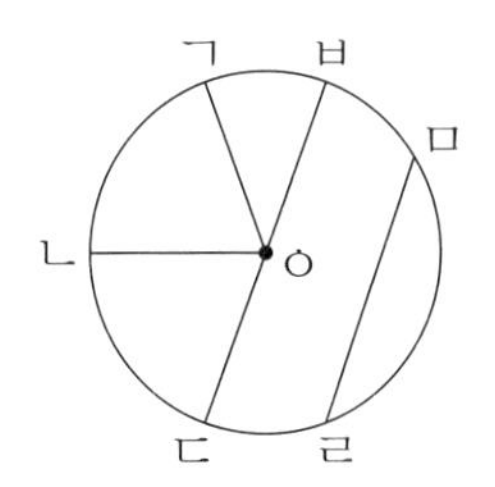

( )

컴퍼스를 이용하여 주어진 원을 그려 보세요. (9～10)

9 반지름이 1 cm인 원

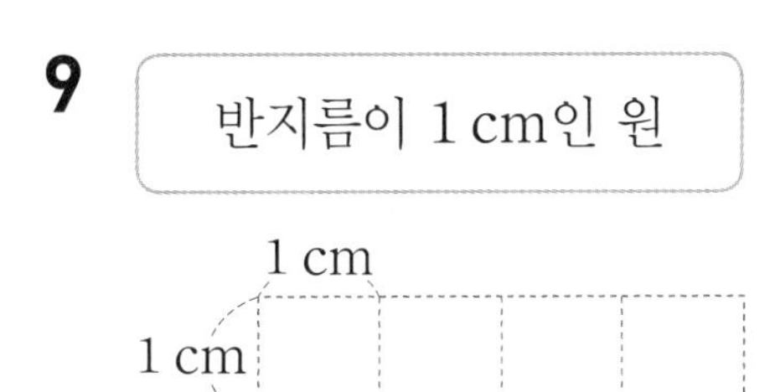

10 반지름이 2 cm인 원

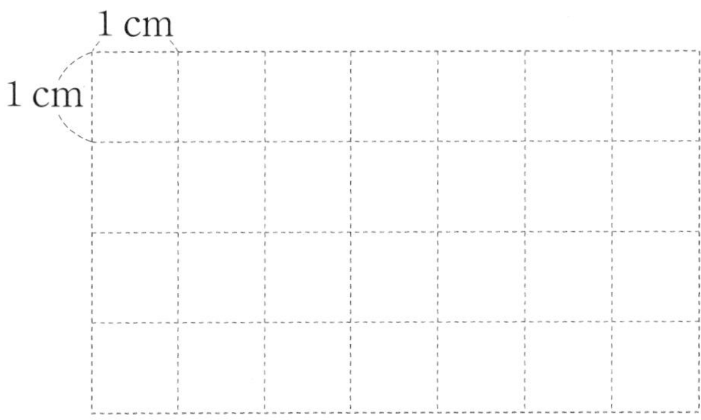

11 한 원에는 중심이 몇 개 있나요?

( )

12 ㉠과 ㉡의 길이를 자로 재어 몇 cm인지 구해 보세요.

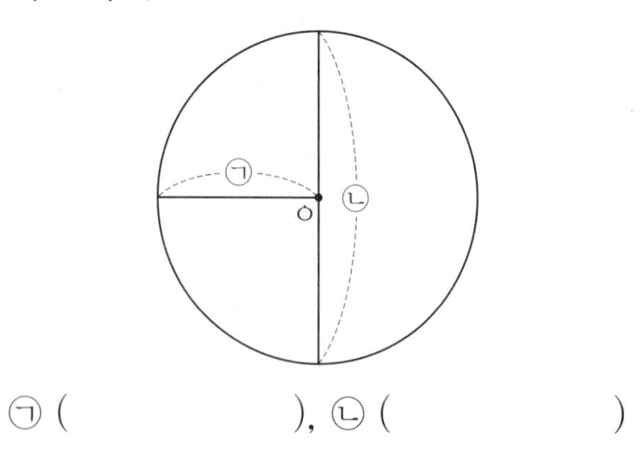

㉠ ( ), ㉡ ( )

13 주어진 선분을 반지름으로 하고 점 ㅇ을 원의 중심으로 하는 원을 그려 보세요.

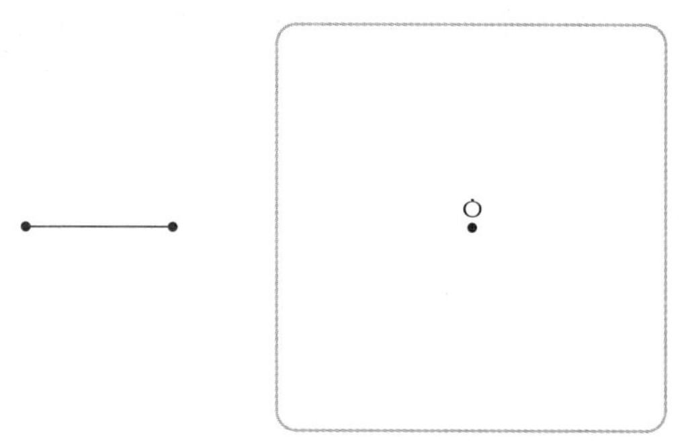

주어진 모양과 똑같이 그려 보세요. **(14～15)**

14

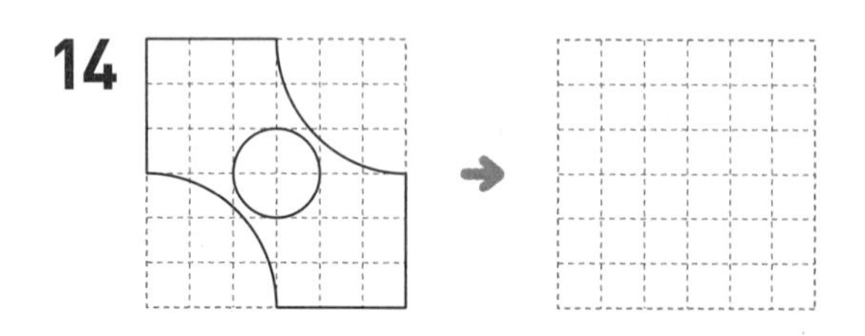

15

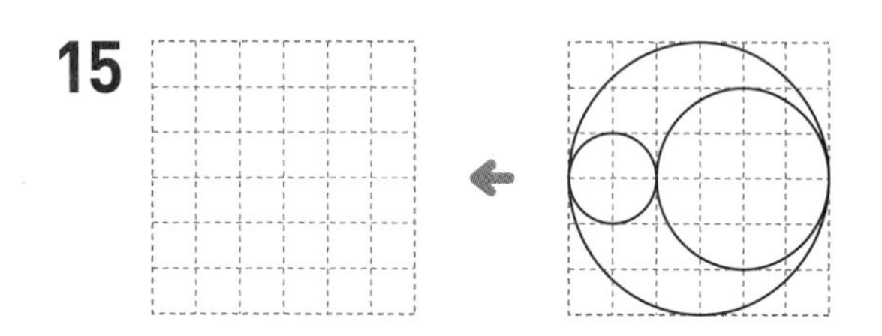

16 크기가 같은 원을 2개 그려 보세요.

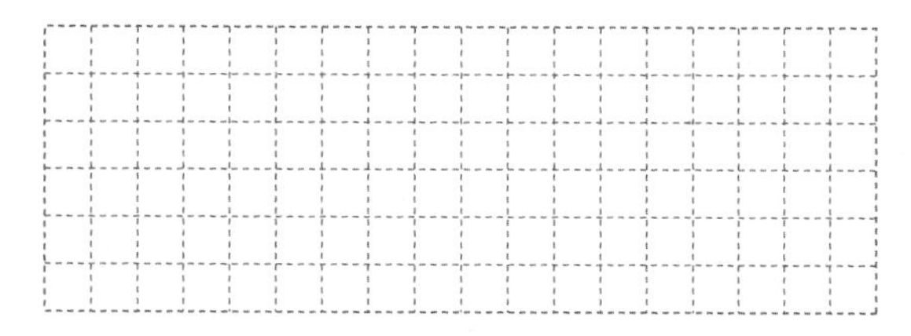

17 규칙에 따라 원을 2개 더 그려 보세요.

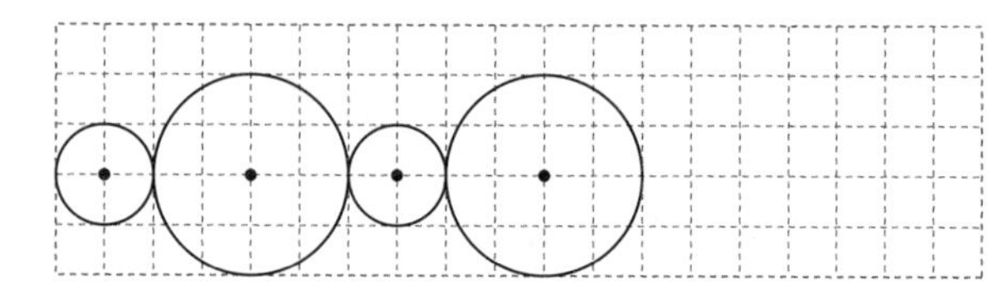

18 오른쪽 원에서 ㉠의 길이는 몇 cm인가요?

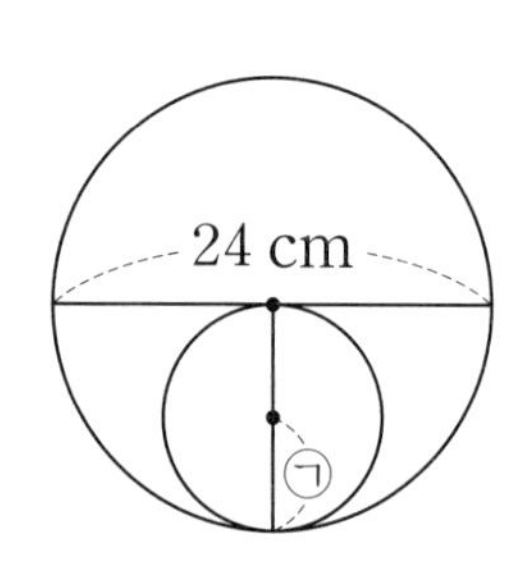

( )

19 다음과 같이 사각형 ㄱㄴㄷㄹ 안에 반지름이 2 cm인 원 4개를 그렸습니다. 사각형 ㄱㄴㄷㄹ의 가로와 세로는 각각 몇 cm인가요?

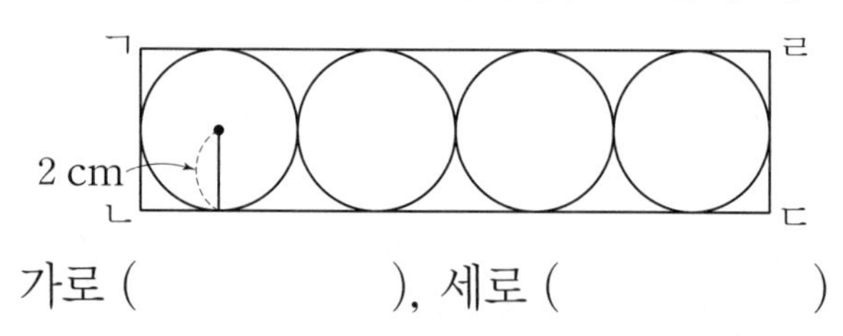

가로 ( ), 세로 ( )

20 크기가 같은 원 3개를 이용하여 다음과 같은 모양을 만들었습니다. 점 ㄱ, 점 ㄴ, 점 ㄷ이 원의 중심일 때 선분 ㄱㄹ의 길이는 몇 cm인지 구해 보세요.

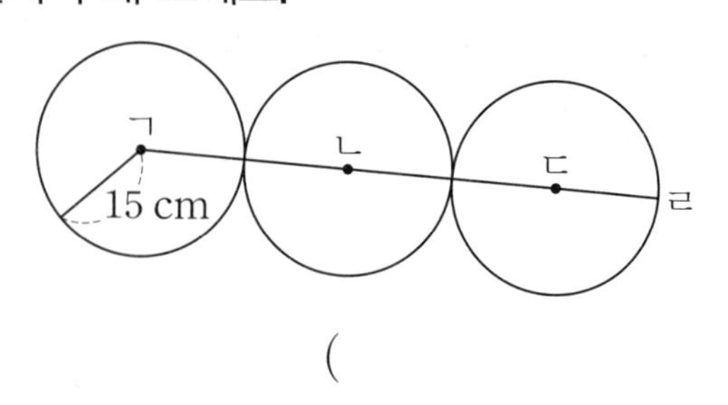

( )

단원평가

4. 분수

3학년 이름 :

날짜 . .

점수

1 색칠한 부분을 분수로 나타내어 보세요.

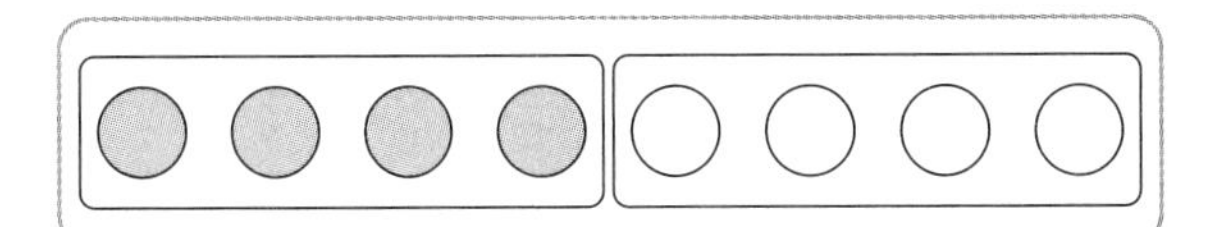

색칠한 부분은 2묶음 중에서 1묶음이므로

전체의 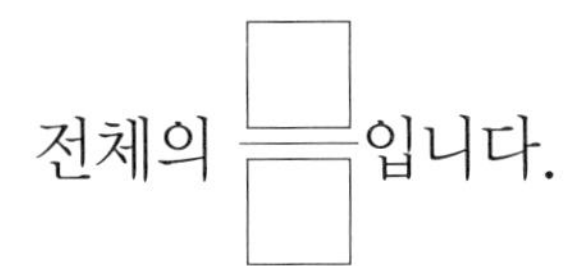 입니다.

2 그림을 보고 □ 안에 알맞은 수를 써넣으세요.

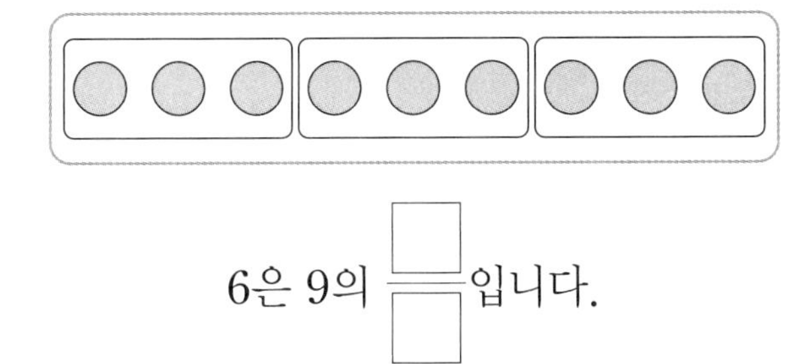

3 ㉠에 알맞은 가분수를 써 보세요.

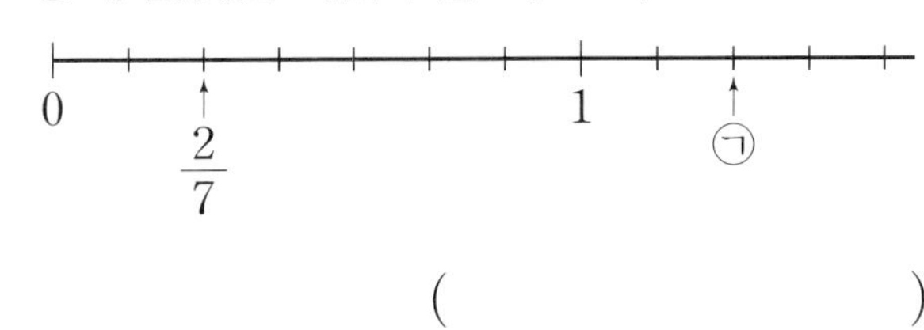

(　　　　　　　　)

4 진분수는 모두 몇 개인가요?

$\frac{7}{4}$　　$1\frac{1}{6}$　　$\frac{4}{5}$　　$\frac{9}{11}$

(　　　　　　　　)

5 다음 분수를 대분수로 나타내어 보세요.

➔ (　　　　　　　　)

6 보기 를 보고 오른쪽 그림을 대분수로 나타내어 보세요.

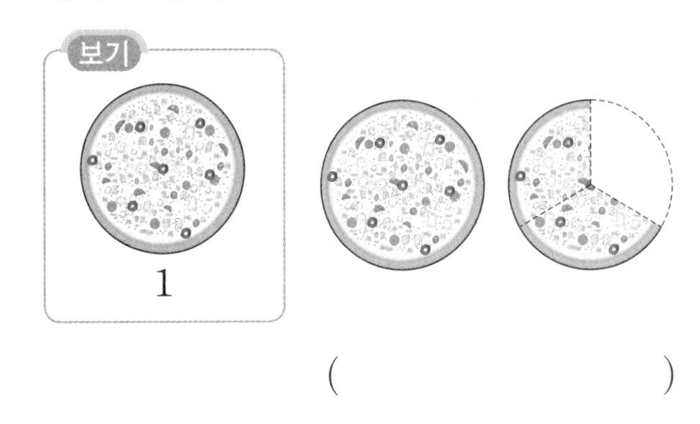

(　　　　　　　　)

7 $\frac{11}{8}$ m만큼 색칠해 보세요.

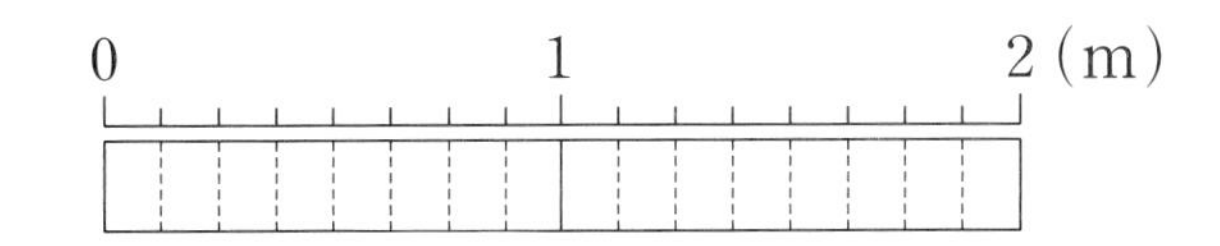

8 바르게 나타낸 것을 찾아 기호를 써 보세요.

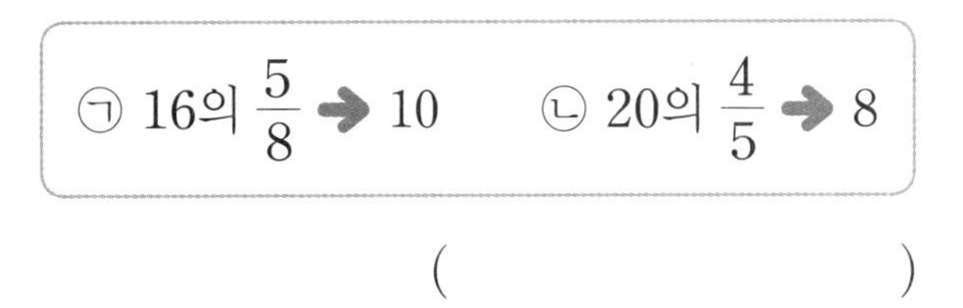

㉠ 16의 $\frac{5}{8}$ ➔ 10　　㉡ 20의 $\frac{4}{5}$ ➔ 8

(　　　　　　　　)

9 그림을 보고 $\frac{3}{5}$ m는 몇 cm인지 구해 보세요.

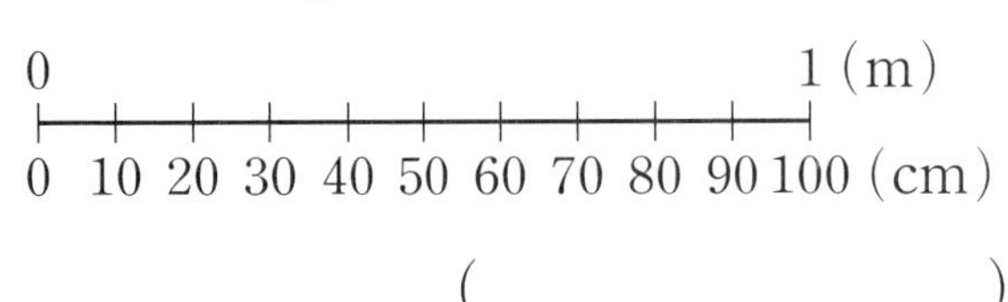

(　　　　　　　　)

10 지혜는 체리 10개의 $\frac{2}{5}$만큼 먹었습니다. 지혜가 먹은 체리는 몇 개인가요?

(　　　　　　　　)

11 0부터 24의 $\frac{3}{8}$만큼 되는 곳을 찾아 기호를 써 보세요.

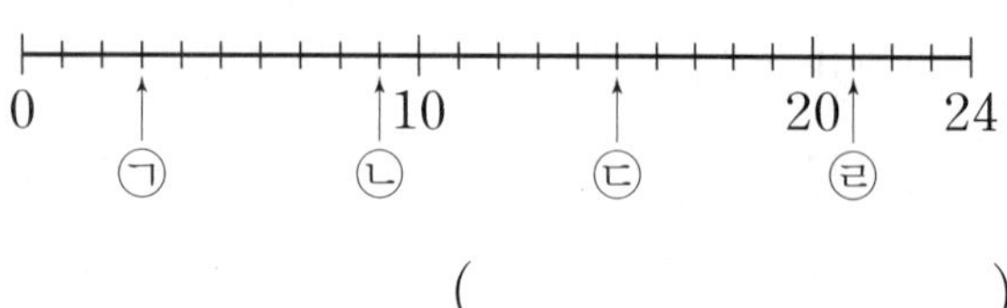

( )

12 ㉠과 ㉡에 알맞은 수를 각각 구해 보세요.

- 30을 6씩 묶으면 18은 30의 $\frac{㉠}{5}$
- 35를 7씩 묶으면 14는 35의 $\frac{㉡}{5}$

㉠ ( ), ㉡ ( )

13 크기를 바르게 비교한 것에 ○표 하세요.

$1\frac{4}{5} < \frac{7}{5}$	$\frac{13}{6} < 2\frac{5}{6}$
( )	( )

14 조건 에 맞게 색칠하여 무늬를 꾸며 보세요.

조건
20의 $\frac{4}{5}$만큼 색칠합니다.

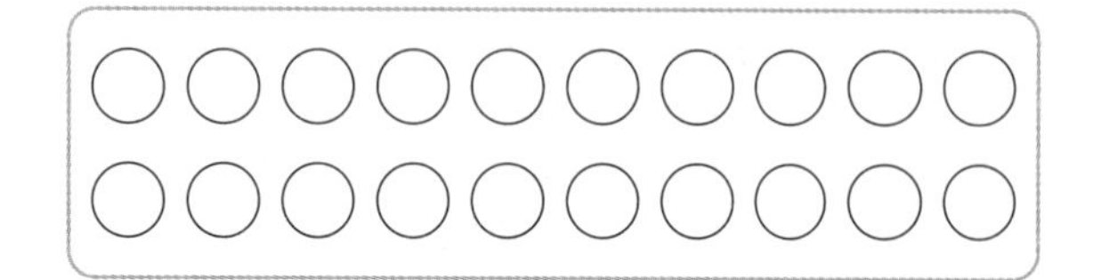

15 철사가 $3\frac{1}{2}$ cm, 실이 $\frac{9}{2}$ cm 있습니다. 철사와 실 중 더 긴 것은 어느 것인가요?

( )

16 분모와 분자의 합이 11이고 가분수인 분수를 찾아 써 보세요.

$\frac{3}{8}$　　$\frac{7}{4}$　　$\frac{9}{5}$

( )

17 수 카드 3장 중에서 2장을 골라 만들 수 있는 가분수를 모두 써 보세요.

2　7　9

( )

18 $1\frac{5}{6}$보다 크고 $\frac{19}{6}$보다 작은 분수는 모두 몇 개인가요?

$2\frac{1}{6}$　　$\frac{17}{6}$　　$3\frac{1}{6}$　　$\frac{7}{6}$

( )

19 □ 안에 알맞은 수를 써넣으세요.

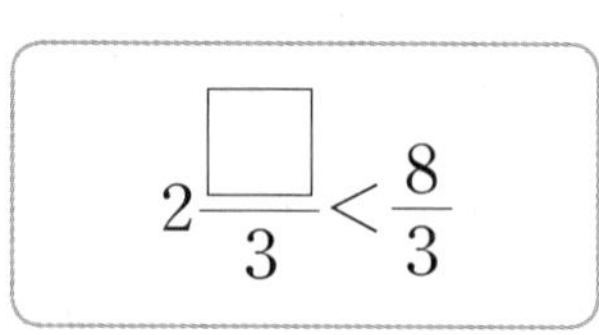
$2\frac{\square}{3} < \frac{8}{3}$

20 수 카드 5장 중에서 2장을 골라 가장 큰 가분수를 만든 후 대분수로 나타내어 보세요.

8　6　9　5　2

( )

단원평가

5. 들이와 무게

3학년 이름 :

날짜 . .
점수

1 무게가 더 무거운 것을 찾아 기호를 써 보세요.

㉠ 지우개 ㉡ 의자

( )

2 알맞은 단위에 ○표 하세요.

욕조의 들이는 110 (mL , L)입니다.

3 주어진 무게를 쓰고, 읽어 보세요.

1 kg 500 g

쓰기

읽기 ( )

4 다음 들이는 몇 mL인가요?

3 L 400 mL

( )

5 무게가 1 t보다 무거운 것을 찾아 기호를 써 보세요.

㉠ 교실 책상 1개 ㉡ 자동차 바퀴 1개
㉢ 트럭 1대 ㉣ 냉장고 1대

( )

6 □ 안에 알맞은 말을 보기 에서 찾아 써넣으세요.

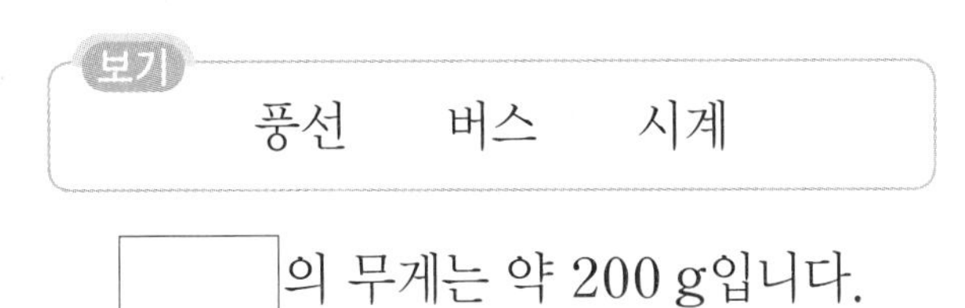

□의 무게는 약 200 g입니다.

7 병 가와 나에 물을 가득 채운 후 모양과 크기가 같은 그릇에 옮겨 담았습니다. 그림과 같이 물을 채웠을 때 병 가와 나 중 들이가 더 많은 것은 어느 것인지 기호를 써 보세요.

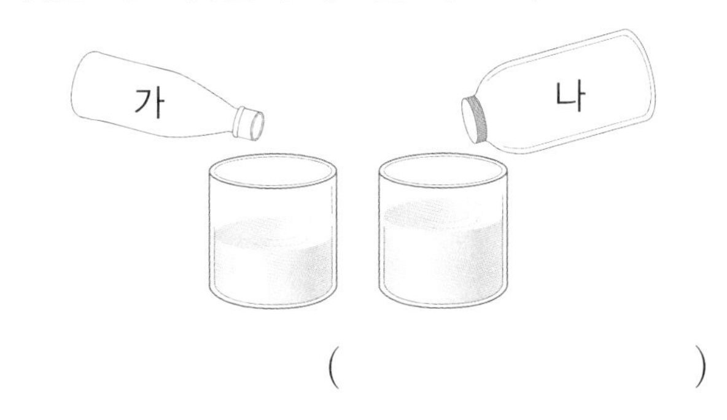

( )

8 물병에 물을 가득 채운 후 비커에 모두 옮겨 담았더니 다음과 같았습니다. 물병의 들이는 몇 mL인가요?

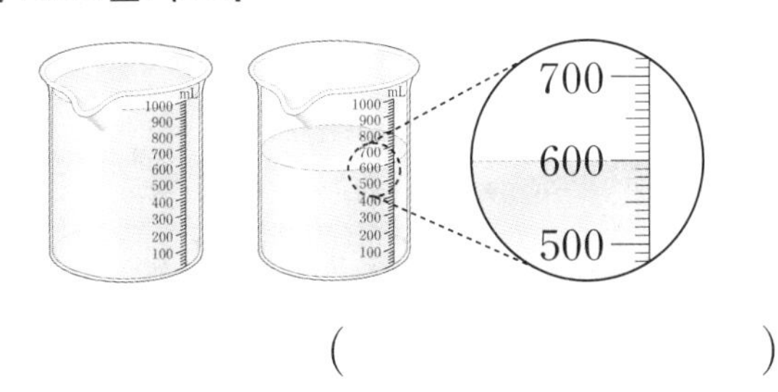

( )

9 두 무게의 합은 몇 kg 몇 g인지 구해 보세요.

4 kg 200 g, 1 kg 700 g

( )

10 이삿짐의 무게는 1000 kg입니다. 이삿짐의 무게는 몇 t인가요?

( )

11 저울과 100원짜리 동전으로 가위와 수첩의 무게를 잰 것입니다. 가위는 수첩보다 100원짜리 동전 몇 개만큼 더 무거운가요?

( )

12 두 무게의 차는 몇 kg 몇 g인지 구해 보세요.

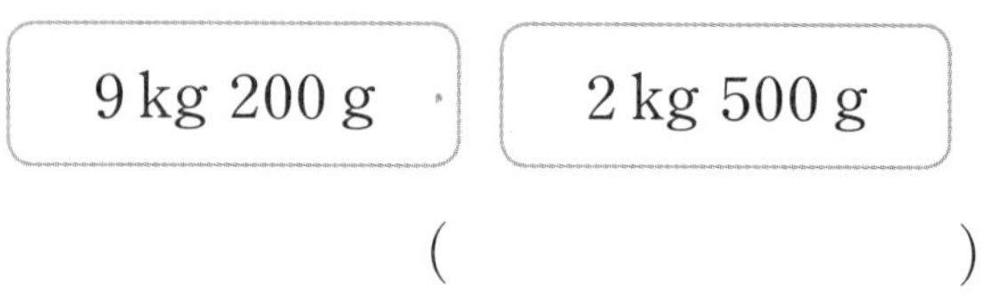

( )

13 들이를 비교하여 ○ 안에 >, =, <를 알맞게 써넣으세요.

1 L 400 mL ◯ 1400 mL

14 주스는 2 L 300 mL, 콜라는 1 L 500 mL 있습니다. 주스와 콜라의 양의 합은 몇 L 몇 mL인가요?

( )

15 저울로 고구마, 당근, 감자의 무게를 비교한 것입니다. 가장 가벼운 것은 무엇인가요?

( )

16 □ 안에 알맞은 수를 써넣으세요.

	□ L	700 mL
+	2 L	□ mL
	7 L	200 mL

17 소고기와 돼지고기의 무게의 합은 18 kg입니다. 소고기가 돼지고기보다 4 kg 더 무겁다면 소고기의 무게는 몇 kg인가요?

( )

18 ㉮, ㉯, ㉰ 컵으로 각각 크기가 같은 수조에 물을 가득 채웠습니다. 들이가 가장 적은 컵은 어느 컵인가요?

㉮ 컵	㉯ 컵	㉰ 컵
4번	5번	3번

( )

19 포도주스 1병은 1000원이고 500 mL입니다. 오렌지주스 1병은 3000원이고 2 L입니다. 3000원으로 더 많은 양의 주스를 사려면 포도주스와 오렌지주스 중 어느 것을 사야 하나요?

( )

20 중기와 유라가 마신 물의 양의 합은 몇 mL인지 구해 보세요.

	중기	유라
마시기 전	2 L 500 mL	2 L
마신 후	1 L 200 mL	1 L 300 mL

( )

5 단원 들이와 무게

단원평가

6. 자료의 정리

3학년 이름 :

날짜 . .

점수

진주네 모둠 학생들이 좋아하는 색깔을 조사하였습니다. 물음에 답해 보세요. (1～2)

좋아하는 색깔

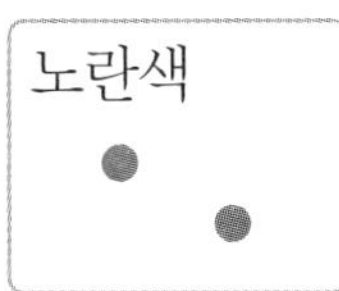

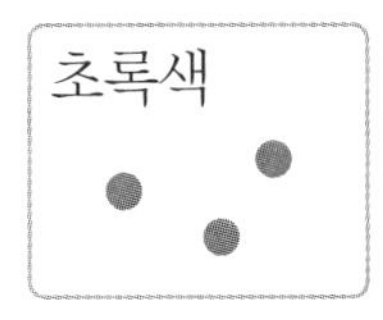

1 초록색을 좋아하는 학생은 몇 명인가요?

( )

2 표를 완성해 보세요.

진주네 모둠 학생들이 좋아하는 색깔

색깔	빨간색	노란색	초록색	합계
학생 수(명)		2		9

지수가 가지고 있는 사탕의 수를 그림그래프로 나타내었습니다. 물음에 답해 보세요. (3～5)

지수가 가지고 있는 사탕의 수

맛	사탕의 수
딸기 맛	
포도 맛	
박하 맛	

10개

1개

3 그림 과 는 각각 몇 개를 나타내고 있나요?

( ), ( )

4 딸기 맛 사탕은 몇 개인가요?

( )

5 가장 많이 가지고 있는 사탕은 어떤 맛인가요?

( )

수희네 반 학생들이 좋아하는 악기를 조사하여 표로 나타내었습니다. 물음에 답해 보세요. (6～8)

수희네 반 학생들이 좋아하는 악기

악기	피아노	플루트	드럼	합계
학생 수(명)	12	4	5	㉠

6 5명이 좋아하는 악기는 무엇인가요?

( )

7 ㉠에 알맞은 수를 구해 보세요.

( )

8 가장 적은 학생들이 좋아하는 악기는 무엇인가요?

( )

경수는 같은 반 학생들이 만든 연을 조사하였습니다. 물음에 답해 보세요. (9～11)

만든 연

방패연 가오리연 오색연

9 경수가 조사한 것은 무엇인가요?

( )

10 경수는 누구를 대상으로 조사하였나요?

( )

11 조사한 자료를 보고 표로 나타내어 보세요.

만든 연

종류	방패연	가오리연	오색연	합계
학생 수(명)				

⏰ 주하네 학교에서 운동회에 참가한 학생 수를 종목별로 조사하여 그림그래프로 나타내었습니다. 물음에 답해 보세요. **(12～14)**

운동회에 참가한 학생 수

종목	학생 수
달리기	
줄다리기	
부채춤	

10명 / 1명

12 가장 적은 학생들이 참가한 종목은 무엇이고, 몇 명인지 차례로 써 보세요.

( ), ( )

13 43명이 참가한 종목은 무엇인가요?

( )

14 운동회에 참가한 학생은 모두 몇 명인가요?

( )

⏰ 햇볕 농장에서 3일 동안 수확한 귤의 양을 조사하여 표로 나타낸 것입니다. 물음에 답해 보세요. **(15～16)**

3일 동안 수확한 귤의 양

일	1일	2일	3일	합계
귤의 양(상자)	27	30	18	75

15 표를 보고 그림그래프로 나타내어 보세요.

3일 동안 수확한 귤의 양

일	귤의 양
1일	
2일	
3일	

◎ 10상자
○ 1상자

16 가장 많이 수확한 날은 가장 적게 수확한 날보다 몇 상자 더 많이 수확했나요?

( )

17 경희네 반 학생들이 좋아하는 간식을 조사하여 표로 나타내었습니다. 남학생과 여학생이 가장 좋아하는 간식은 각각 무엇인지 써 보세요.

경희네 반 학생들이 좋아하는 간식

간식	젤리	과자	빵	합계
남학생 수(명)	3	4	3	10
여학생 수(명)	2	3	7	12

남학생 ( )
여학생 ( )

⏰ 어느 음식점에서 일주일 동안 팔린 김밥 수를 종류별로 조사하여 그림그래프로 나타내었습니다. 물음에 답해 보세요. **(18～20)**

일주일 동안 팔린 김밥 수

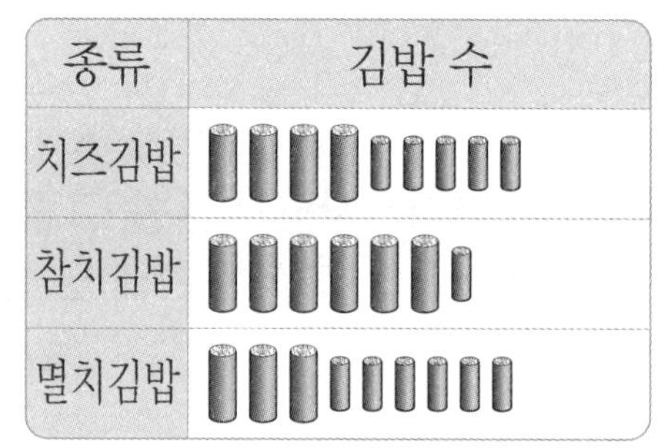

100줄
10줄

18 치즈김밥은 멸치김밥보다 몇 줄 더 많이 팔렸나요? ( )

19 다음 주에는 어떤 김밥을 가장 많이 준비하면 좋을지 써 보세요.

( )

20 위의 그림그래프를 ◎는 100줄, △는 50줄, ○는 10줄로 하여 그림그래프로 나타내어 보세요.

일주일 동안 팔린 김밥 수

종류	김밥 수
치즈김밥	
참치김밥	
멸치김밥	

◎ 100줄
△ 50줄
○ 10줄

3학년 2학기 과정을 모두 끝내셨나요?

한 학기 성취도를 확인해 볼 수 있도록 25문항으로 구성된 평가지입니다.
2학기 내용을 얼마나 이해했는지 평가해 보세요.

차세대 리더

반 .... 이름 ....

총정리

수학 성취도 평가

1단원 ~ 6단원

점수

1 □ 안에 알맞은 말을 써넣으세요.

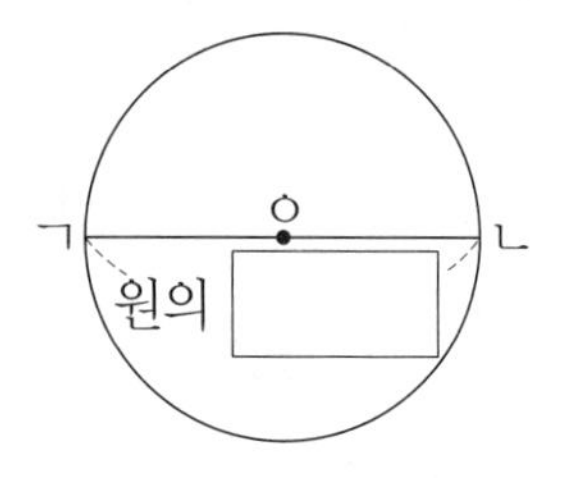

2 □ 안에 알맞은 수를 써넣으세요.

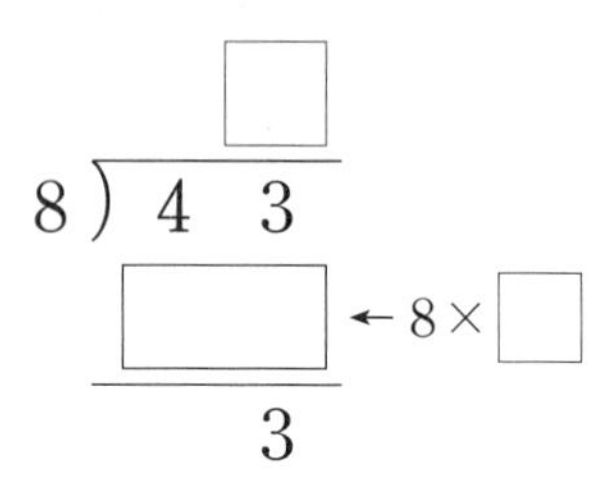

3 계산해 보세요.

652×2

4 물은 몇 mL인가요?

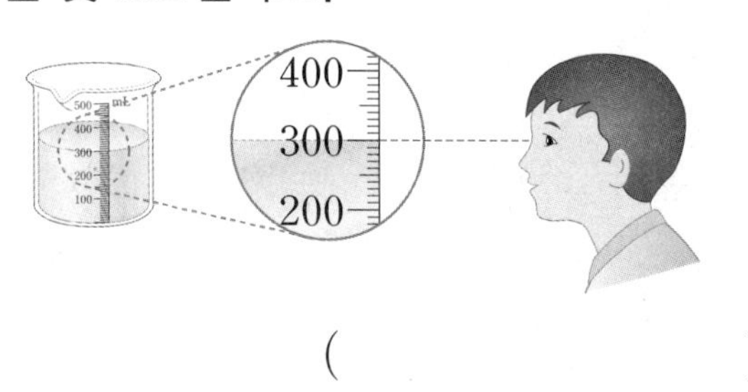

(　　　　　　　　)

5 원에 지름을 3개 그어 보세요.

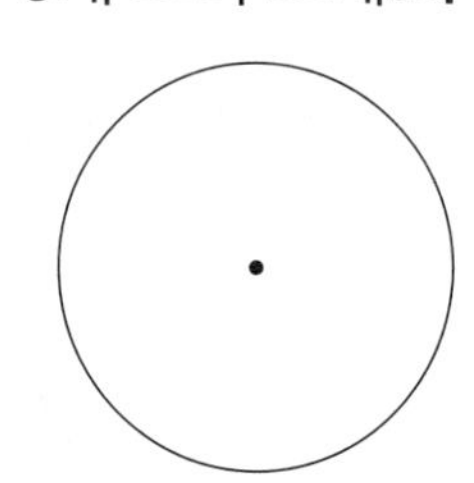

6 □ 안에 알맞은 수를 써넣으세요.

56의 $\frac{3}{8}$은 □입니다.

7 대분수를 가분수로 바르게 나타낸 것에 ○표 하세요.

$3\frac{1}{7}=\frac{20}{7}$	$2\frac{4}{5}=\frac{14}{5}$

8 더 큰 수를 써 보세요.

$\frac{11}{3}$　　$3\frac{1}{3}$

(　　　　　　　　)

9 나머지가 2인 것을 찾아 기호를 써 보세요.

㉠ $43 \div 3$　　㉡ $66 \div 4$

(　　　　　　　　)

10 블루베리가 한 상자에 121개씩 들어 있습니다. 4상자에 들어 있는 블루베리는 모두 몇 개인가요?

(　　　　　　　　)

11 두 무게의 합은 몇 kg 몇 g인가요?

3 kg 700 g　　4 kg 100 g

(　　　　　　)

12 우유가 병에 2 L 100 mL 들어 있습니다. 병에 들어 있는 우유는 몇 mL인가요?

(　　　　　　)

13 연필이 75자루 있습니다. 연필을 3명에게 똑같이 나누어 주려면 한 명에게 몇 자루씩 줄 수 있나요?

(　　　　　　)

영규네 반 학생들이 현장 체험 학습으로 가고 싶어 하는 장소를 조사하여 표로 나타내었습니다. 물음에 답해 보세요. (**14**~**15**)

현장 체험 학습으로 가고 싶어 하는 장소

장소	미술관	박물관	식물원	합계
학생 수(명)	3		7	25

14 박물관에 가고 싶어 하는 학생은 몇 명인가요?

(　　　　　　)

15 가장 많은 학생이 가고 싶어 하는 장소는 어디인가요?

(　　　　　　)

승주네 반 학생들이 좋아하는 과목을 조사하여 표로 나타내었습니다. 물음에 답해 보세요. (**16**~**17**)

좋아하는 과목별 학생 수

과목	국어	수학	영어	합계
학생 수(명)	8	4	14	26

16 표를 보고 그림그래프로 나타내어 보세요.

좋아하는 과목별 학생 수

과목	학생 수
국어	
수학	
영어	

10명　1명

17 좋아하는 학생이 가장 많은 과목부터 순서대로 써 보세요.

(　　　　　　)

서술형

18 어떤 규칙이 있는지 '원의 중심'과 '반지름'을 넣어 설명해 보세요.

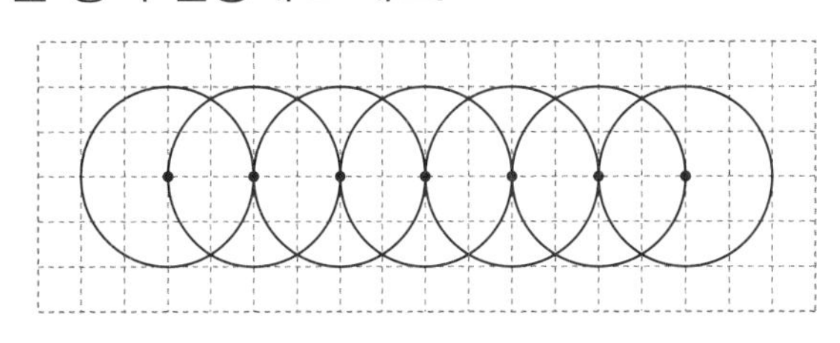

규칙 ________________

19 주어진 모양과 똑같이 그려 보세요.

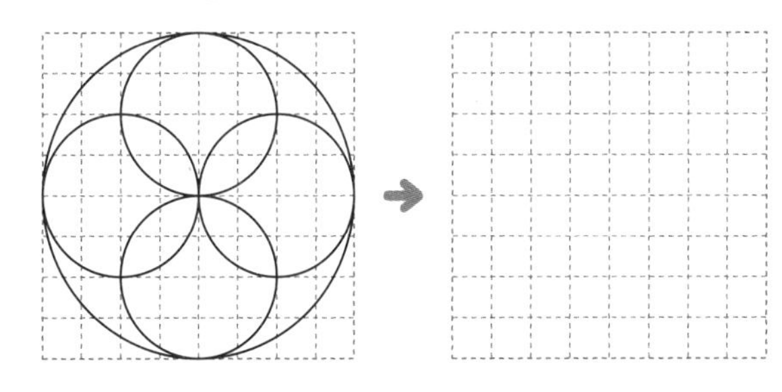

20 두 분수의 크기를 비교하여 빈칸에 더 큰 분수를 써넣으세요.

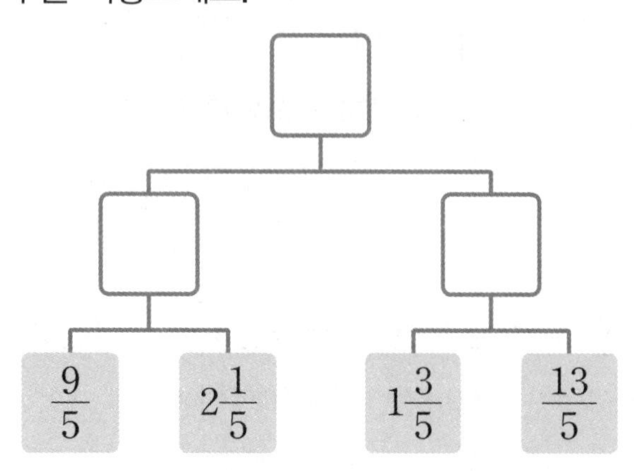

21 아라가 한 달 동안 매주 화요일, 수요일, 금요일에 줄넘기를 각각 80번씩 했습니다. 아라가 한 달 동안 줄넘기를 몇 번 했는지 구해 보세요.

일	월	화	수	목	금	토
	1	2	3	4	5	6
7	8	9	10	11	12	13
14	15	16	17	18	19	20
21	22	23	24	25	26	27
28	29	30	31			

(　　　　　　　　)

서술형

22 현주네 학교 3학년 학생은 한 반에 26명씩 4개 반입니다. 3학년 학생들을 8모둠으로 똑같이 나누어 피구 경기를 한다면 한 모둠은 몇 명으로 해야 하는지 풀이 과정을 쓰고 답을 구해 보세요.

풀이

답 ______________

서술형

23 지혜의 몸무게는 32 kg 100 g이고 동생의 몸무게는 지혜보다 1 kg 300 g 더 가볍습니다. 지혜와 동생의 몸무게의 합은 몇 kg 몇 g인지 풀이 과정을 쓰고 답을 구해 보세요.

풀이

답 ______________

24 수 카드 [7], [4], [3]을 한 번씩만 사용하여 계산 결과가 가장 큰 곱셈식을 만들었을 때, 계산 결과는 얼마인지 구해 보세요.

$\square\square \times 5\square$

(　　　　　　　　)

25 다음과 같이 사각형 안에 반지름이 4 cm인 원 5개를 그렸습니다. 사각형의 네 변의 길이의 합은 몇 cm인가요?

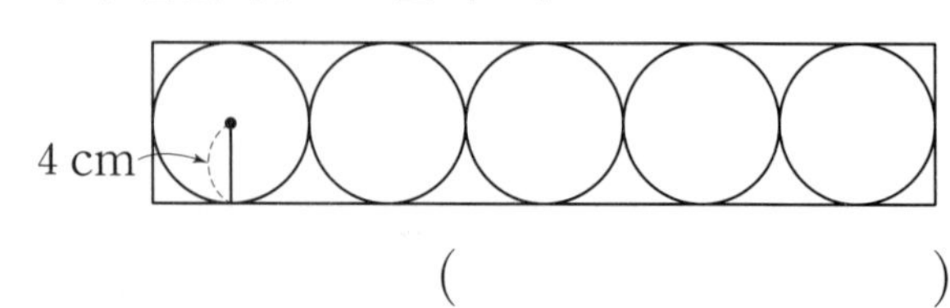

(　　　　　　　　)

용기를 주는

좋은 말

미래를 바꾸는 긍정의 한마디

모든 언행을 칭찬하는 자보다 결점을 친절하게 말해주는 친구를 가까이 하라.

소크라테스(Socrates)

어리석은 사람은 박수에 웃음 짓고 현명한 사람은 비판을 들었을 때 기뻐한다고 합니다. 물론 쓴소리를 들은 직후엔 기분이 좋지 않을 수 있지만, 그 비판이 진심 어린 조언이었다면 여러분의 미래를 바꾸는 터닝포인트가 될 수 있어요.
만약 여러분에게 진심 어린 조언을 해 주는 친구가 있다면 더욱 돈독한 우정을 쌓으세요. 그 친구가 바로 진정한 친구니까요.

험난한 공부 여정의 진정한 친구, 천재교육이 항상 옆을 지켜줄게요.

#난이도별
#천재되는_수학교재

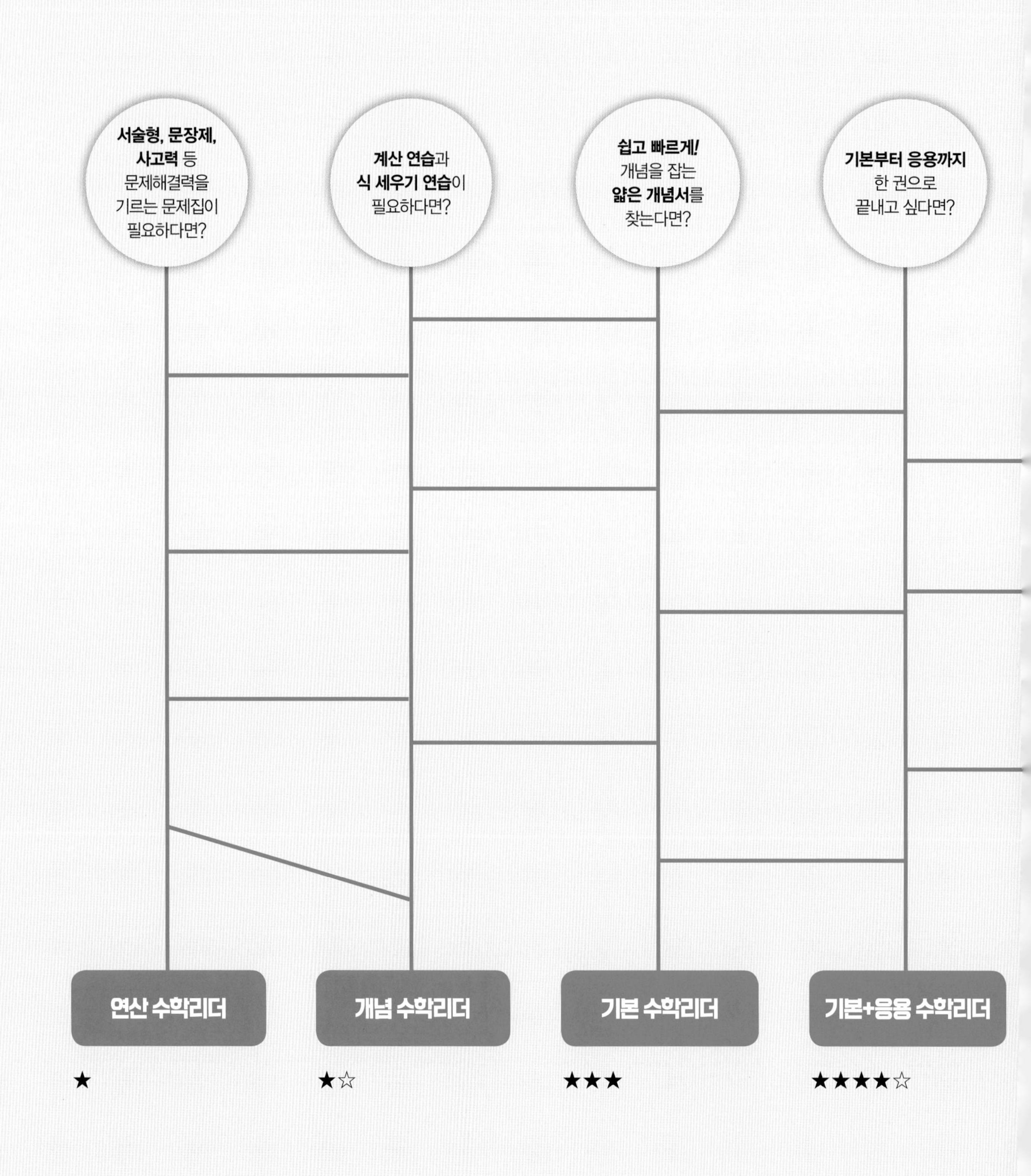

수학리더 유형

해법 천재

BOOK 2

3-2

리더가 되기 위한 공부 비법

라이트 유형서

개념별 유형
+ 꼬리를 무는 유형
+ 수학 독해력 유형
+ 사고력 플러스 유형

천재교육

해법전략
포인트 3가지

- 혼자서도 이해할 수 있는 친절한 문제 풀이
- 참고, 주의 등 자세한 풀이 제시
- 다른 풀이를 제시하여 다양한 방법으로 문제 풀이 가능

정답 및 풀이

1. 곱셈

1 STEP 개념별 유형 6~9쪽

1 428
2 (1) 339 (2) 408
3 640
4 ㉡
5

244	646
284	482

6 $110\times5=550$, 550개
7 234
8 $$\begin{array}{r} {}^{1} \\ 4\,3\,9 \\ \times\;\;2 \\ \hline 8\,7\,8 \end{array}$$
9 (위에서부터) 30, 3, 300, 948
10 672
11 864
12 $215\times4=860$, 860장
13 (선 잇기)
14 $<$
15 $124\times4=496$, 496 m
16 300
17 (1) 546 (2) 5040
18 $172\times4=688$
19 1266
20 879
21 $750\times8=6000$, 6000원
22 하윤
23 843
24 489개

1 214씩 2번 놓으면 백 모형이 4개, 십 모형이 2개, 일 모형이 8개이므로 428입니다.

2 (1) $$\begin{array}{r} 1\,1\,3 \\ \times\;\;3 \\ \hline 3\,3\,9 \end{array}$$ (2) $$\begin{array}{r} 1\,0\,2 \\ \times\;\;4 \\ \hline 4\,0\,8 \end{array}$$

3 $320\times2=640$

4 ㉠ $304\times2=608$

5 $142\times2=284$

7 117씩 2번 놓으면 백 모형이 2개, 십 모형이 2개, 일 모형이 14개인데 일 모형 10개를 십 모형 1개로 바꾸면 백 모형 2개, 십 모형 3개, 일 모형 4개로 234입니다.

주의
일 모형이 10개와 같거나 많으면 일 모형 10개를 십 모형 1개로 바꿔야 합니다.

8 일의 자리의 곱이 10보다 크므로 십의 자리에 올림한 수를 작게 쓰고 십의 자리의 곱과 더합니다.

9 $$\begin{array}{rl} 3\,1\,6 & \\ \times\;\;3 & \\ \hline 1\,8 & \cdots\ 6\times3 \\ 3\,0 & \cdots\ 10\times3 \\ 9\,0\,0 & \cdots\ 300\times3 \\ \hline 9\,4\,8 & \end{array}$$

10 $$\begin{array}{r} {}^{1} \\ 2\,2\,4 \\ \times\;\;3 \\ \hline 6\,7\,2 \end{array}$$

11 216의 4배 ➔ $216\times4=864$

참고
■의 ▲배 ➔ ■×▲
예 216의 4배 ➔ 216×4

12 $$\begin{array}{r} {}^{2} \\ 2\,1\,5 \\ \times\;\;4 \\ \hline 8\,6\,0 \end{array}$$ ➔ 860장

13 $$\begin{array}{r} {}^{4} \\ 1\,0\,8 \\ \times\;\;6 \\ \hline 6\,4\,8 \end{array}$$ $$\begin{array}{r} {}^{2} \\ 2\,1\,7 \\ \times\;\;3 \\ \hline 6\,5\,1 \end{array}$$

14 $$\begin{array}{r} {}^{1} \\ 3\,1\,8 \\ \times\;\;2 \\ \hline 6\,3\,6 \end{array}$$

15 $$\begin{array}{r} {}^{1} \\ 1\,2\,4 \\ \times\;\;4 \\ \hline 4\,9\,6 \end{array}$$ ➔ 496 m

16 $80\times4=320$이므로 백의 자리로 300을 올림한 것입니다.

17 (1) $$\begin{array}{r} {}^{1} \\ 2\,7\,3 \\ \times\;\;2 \\ \hline 5\,4\,6 \end{array}$$ (2) $$\begin{array}{r} {}^{5} \\ 5\,6\,0 \\ \times\;\;9 \\ \hline 5\,0\,4\,0 \end{array}$$

18 172를 4번 더하면 172×4입니다.
➔ $172\times4=688$

19 $$\begin{array}{r} 4\,2\,2 \\ \times\;\;3 \\ \hline 1\,2\,6\,6 \end{array}$$

20 $$\begin{array}{r} {}^{2} \\ 2\,9\,3 \\ \times\;\;3 \\ \hline 8\,7\,9 \end{array}$$

21 $$\begin{array}{r} {}^{4} \\ 7\,5\,0 \\ \times\;\;8 \\ \hline 6\,0\,0\,0 \end{array}$$

22 시우: $$\begin{array}{r} {}^{1} \\ 6\,4\,2 \\ \times\;\;3 \\ \hline 1\,9\,2\,6 \end{array}$$

23 원에 적힌 수: 281, 3 ➔ 281×3=843

24 163×3=489(개)

개념 1 ~ 3 기초력 집중 연습 10쪽

1 484	2 384	3 650
4 528	5 1757	6 5688
7 806	8 270	9 3780
10 810	11 856	12 378

13 (왼쪽부터) 1008, 926

1 $\begin{array}{ccccc} & & 1 & 2 & 1 \\ \times & & & & 4 \\ \hline & & 4 & 8 & 4 \end{array}$

2 $\begin{array}{ccccc} & & & {}^{2} & \\ & & 1 & 2 & 8 \\ \times & & & & 3 \\ \hline & & 3 & 8 & 4 \end{array}$

3 $\begin{array}{ccccc} & & & {}^{1} & \\ & & 3 & 2 & 5 \\ \times & & & & 2 \\ \hline & & 6 & 5 & 0 \end{array}$

4 $\begin{array}{ccccc} & & {}^{1} & & \\ & & 1 & 3 & 2 \\ \times & & & & 4 \\ \hline & & 5 & 2 & 8 \end{array}$

5 $\begin{array}{ccccc} & & {}^{3} & & \\ & & 2 & 5 & 1 \\ \times & & & & 7 \\ \hline & 1 & 7 & 5 & 7 \end{array}$

6 $\begin{array}{ccccc} & & 7 & 1 & 1 \\ \times & & & & 8 \\ \hline & 5 & 6 & 8 & 8 \end{array}$

7 $\begin{array}{ccccc} & & 4 & 0 & 3 \\ \times & & & & 2 \\ \hline & & 8 & 0 & 6 \end{array}$

8 $\begin{array}{ccccc} & & & {}^{1} & \\ & & 1 & 3 & 5 \\ \times & & & & 2 \\ \hline & & 2 & 7 & 0 \end{array}$

9 $\begin{array}{ccccc} & & {}^{1} & & \\ & & 4 & 2 & 0 \\ \times & & & & 9 \\ \hline & 3 & 7 & 8 & 0 \end{array}$

10 $\begin{array}{ccccc} & & {}^{2} & & \\ & & 2 & 7 & 0 \\ \times & & & & 3 \\ \hline & & 8 & 1 & 0 \end{array}$

11 $\begin{array}{ccccc} & & & {}^{1} & \\ & & 4 & 2 & 8 \\ \times & & & & 2 \\ \hline & & 8 & 5 & 6 \end{array}$

12 $\begin{array}{ccccc} & & & {}^{1} & \\ & & 1 & 2 & 6 \\ \times & & & & 3 \\ \hline & & 3 & 7 & 8 \end{array}$

122×3　126×3

378　366

13 $\begin{array}{ccccc} & & {}^{1} & & \\ & & 4 & 6 & 3 \\ \times & & & & 2 \\ \hline & & 9 & 2 & 6 \end{array}$　$\begin{array}{ccccc} & & {}^{2} & & \\ & & 2 & 5 & 2 \\ \times & & & & 4 \\ \hline & 1 & 0 & 0 & 8 \end{array}$

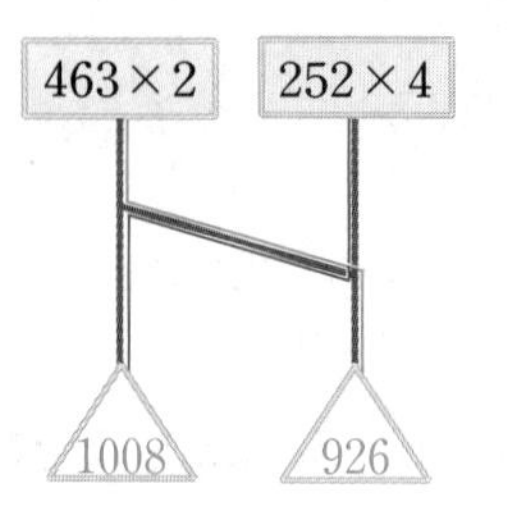

유형 진단 TEST 11쪽

1 (　)(○)

2 ㉠, 678

3 150×7=1050, 1050번

4 예 2000 / 410×5=2050

5 예 클립이 한 상자에 423개씩 들어 있습니다. 2상자에 들어 있는 클립은 모두 몇 개인가요?
/ 예 846개

6 (위에서부터) 4, 6

1 $\begin{array}{ccccc} & & & {}^{1} & \\ & & 5 & 0 & 8 \\ \times & & & & 2 \\ \hline & 1 & 0 & 1 & 6 \end{array}$　$\begin{array}{ccccc} & & {}^{1} & & \\ & & 3 & 4 & 2 \\ \times & & & & 3 \\ \hline & 1 & 0 & 2 & 6 \end{array}$

2 ㉠ $\begin{array}{ccccc} & & & {}^{1} & \\ & & 2 & 2 & 6 \\ \times & & & & 3 \\ \hline & & 6 & 7 & 8 \end{array}$　㉡ $\begin{array}{ccccc} & & 3 & 1 & 4 \\ \times & & & & 2 \\ \hline & & 6 & 2 & 8 \end{array}$

3 일주일은 7일이므로 150×7=1050(번)입니다.

4 어림 410을 400으로 어림하여 계산하면 400×5=2000입니다.
410을 5번 더했으므로 곱셈식으로 나타내면 410×5=2050입니다.

5 423×2=846

6 $\begin{array}{ccccc} & & 2 & ㉠ & 1 \\ \times & & & & 7 \\ \hline & 1 & ㉡ & 8 & 7 \end{array}$

㉠×7의 일의 자리 숫자가 8이고 4×7=28이므로 ㉠에 알맞은 수는 4입니다.
2×7=14, 14+2=16 ➔ ㉡=6

1 STEP 개념별 유형 12~17쪽

1 10, 10, 3500　　2 1200

3 $50\times30=1500$, 1500원

4 240　　5 240

6 10, 10

7 | $38\times40=152$ | $43\times30=1290$ |

8 1980, 1020　　9 $18\times30=540$, 540개

10 (위에서부터) 35, 20, 135

11 212　　12 172

13 208　　14 예

$$\begin{array}{r} 3 \\ \times\ 5\ 4 \\ \hline 1\ 2 \\ 1\ 5\ 0 \\ \hline 1\ 6\ 2 \end{array}$$

15 105　　16 270

17 $9\times21=189$, 189 cm

18 (위에서부터) 8, 0, 10, 351

19 (1) 224 (2) 735　　20 6, 150, 90, 240

21 (선 잇기)　　22 귤

23 $52\times13=676$, 676개

24 ④　　25 (1) 1696 (2) 510

26 1352　　27 (○) (　)

28 2541　　29 864

30 ＞　　31 ㉡

32 $35\times24=840$, 840개

33 $45\times20=900$, 900

34 $4\times18=72$, 72

35 $14\times75=1050$, 1050 kg

36 $884\times8=7072$, 7072원

37 27개

38 351개

2 $30\times40=1200$

3 $50\times30=1500$(원)

6 곱해지는 수가 같을 때 곱하는 수가 10배가 되면 계산 결과도 10배가 됩니다.

7 $38\times40=1520$

8 $33\times60=1980$, $17\times60=1020$

9 $18\times30=540$(개)

10
$$\begin{array}{r} 5 \\ \times\ 2\ 7 \\ \hline 3\ 5 \\ 1\ 0\ 0 \\ \hline 1\ 3\ 5 \end{array} \begin{array}{l} \\ \\ \cdots 5\times7 \\ \cdots 5\times20 \\ \\ \end{array}$$

11
$$\begin{array}{r} {}^{1}\ \ \\ 4 \\ \times\ 5\ 3 \\ \hline 2\ 1\ 2 \end{array}$$

12
$$\begin{array}{r} {}^{1}\ \ \\ 2 \\ \times\ 8\ 6 \\ \hline 1\ 7\ 2 \end{array}$$

13
$$\begin{array}{r} {}^{4}\ \ \\ 8 \\ \times\ 2\ 6 \\ \hline 2\ 0\ 8 \end{array}$$

14 십의 자리의 계산에서 $3\times50=150$입니다.

15 $7\times15=105$

16 가장 작은 수: 6, 가장 큰 수: 45
➡ $6\times45=270$

17 $9\times21=189$ (cm)

18
$$\begin{array}{r} 2\ 7 \\ \times\ 1\ 3 \\ \hline 8\ 1 \\ 2\ 7\ 0 \\ \hline 3\ 5\ 1 \end{array} \begin{array}{l} \\ \\ \cdots 27\times3 \\ \cdots 27\times10 \\ \\ \end{array}$$

19 (1)
$$\begin{array}{r} 1\ 6 \\ \times\ 1\ 4 \\ \hline 6\ 4 \\ 1\ 6\ 0 \\ \hline 2\ 2\ 4 \end{array}$$

(2)
$$\begin{array}{r} 3\ 5 \\ \times\ 2\ 1 \\ \hline 3\ 5 \\ 7\ 0\ 0 \\ \hline 7\ 3\ 5 \end{array}$$

21
$$\begin{array}{r} 5\ 1 \\ \times\ 1\ 2 \\ \hline 1\ 0\ 2 \\ 5\ 1\ 0 \\ \hline 6\ 1\ 2 \end{array} \qquad \begin{array}{r} 1\ 4 \\ \times\ 2\ 3 \\ \hline 4\ 2 \\ 2\ 8\ 0 \\ \hline 3\ 2\ 2 \end{array}$$

22 귤: $18\times15=270$(개)
$250<270$이므로 더 많은 것은 귤입니다.

23 $52\times13=676$(개)

24 □ 안의 숫자끼리의 곱은 실제로 20×40이므로 800을 나타냅니다.

주의
27의 2는 십의 자리 숫자이므로 20, 43의 4는 십의 자리 숫자이므로 40을 나타냅니다.

25 (1)
$$\begin{array}{r} 5\,3 \\ \times\ 3\,2 \\ \hline 1\,0\,6 \\ 1\,5\,9\,0 \\ \hline 1\,6\,9\,6 \end{array}$$
(2)
$$\begin{array}{r} 1\,5 \\ \times\ 3\,4 \\ \hline 6\,0 \\ 4\,5\,0 \\ \hline 5\,1\,0 \end{array}$$

26
$$\begin{array}{r} 2\,6 \\ \times\ 5\,2 \\ \hline 5\,2 \\ 1\,3\,0\,0 \\ \hline 1\,3\,5\,2 \end{array}$$

27
$$\begin{array}{r} 3\,5 \\ \times\ 2\,9 \\ \hline 3\,1\,5 \\ 7\,0\,0 \\ \hline 1\,0\,1\,5 \end{array}$$

28
$$\begin{array}{r} 3\,3 \\ \times\ 7\,7 \\ \hline 2\,3\,1 \\ 2\,3\,1\,0 \\ \hline 2\,5\,4\,1 \end{array}$$

29
$$\begin{array}{r} 2\,4 \\ \times\ 3\,6 \\ \hline 1\,4\,4 \\ 7\,2\,0 \\ \hline 8\,6\,4 \end{array}$$

30 $39\times24=936$ ➔ $936>930$

31 ㉠ $85\times28=2380$
㉡ $46\times52=2392$
따라서 계산 결과가 2390보다 큰 것은 ㉡ 46×52입니다.

32 $35\times24=840$(개)

33 (멸치의 수)
=(한 봉지에 들어 있는 멸치의 수)×(봉지 수)
$=45\times20=900$(마리)

34 (사탕의 수)
=(한 상자에 들어 있는 사탕의 수)×(상자 수)
$=4\times18=72$(개)

35 (상자 75개의 무게)
=(상자 1개의 무게)×(상자의 수)
$=14\times75=1050$ (kg)

37 객실 한 량의 좌석은 27개입니다.

38 $27\times13=351$(개)

개념 4 ~ 9 기초력 집중 연습 18쪽

1 372	2 434	3 170
4 377	5 552	6 910
7 3200	8 1350	9 925
10 2000	11 816	
12 1100	13 777	

1
$$\begin{array}{r} {}^{1}\ \ \\ 4 \\ \times\ 9\,3 \\ \hline 3\,7\,2 \end{array}$$

2
$$\begin{array}{r} {}^{1}\ \ \\ 7 \\ \times\ 6\,2 \\ \hline 4\,3\,4 \end{array}$$

3
$$\begin{array}{r} {}^{2}\ \ \\ 5 \\ \times\ 3\,4 \\ \hline 1\,7\,0 \end{array}$$

4
$$\begin{array}{r} 2\,9 \\ \times\ 1\,3 \\ \hline 8\,7 \\ 2\,9\,0 \\ \hline 3\,7\,7 \end{array}$$

5
$$\begin{array}{r} 2\,4 \\ \times\ 2\,3 \\ \hline 7\,2 \\ 4\,8\,0 \\ \hline 5\,5\,2 \end{array}$$

6
$$\begin{array}{r} 3\,5 \\ \times\ 2\,6 \\ \hline 2\,1\,0 \\ 7\,0\,0 \\ \hline 9\,1\,0 \end{array}$$

9
$$\begin{array}{r} 3\,7 \\ \times\ 2\,5 \\ \hline 1\,8\,5 \\ 7\,4\,0 \\ \hline 9\,2\,5 \end{array}$$

11
$$\begin{array}{r} 6\,8 \\ \times\ 1\,2 \\ \hline 1\,3\,6 \\ 6\,8\,0 \\ \hline 8\,1\,6 \end{array}$$

12 $55\times2=110$
$55\times20=1100$ ➔ 1100개

13
$$\begin{array}{r} 3\,7 \\ \times\ 2\,1 \\ \hline 3\,7 \\ 7\,4\,0 \\ \hline 7\,7\,7 \end{array}$$
➔ 777개

유형 진단 TEST 19쪽

1 16, 40
2 시우
3 $14\times15=210$, 210개
4 예 방법1
$$\begin{array}{r} 5 \\ \times\ 1\,8 \\ \hline 4\,0 \\ 5\,0 \\ \hline 9\,0 \end{array}$$
방법2
$$\begin{array}{r} {}^{4}\ \ \\ 1\,8 \\ \times\ \ \ 5 \\ \hline 9\,0 \end{array}$$
/ 90개
5 3
6 (1) 72 (2) 2160

1 • $80\times20=1600$ ➔ ㉠$=16$
• $80\times50=4000$ ➔ ㉡$=40$

2 다온: $43\times28=1204$
따라서 바르게 계산한 사람은 시우입니다.

3 $14\times15=210$(개)

4 **참고**

곱하는 두 수를 서로 바꾸어 곱해도 계산 결과는 같습니다.
➔ 5×18과 18×5는 같습니다.

5 4×8=32이므로 십의 자리로 30을 올림합니다.
15−3=12이므로 4×□=12, □=3입니다.

6 (1) 어떤 수를 □라 하면
□−30=42, □=42+30=72입니다.
(2) 어떤 수는 72이므로 바르게 계산한 값은
72×30=2160입니다.

2 STEP 꼬리를 무는 유형 20~21쪽

1 393　　2 620
3 789 m　　4 18
5 7
6 3개
7 36
8 848 cm
9 387 cm
10 744 cm
11 예 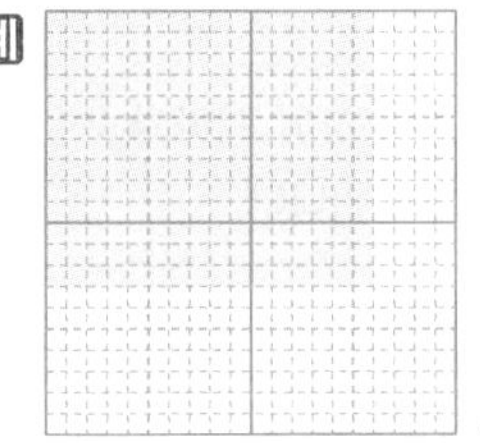 / 208
12 23, 782

1 131씩 3번 ➔ 131×3=393

2 124씩 5번 ➔ 124×5=620

3 263 m씩 3번 ➔ 263×3=789 (m)
따라서 ㉠의 거리는 789 m입니다.

4 20×90=1800 ➔ ♥=18

5 60×㉠0=4200
➔ 6×㉠=42에서 6×7=42이므로 ㉠=7입니다.

6 40×50=2000 ➔ 3개

7 90×40=3600
➔ 잉크가 묻은 곳에 알맞은 수: 36

8 (네 변의 길이의 합)=212×4=848 (cm)

참고

정사각형은 네 변의 길이가 모두 같습니다.

9 (세 변의 길이의 합)=129×3=387 (cm)

참고

세 변의 길이가 같은 삼각형을 정삼각형이라고 합니다.

10 (벽지의 네 변의 길이의 합)=186×4=744 (cm)

11 16×13=208

12 30×20과 4×20 → 34×20
30×3과 4×3 → 34×3 ➔ 34×23
따라서 색칠한 전체 모눈의 수를 곱셈식으로 나타내면 34×23=782입니다.

3 STEP 수학 독해력 유형 22~23쪽

독해력 유형 1 ❶ 93명 ❷ 1209개
쌍둥이 유형 1-1 1188개
독해력 유형 2 ❶ 7 ❷ 6
쌍둥이 유형 2-1 9, 8

독해력 유형 1 ❶ 23+25+24+21=93(명)
❷ 93×13=1209(개)

쌍둥이 유형 1-1 ❶ (3학년 전체 학생 수)
=26+25+23+25
=99(명)
❷ (필요한 쇠구슬 수)=99×12=1188(개)

독해력 유형 2 ❶ ㉠ → 2번 곱해지는 수
× 5 ㉡

㉠은 ㉠×㉡, ㉠×50으로 2번 곱해지는 수이므로 ㉠에 알맞은 수는 수 카드의 수 중 가장 큰 수입니다.
➔ 7>6>3>2이므로 ㉠에 알맞은 수는 7입니다.
❷ ㉡에 알맞은 수는 두 번째로 큰 수인 6입니다.

쌍둥이 유형 2-1 ❶ ㉠은 ㉠×㉡, ㉠×70으로 2번 곱해지는 수이므로 ㉠에 알맞은 수는 가장 큰 수입니다.
➔ 9>8>4>3이므로 ㉠에 알맞은 수는 9입니다.
❷ ㉡에 알맞은 수는 두 번째로 큰 수인 8입니다.

4 STEP 사고력 플러스 유형 24~27쪽

1-1 예
$$\begin{array}{r} 4 \\ \times 7\ 3 \\ \hline 1\ 2 \\ 2\ 8\ 0 \\ \hline 2\ 9\ 2 \end{array}$$

1-2 예
$$\begin{array}{r} 2\ 6 \\ \times 1\ 3 \\ \hline 7\ 8 \\ 2\ 6\ 0 \\ \hline 3\ 3\ 8 \end{array}$$

1-3 ㉡, 1146
2-1 864
2-2 2001
2-3 1500
2-4 1960
3-1 468
3-2 525
3-3 1365
4-1 1215
4-2 예 100이 9개, 10이 2개, 1이 5개인 수: 925
➔ 925×7=6475 답 6475
4-3 387
5-1 630분
5-2 예 월요일, 수요일, 금요일은 모두 13일입니다.
➔ (지수가 한 달 동안 외운 영어 단어 수)
=15×13=195(개) 답 195개
6-1 568
6-2 예 (방울토마토 18개의 열량)
=9×18=162 (킬로칼로리)
➔ (서아가 먹은 간식의 열량)
=225+162=387 (킬로칼로리) 답 387
7-1 단계1 8 단계2 4, 6
7-2 7, 3, 4
8-1 단계1 5 단계2 41 단계3 5, 41
단계4 205
8-2 3007

1-1 4×7은 4×70을 나타냅니다.

1-3 ㉡
$$\begin{array}{r} {}^{1} \\ 5\ 7\ 3 \\ \times \quad 2 \\ \hline 1\ 1\ 4\ 6 \end{array}$$

2-1 432>428>387 ➔ 432×2=864

2-2 87>74>72 ➔ 87×23=2001

2-3 50>45>30 ➔ 50×30=1500

2-4 98>42>20 ➔ 98×20=1960

3-1 26을 18번 더한 값은 26×18과 같습니다.
➔ ㉠=26×18=468

3-2 21을 25번 더한 값은 21×25와 같습니다.
➔ ㉠=21×25=525

3-3 273을 5번 더한 값은 273×5와 같습니다.
➔ 273×5=1365

4-1 100이 2개, 10이 4개, 1이 3개인 수: 243
➔ 243×5=1215

4-2 평가 기준
설명하는 수를 구해 7배를 구했으면 정답입니다.

4-3 백 모형 1개 → 100
십 모형 2개 → 20
일 모형 9개 → 9
129
➔ 129×3=387

5-1 화요일, 수요일, 목요일은 모두 14일입니다.
➔ (문규가 한 달 동안 수영을 한 시간)
=45×14=630(분)

5-2 평가 기준
월요일, 수요일, 금요일은 모두 며칠인지 구해 지수가 한 달 동안 외운 영어 단어는 모두 몇 개인지 바르게 구했으면 정답입니다.

6-1 (송편 12개의 열량)=43×12=516 (킬로칼로리)
➔ (지호가 먹은 간식의 열량)
=516+52=568 (킬로칼로리)

6-2 평가 기준
방울토마토 18개의 열량을 구하여 서아가 먹은 간식의 열량을 바르게 구했으면 정답입니다.

7-1 단계1 곱이 가장 큰 곱셈식을 만들려면 십의 자리에 가장 큰 수인 8을 놓아야 합니다.
단계2 84×36=3024, 86×34=2924
따라서 3024>2924이므로 ㉡=4, ㉢=6입니다.

7-2 곱이 가장 큰 곱셈식을 만들려면 십의 자리에 가장 큰 수인 7을 놓아야 합니다.
73×64=4672, 74×63=4662
따라서 4672>4662이므로 계산 결과가 가장 큰 곱셈식은 73×64입니다.

8-1 단계1 23−18=5
단계2 23+18=41
단계4 5×41=205

8-2 64−33=31, 64+33=97
➔ ㉠★㉡=31×97=3007

유형 TEST 28~30쪽

1 30×2에 ○표
2
```
    2
  2 2 7
×     3
  6 8 1
```
3 3600
4 350
5 ㉠
6 (　　) (○)
7 316×6=1896
8 4500원
9 1280
10

280	480
840	226

11 <
12 255개
13 (위에서부터) 588, 252
14 1440분
15 ㉢
16 8
17 예 ❶ 100이 4개, 10이 5개, 1이 6개인 수: 456
❷ ➔ 456×9=4104 답 4104
18 예 ❶ 화요일, 수요일, 토요일은 모두 12일입니다.
❷ ➔ (혜리가 한 달 동안 읽은 동화책 쪽수)
=37×12=444(쪽) 답 444쪽
19 예 ❶ (찐 고구마 2개의 열량)
=154×2=308 (킬로칼로리)
❷ ➔ (시우가 먹은 간식의 열량)
=262+308=570 (킬로칼로리)
답 570
20 예 ❶ 곱이 가장 큰 곱셈식을 만들려면 십의 자리에 가장 큰 수인 9를 놓아야 합니다.
➔ ㉠=9
❷ 95×43=4085, 93×45=4185
❸ 따라서 계산 결과가 가장 큰 곱셈식은 93×45입니다. ➔ ㉡=3, ㉢=5 답 9, 3, 5

1 437에서 숫자 3은 30을 나타냅니다. ➔ 30×2

2 7×3=21이므로 십의 자리로 20을 올림합니다.

3 40×90=3600

4
```
    1 4
  × 2 5
    7 0
  2 8 0
  3 5 0
```

5 ㉠ 6×66=396 ㉡ 122×3=366

6 45×60=2700

7 316을 6번 더한 것은 316×6입니다.
➔ 316×6=1896

참고
■+■+……+■+■ ➔ ■×▲
(▲번)

8 (사탕 50개의 값)=90×50=4500(원)

9 16의 80배 ➔ 16×80=1280

10 240×2=480이므로 480을 찾아 색칠합니다.

11 9×27=243 ➔ 240<243

12 (15상자에 들어 있는 나무토막의 수)
=17×15=255(개)

13
```
    2         4
    7         7
× 8 4     × 3 6
5 8 8     2 5 2
```

14 24×60=1440(분)

15 ㉠ 12×27=324 ㉡ 25×16=400
㉢ 202×2=404

16 3×6=18, 8×6=48에서 □ 안에 들어갈 수 있는 수는 3 또는 8입니다.

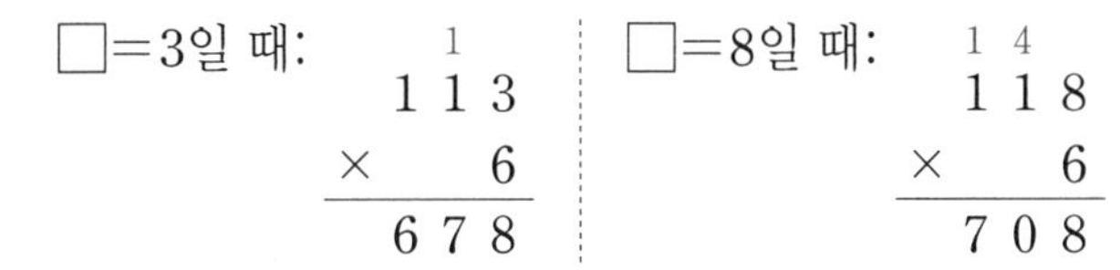
```
□=3일 때:   1          □=8일 때:   1 4
          1 1 3                  1 1 8
        ×     6                ×     6
          6 7 8                  7 0 8
```
따라서 □ 안에 알맞은 수는 8입니다.

17 채점 기준

❶ 설명하는 수를 구함.	2점	5점
❷ 설명하는 수의 9배를 구함.	3점	

18 채점 기준

❶ 화요일, 수요일, 토요일은 모두 며칠인지 구함.	2점	5점
❷ 혜리가 한 달 동안 읽은 동화책은 모두 몇 쪽인지 구함.	3점	

19 채점 기준

❶ 찐 고구마 2개의 열량을 구함.	3점	5점
❷ 시우가 먹은 간식의 열량을 구함.	2점	

20 채점 기준

❶ ㉠에 알맞은 수를 구함.	1점	5점
❷ ㉠을 알 때 만들 수 있는 곱셈식을 앎.	2점	
❸ ㉡, ㉢에 알맞은 수를 구함.	2점	

앞 단원 유형 다시 보기 31쪽

1 (   ) (○) (   ) 2 ㉡
3 0.7 m 4 $\frac{1}{3}$

1 전체를 똑같이 4로 나눈 것 중의 3만큼 색칠한 것을 찾습니다.

2 ㉠ 1.4<1.8

3 $\frac{7}{10}$ m=0.7 m

4 단위분수이므로 분자는 1입니다. 분자가 1인 분수 중 $\frac{1}{4}$보다 크고 $\frac{1}{2}$보다 작은 단위분수의 분모는 3이므로 조건을 모두 만족하는 분수는 $\frac{1}{3}$입니다.

재미있는 창의·융합·코딩 32~33쪽

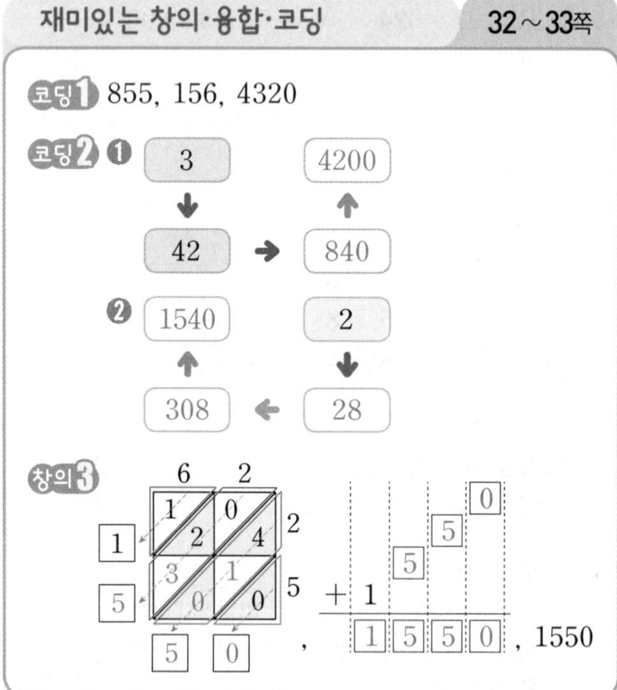

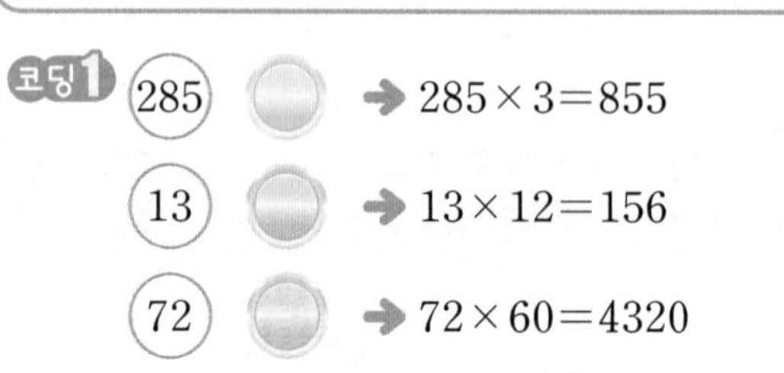

코딩2 ❶ 42×20=840, 840×5=4200
❷ 2×14=28, 28×11=308, 308×5=1540

2. 나눗셈

1 STEP 개념별 유형 36~39쪽

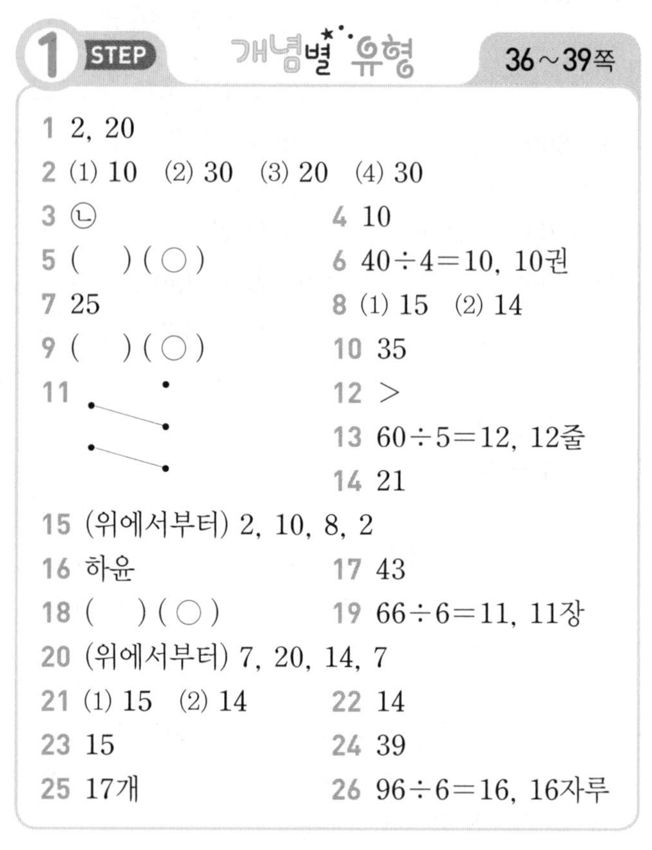

1 2, 20
2 (1) 10 (2) 30 (3) 20 (4) 30
3 ㉡ 4 10
5 (   ) (○) 6 40÷4=10, 10권
7 25 8 (1) 15 (2) 14
9 (   ) (○) 10 35
11 (선 잇기) 12 >
13 60÷5=12, 12줄
14 21
15 (위에서부터) 2, 10, 8, 2
16 하윤 17 43
18 (   ) (○) 19 66÷6=11, 11장
20 (위에서부터) 7, 20, 14, 7
21 (1) 15 (2) 14 22 14
23 15 24 39
25 17개 26 96÷6=16, 16자루

5 50÷5=10, 40÷2=20

6 (전체 공책 수)÷(사람 수)=40÷4=10(권)

7 십 모형 5개를 똑같이 2묶음으로 묶으면 한 묶음에는 십 모형 2개, 일 모형 5개입니다.

8 (1)
```
    1 5
 2)3 0
   2
   1 0
   1 0
     0
```
(2)
```
    1 4
 5)7 0
   5
   2 0
   2 0
     0
```

9 90÷5=18, 90÷6=15

10 70>2 ➔ 70÷2=35

11 60÷4=15, 80÷5=16

12 90÷2=45 ➔ 45>40

13 (전체 학생 수)÷(한 줄에 서는 학생 수)
=60÷5=12(줄)

14 수 모형을 똑같이 3묶음으로 묶으면 한 묶음에는 십 모형 2개, 일 모형 1개입니다.

18 44÷2=22, 84÷4=21

19 (전체 도화지의 수)÷(모둠 수)
=66÷6=11(장)

21 (1)
```
   1 5
3)4 5
  3
  1 5
  1 5
    0
```
(2)
```
   1 4
4)5 6
  4
  1 6
  1 6
    0
```

참고
십의 자리부터 순서대로 계산합니다.

24 2<78이므로 78÷2=39입니다.

25 (전체 호빵 수)÷(접시 한 개당 담는 호빵 수)
=51÷3=17(개)

26 (전체 연필의 수)÷(사람 수)
=96÷6=16(자루)

개념 1 ~ 4 기초력 집중 연습 40쪽

1 20
2 12
3 18
4 15
5 12
6 35
7 24
8 11
9 33
10 12
11 17
12 19
13 (위에서부터) 30, 21, 13
14 (위에서부터) 15, 13, 12

유형 진단 TEST 41쪽

1 20에 ○표
2
```
   1 5
5)7 5
  5
  2 5
  2 5
    0
```
3 21
4 90÷5=18, 18권
5 (선 잇기)
6 10개

1 4÷2=2 ➔ 40÷2=20

3 □=63÷3=21

4 (전체 책 수)÷(책꽂이 칸 수)=90÷5=18(권)

5 36÷2=18, 42÷3=14
72÷4=18, 84÷6=14, 65÷5=13

6 (전체 감자 수)=44+36=80(개)
(전체 감자 수)÷(사람 수)=80÷8=10(개)

1 STEP 개념별 유형 42~47쪽

1 몫, 나머지
2 6, 3
3 ㉠
4 11, 4
5 ( ) (○)
6 38÷4=9…2/9, 2
7 0, 1, 2, 3에 ○표
8 ⑤
9 ㉡
10 14, 1
11 (위에서부터) 5, 5, 10, 5, 4
12 16, 1
13 14, 3
14 민서
15 12명, 3개
16 (왼쪽부터) 8/80, 0
17 ㉠
18 107
19
```
   1 4 2
6)8 5 2
  6
  2 5
  2 4
    1 2
    1 2
      0
```
20 우진
21 774÷2=387, 387 m
22 227, 1
23 (1) 90…5
(2) 108…3
24 57, 3
25 120, 4
26 ( ) (○)
27 981÷8=122…5/122, 5
28 '몫'에 ○표, 112개
29 '몫+1'에 ○표, 23칸
30 (1) 7, 2 (2) 7, 2
31 8, 3/8, 3
32 ( )
(○)
33 (선 잇기)
34
```
   1 3
7)9 5
  7
  2 5
  2 1
    4
```
/7×13=91, 91+4=95
35 9, 3/5×9=45, 45+3=48

2
```
    6 ← 몫
6)3 9
  3 6
  ───
    3 ← 나머지
```

3 ㉡ 73÷8=8⋯9에서 나머지 9는 8로 더 나눌 수 있으므로 73÷8=9⋯1입니다.

주의
더 이상 나눌 수 없을 때까지 나눕니다.

4 59÷5=11⋯4

5
```
    8        4 2
3)2 6 ,  2)8 4
  2 4      8
  ───      ───
    2        4
             4
             ───
             0
```

6 38÷4=9⋯2이므로 한 모둠이 클립을 9개씩 사용할 수 있고, 2개가 남습니다.

7 나머지는 나누는 수인 4보다 작아야 하므로 나머지가 될 수 있는 수는 0, 1, 2, 3입니다.

주의
나눗셈에서 나머지는 나누는 수보다 작아야 합니다.

8 나머지는 나누는 수보다 작아야 하므로 나머지가 될 수 없는 수는 8입니다.

9 나머지는 나누는 수보다 작아야 합니다.
나누는 수와 나머지 7을 비교해 보면
㉠ 7=7 ㉡ 9>7이므로
나머지가 7이 될 수 있는 식은 ㉡입니다.

10 수 모형을 똑같이 4묶음으로 묶으면 한 묶음에는 십 모형 1개, 일 모형 4개이고, 일 모형 1개가 남습니다.

11
```
  1 5
5)7 9
  5 0 ← 5×10
  ───
  2 9
  2 5 ← 5×5
  ───
    4
```

12 33÷2=16⋯1

13 87÷6=14⋯3

14 54÷4=13⋯2이므로 몫은 13이고 나머지는 2입니다.

15 (전체 귤 수)÷(한 명당 먹는 귤 수)
=63÷5=12⋯3
➜ 귤을 12명이 먹을 수 있고, 3개가 남습니다.

16
```
    8              8 0
4)3 2 0   ➜   4)3 2 0
  3 2            3 2
  ───            ───
    0              0
```
백의 자리에서 3을 4로 나눌 수 없으므로 십의 자리에서 32를 4로 나눕니다.

17 백의 자리부터 순서대로 계산합니다.

18 535÷5=107

19 나머지가 나누는 수보다 크므로 잘못 계산했습니다.

20 246÷3=82
522÷6=87

21 (사용한 털실의 길이)÷(목도리 수)
=774÷2
=387 (m)

23 (1)
```
    9 0
9)8 1 5
  8 1
  ─────
      5
```
(2)
```
  1 0 8
7)7 5 9
  7
  ─────
    5 9
    5 6
    ───
      3
```

24 231÷4=57⋯3

25 604÷5=120⋯4

26 627÷8=78⋯3
788÷9=87⋯5

27 981÷8=122⋯5이므로 한 상자에 토마토를 122개씩 담을 수 있고, 5개가 남습니다.

28 789÷7=112⋯5
남는 보석 5개로는 머리띠를 만들 수 없으므로 머리띠를 112개까지 만들 수 있습니다.

29 $182 \div 8 = 22 \cdots 6$
남는 6권도 꽂아야 하므로 책꽂이는 적어도 $22+1=23$(칸)이 필요합니다.

참고
남는 것 없이 모두 담는 문제
➔ 나머지도 담아야 하므로 몫에 1을 더해야 합니다.

32 나누는 수와 몫의 곱에 나머지를 더하면 나누어지는 수가 되어야 합니다.

33 $56 \div 3 = 18 \cdots 2$
확인 $3 \times 18 = 54$, $54+2=56$
$63 \div 4 = 15 \cdots 3$
확인 $4 \times 15 = 60$, $60+3=63$

개념 5 ~ 11 기초력 집중 연습 48쪽

1 $21 \cdots 1$　　2 $19 \cdots 3$
3 $13 \cdots 4$　　4 93
5 $66 \cdots 4$　　6 216
7 (위에서부터) 4, 4/15, 2
8 (위에서부터) 51, 2/101, 1
9 8, 3/4, 8, 32, 32, 3, 35
10 12, 3/8, 12, 96, 96, 3, 99

유형 진단 TEST 49쪽

1 64　　2 ( )(○)
3 ㉡　　4 (선 잇기)
5 2, 4에 색칠　　6 71, 4/17, 3
7 13명, 5자루

1 $4<256$이므로 $256 \div 4 = 64$입니다.

2 $51 \div 6 = 8 \cdots 3$
$39 \div 2 = 19 \cdots 1$

3 나머지는 나누는 수보다 작아야 합니다.
㉠ $6>3$　㉡ $3=3$이므로
나머지가 3이 될 수 없는 식은 ㉡입니다.

4 $583 \div 5 = 116 \cdots 3$
$537 \div 8 = 67 \cdots 1$

5 $52 \div 2 = 26$, $52 \div 3 = 17 \cdots 1$,
$52 \div 4 = 13$, $52 \div 5 = 10 \cdots 2$

6 $4 \times 17 = 68$, $68+3=71$
(4: 나누는 수, 17: 몫, 3: 나머지, 71: 나누어지는 수)
나누는 수와 몫의 곱에 나머지를 더하면 나누어지는 수가 되어야 합니다.

7 (전체 연필 수)$=12 \times 8 = 96$(자루)
$96 \div 7 = 13 \cdots 5$이므로 13명에게 나누어 줄 수 있고, 5자루가 남습니다.

2 STEP 꼬리를 무는 유형 50~51쪽

1 42　　2 14
3 24　　4 58장
5 5　　6 (선 잇기)
7 16개, 1 m　　8 ㉡
9 7에 ○표　　10 카드
11 88　　12 97
13 71개

1 $84 \div 2 = 42$

2 $70 \div 5 = 14$

3 $5<120$이므로 $120 \div 5 = 24$입니다.

4 (전체 색종이 수)$\div$(사람 수)$=348 \div 6 = 58$(장)

5
```
    1 2
 6)7 7
   6
   1 7
   1 2
     5
```

6 $29 \div 6 = 4 \cdots 5$
$90 \div 8 = 11 \cdots 2$

7 $65 \div 4 = 16 \cdots 1$이므로 모자를 16개까지 만들 수 있고, 1 m가 남습니다.

8 ㉠ $85 \div 2 = 42 \cdots 1$
㉡ $314 \div 2 = 157$

9 $28 \div 5 = 5 \cdots 3$, $28 \div 6 = 4 \cdots 4$, $28 \div 7 = 4$이므로 나눗셈을 나누어떨어지게 하는 수는 7입니다.

참고
나머지가 0일 때 나누어떨어진다고 합니다.

10 카드: $90 \div 9 = 10$
공깃돌: $129 \div 9 = 14 \cdots 3$

11 □÷7=12⋯4에서
7×12=84, 84+4=88이므로 □=88입니다.

12 ㉠÷5=19⋯2에서
5×19=95, 95+2=97이므로 ㉠=97입니다.

13 처음에 있던 고구마의 수를 □라 하면
□÷4=17⋯3입니다.
➜ 처음에 있던 고구마는 4×17=68,
68+3=71(개)입니다.

3 STEP 수학 독해력 유형 52~53쪽

독해력 유형 1 ❶ 26+39=65, 65개
❷ 65÷5=13, 13개
쌍둥이 유형 1-1 14명
독해력 유형 2 ❶ 8×14=112, 112장
❷ 112÷7=16, 16상자
쌍둥이 유형 2-1 27봉지

독해력 유형 1 ❶ (검은색 바둑돌의 수)
+(흰색 바둑돌의 수)
=26+39=65(개)
❷ (전체 바둑돌의 수)÷(통 수)=65÷5=13(개)

쌍둥이 유형 1-1 ❶ (남은 쿠키의 수)
=94−10=84(개)
❷ (나누어 줄 수 있는 친구 수)
=(남은 쿠키의 수)÷(한 명당 나누어 주는 쿠키의 수)
=84÷6=14(명)

독해력 유형 2 ❶ (14상자에 들어 있는 손수건의 수)
=(한 상자에 들어 있는 손수건의 수)×(상자 수)
=8×14=112(장)
❷ (전체 손수건의 수)
÷(한 상자에 다시 담는 손수건의 수)
=112÷7=16(상자)

쌍둥이 유형 2-1 ❶ (9봉지에 들어 있는 호두의 수)
=(한 봉지에 들어 있는 호두의 수)×(봉지 수)
=12×9=108(개)
❷ (전체 호두의 수)÷(봉지 수)=108÷4=27(봉지)

4 STEP 사고력 플러스 유형 54~57쪽

1-1 (○)( ) 1-2 ( )(○)
1-3 ㉡ 1-4 ㉡
2-1 3에 ○표 2-2 2에 ○표
2-3 지호 2-4 서아
3-1 13상자 3-2 35묶음
3-3 12번 4-1 >
4-2 예 ㉠ 86÷3=28⋯2
㉡ 120÷5=24
28>24이므로 몫이 더 큰 것은 ㉠입니다.
답 ㉠
4-3 ㉠
5-1 (위에서부터) 1, 3, 5, 3
5-2 (위에서부터) 3, 9, 1, 2
6-1 64, 3, 21, 1
6-2 예 몫이 가장 큰 나눗셈식은 나누어지는 수를 가장 크게, 나누는 수를 가장 작게 만듭니다.
9>7>5이므로 가장 큰 두 자리 수는 97이고 가장 작은 한 자리 수는 5입니다.
따라서 97÷5=19⋯2이므로 몫은 19이고 나머지는 2입니다. 답 19, 2
7-1 단계 1 예 □÷5=13⋯4
단계 2 69 단계 3 11, 3
7-2 21, 2
8-1 단계 1 12군데 단계 2 13개 단계 3 26개
8-2 66개

1-1 60÷5=12
84÷4=21

1-2 72÷2=36
210÷6=35

1-3 ㉠ 53÷8=6⋯5
㉡ 90÷7=12⋯6

1-4 ㉠ 67÷5=13⋯2
㉡ 200÷7=28⋯4

2-1 나머지는 나누는 수인 6보다 작아야 하므로 나머지가 될 수 있는 수는 3입니다.

2-2 나머지는 나누는 수인 4보다 작아야 하므로 나머지가 될 수 있는 수는 2입니다.

2-3 나머지는 나누는 수보다 작아야 합니다.

□÷5 ➔ 5>3 (○)

□÷3 ➔ 3=3 (×)

2-4 나머지는 나누는 수보다 작아야 합니다.

□÷7 ➔ 7<8 (×)

□÷9 ➔ 9>8 (○)

3-1 80÷6=13…2이므로 양파를 13상자에 담으면 2개가 남습니다.
남는 양파 2개는 팔 수 없으므로 팔 수 있는 양파는 13상자입니다.

3-2 106÷3=35…1이므로 색연필은 35묶음이고 1자루가 남습니다.
남는 색연필 1자루는 팔 수 없으므로 팔 수 있는 색연필은 35묶음입니다.

3-3 92÷8=11…4이므로 놀이 기구를 11번 운행하면 4명이 남습니다.
남는 4명도 타야 하므로 놀이 기구는 적어도 11+1=12(번) 운행해야 합니다.

주의
남는 4명도 타야 하므로 몫에 1을 더해야 합니다.

4-1 90÷2=45

320÷9=35…5

➔ 45>35

4-2 평가 기준
㉠과 ㉡의 몫을 각각 구하여 크기를 비교했으면 정답입니다.

4-3 ㉠ 239÷8=29…7

㉡ 185÷6=30…5

➔ 7>5

주의
나머지를 구하여 크기를 비교합니다.

5-1
```
   ㉠ 2
5) 6 ㉡
   ㉢
   1 ㉣
   1 0
     3
```
6−㉢=1, ㉢=5

5×㉠=5, ㉠=1

1㉣−10=3, ㉣=3, ㉡=3

5-2
```
   2 ㉠
4) ㉡ 4
   8
   ㉢ 4
   1 ㉣
     2
```
㉢4−1㉣=2, ㉣=2, ㉢=1

4×㉠=12, ㉠=3

㉡−8=1, ㉡=9

6-1 몫이 가장 큰 나눗셈식은 나누어지는 수를 가장 크게, 나누는 수를 가장 작게 만듭니다.
6>4>3이므로 가장 큰 두 자리 수는 64이고 가장 작은 한 자리 수는 3입니다.

➔ 64÷3=21…1

6-2 평가 기준
가장 큰 두 자리 수와 가장 작은 한 자리 수를 구하여 나눗셈식을 세워 몫과 나머지를 구했으면 정답입니다.

7-1 단계 2 □÷5=13…4

➔ 5×13=65, 65+4=69

단계 3 69÷6=11…3

7-2 어떤 수를 □라 하면 잘못 계산한 식은
□÷9=11…8입니다.

□÷9=11…8

➔ 9×11=99, 99+8=107이므로 어떤 수는 107입니다.

바르게 계산하면 107÷5=21…2이므로 몫은 21, 나머지는 2입니다.

8-1 단계 1 (도로 한쪽의 간격의 수)
=(도로 한쪽의 길이)
÷(가로등과 가로등 사이의 간격)
=96÷8=12(군데)

단계 2 (도로 한쪽에 필요한 가로등의 수)
=(도로 한쪽의 간격의 수)+1
=12+1=13(개)

단계 3 (도로 양쪽에 필요한 가로등의 수)
=(도로 한쪽에 필요한 가로등의 수)×2
=13×2=26(개)

8-2 (산책로 한쪽의 간격의 수)
=(산책로 한쪽의 길이)
÷(가로등과 가로등 사이의 간격)
=224÷7=32(군데)
(산책로 한쪽에 필요한 가로등의 수)
=(산책로 한쪽의 간격의 수)+1=32+1=33(개)
(산책로 양쪽에 필요한 가로등의 수)
=33×2=66(개)

유형 TEST

58~60쪽

1 (1) 1, 10 (2) 3, 30
2 민서
3 23
4
```
     2 0
 7)1 4 4
   1 4
   ─────
       4
```
/20, 4

5
```
     1 1
 6)7 0
   6
   ───
   1 0
     6
   ───
     4
```

6 (선으로 잇기)

7 48에 ○표

8 108÷9에 색칠
9 14, 2/6×14=84, 84+2=86
10 65÷5=13, 13대
11 ㉠
12 36토막, 1 cm
13 11봉지
14 97
15 >
16 (위에서부터) 4, 9, 2, 8
17 예 ❶ 144÷5=28…4이므로 28일 동안 풀고 4쪽이 남습니다.
❷ 남는 4쪽도 풀어야 하므로 모두 푸는 데 28+1=29(일)이 걸립니다. 답 29일
18 예 ❶ ㉠ 97÷3=32…1
㉡ 203÷9=22…5
❷ 따라서 32>22이므로 몫이 더 큰 것은 ㉠입니다. 답 ㉠
19 예 ❶ 몫이 가장 큰 나눗셈식은 나누어지는 수를 가장 크게, 나누는 수를 가장 작게 만듭니다.
❷ 8>5>3이므로 가장 큰 두 자리 수는 85이고 가장 작은 한 자리 수는 3입니다.
❸ 따라서 85÷3=28…1이므로 몫은 28이고 나머지는 1입니다. 답 28, 1
20 예 ❶ 어떤 수를 □라 하면 잘못 계산한 식은 □÷3=24…2입니다.
❷ □÷3=24…2 ➔ 3×24=72, 72+2=74이므로 어떤 수는 74입니다.
❸ 따라서 바르게 계산하면 74÷6=12…2이므로 몫은 12, 나머지는 2입니다. 답 12, 2

2 840÷4=210
3 69÷3=23
5 참고
나머지는 나누는 수보다 작아야 합니다.

6
```
     1 4          1 2
 3)4 4  ,    8)9 9
   3            8
   ───          ───
   1 4          1 9
   1 2          1 6
   ───          ───
     2            3
```

7 48÷4=12, 110÷4=27…2
8 28÷2=14 (×)
108÷9=12 (○)
9 나누는 수와 몫의 곱에 나머지를 더하면 나누어지는 수가 되어야 합니다.
10 (전체 책상의 수)÷(트럭 한 대에 싣는 책상의 수)
=65÷5=13(대)
11 나머지는 나누는 수보다 작아야 합니다.
나누는 수가 4이거나 4보다 작은 나눗셈은 나머지가 4가 될 수 없습니다.
12 145÷4=36…1이므로 36토막이 되고, 1 cm가 남습니다.
13 90÷8=11…2이므로 사과를 11봉지에 담으면 2개가 남습니다.
남는 2개는 팔 수 없으므로 팔 수 있는 사과는 11봉지입니다.
14 □÷8=12…1에서 8×12=96, 96+1=97이므로 □=97입니다.

참고
계산이 맞는지 확인하는 식을 이용하여 □를 구합니다.

15 73÷5=14…3, 307÷9=34…1
16
```
     1 ㉠
 7)㉡ 9
   7
   ────
   ㉢ 9
   2 ㉣
   ────
      1
```
㉢9−2㉣=1, ㉣=8, ㉢=2
7×㉠=28, ㉠=4
㉡−7=2, ㉡=9

17 채점 기준

❶ 식을 세워 몫과 나머지를 구함.	3점	5점
❷ 남는 쪽수를 생각하여 문제집을 모두 푸는 데 며칠이 걸리는지 구함.	2점	

18 채점 기준

❶ ㉠과 ㉡의 몫을 각각 구함.	4점	5점
❷ 몫의 크기를 비교하여 더 큰 것을 구함.	1점	

19 채점 기준

❶ 몫이 가장 큰 나눗셈식을 만드는 조건을 앎.	1점	5점
❷ 가장 큰 두 자리 수와 가장 작은 한 자리 수를 각각 구함.	2점	
❸ ❷에서 구한 수를 나누어 몫과 나머지를 각각 구함.	2점	

20 채점 기준

❶ 어떤 수를 □라 놓고 잘못 계산한 식을 세움.	1점	5점
❷ 어떤 수를 구함.	2점	
❸ 바르게 계산하여 몫과 나머지를 각각 구함.	2점	

앞 단원 유형 다시 보기 61쪽

1 $63\times27=1701$, 1701

2

3 $750\times2=1500$, 1500원

1 ■의 ▲배 ➔ ■×▲ ➔ $63\times27=1701$

2 $80\times50=4000$
$60\times60=3600$

3 (어린이 2명의 버스 요금)
=(어린이 한 명의 버스 요금)×(어린이 수)
$=750\times2=1500$(원)

재미있는 창의·융합·코딩 62~63쪽

코딩1 5/124, 124, 127

코딩2 7, 7, 8/129, 4, 129, 4, 133

창의3

어제 $46\div4=11\cdots2$, 2개
오늘 $46\div3=15\cdots1$, 1개

3. 원

1 STEP 개념별 유형 66~71쪽

1 예

2 예

3 (왼쪽부터) 반지름, 지름

4 점 ㄴ

5 7 cm

6 8

7 1개

8 지름, 지름

9 ②

10 예

11 선분 ㄴㅁ

12 선분 ㄴㅁ

13 6, 3, 2

14 5, 10

15 4

16 8 cm

17 12 cm

18 14 cm

19 (   ) (○)

20 ㉡, ㉠

21

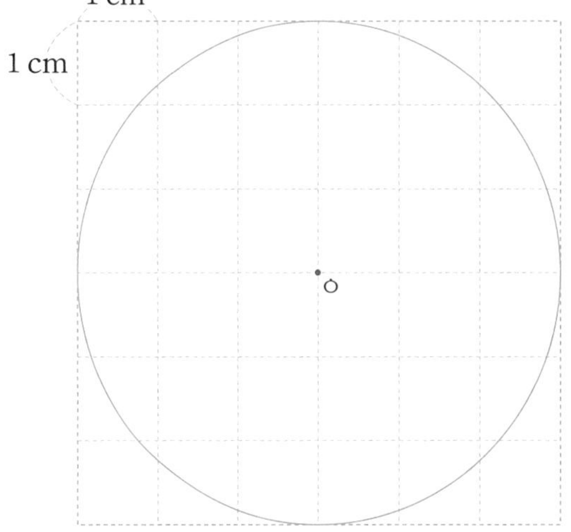

22 5 cm

23

24

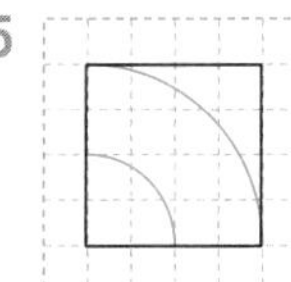

25

26

27

28 지호

29

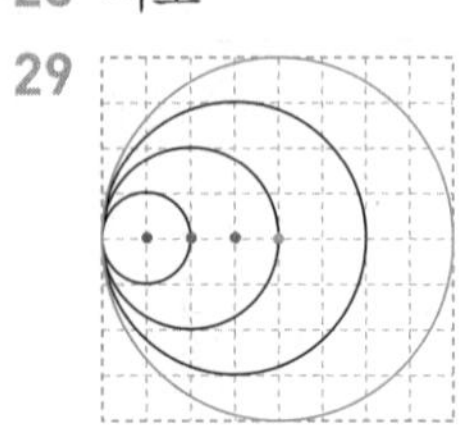
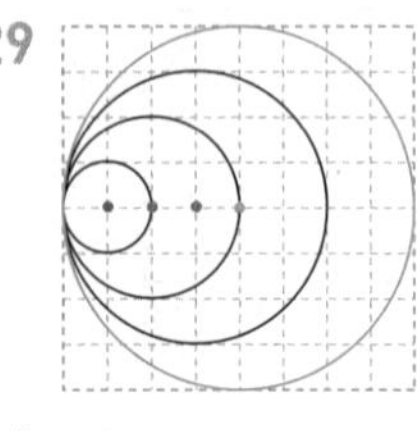

30

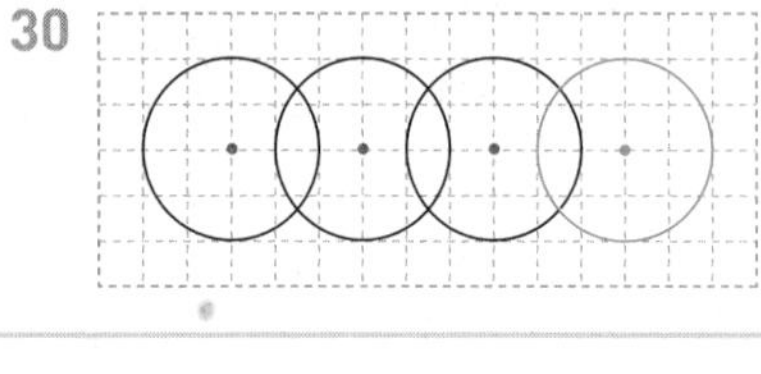

1 중심점과 찍힌 점까지의 길이를 재어 봅니다.
이 길이와 같은 거리만큼 떨어진 곳에 점의 위치를 정하여 원을 완성합니다.

3 원의 반지름: 원의 중심과 원 위의 한 점을 이은 선분
원의 지름: 원 위의 두 점을 이은 선분 중 원의 중심을 지나는 선분

4 원의 중심: 원을 그릴 때에 누름 못이 꽂혔던 점

5 원 위의 두 점을 이은 선분 중 원의 중심을 지나는 선분을 찾습니다. ➜ 7 cm

6 한 원에서 원의 반지름은 모두 같습니다. ➜ □=8

7 한 원에서 원의 중심은 1개뿐입니다.

8 원의 중심을 지나는 선분 ㄱㄴ을 원의 지름이라고 합니다. 원의 지름은 원을 둘로 똑같이 나눕니다.

9 참고
원의 지름은 원을 둘로 똑같이 나눕니다.

10 원 위의 두 점을 이은 선분 중에서 원의 중심을 지나는 선분을 2개 긋습니다.

11 원의 중심을 지나는 선분이 가장 깁니다.

13 $6=3\times2$이므로 한 원에서 지름은 반지름의 2배입니다.

14 (원의 지름)=(원의 반지름)$\times2=5\times2=10$ (cm)

15 (원의 반지름)=(원의 지름)$\div2=8\div2=4$ (cm)

16 (원의 반지름)=(원의 지름)$\div2$
$=16\div2=8$ (cm)

17 (원의 지름)=(원의 반지름)$\times2$
$=6\times2=12$ (cm)

18 (원의 지름)=(원의 반지름)$\times2$
$=7\times2=14$ (cm)

참고
한 원에서 지름은 반지름의 2배입니다.

19 컴퍼스의 침이 눈금 0에 오고 연필심이 눈금 4에 오는 것을 찾습니다.

20 참고
• 주어진 원과 크기가 같은 원 그리기
① 원의 중심이 되는 점 ㅇ 정하기
② 컴퍼스를 원의 반지름만큼 벌리기
③ 컴퍼스의 침을 점 ㅇ에 꽂고 원 그리기

22 컴퍼스를 5 cm만큼 벌렸으므로 그린 원의 반지름은 5 cm입니다.

23 컴퍼스를 2 cm만큼 벌린 후 컴퍼스의 침을 점 ㅇ에 꽂고 원을 그립니다.

24 원 2개를 이용하여 그려야 하므로 컴퍼스의 침을 꽂아야 할 곳은 2군데입니다.

25 정사각형의 한 꼭짓점을 원의 중심으로 하고 반지름이 모눈 2칸, 모눈 4칸인 원의 일부분을 2개 그립니다.

26 정사각형을 그리고, 정사각형의 두 꼭짓점을 원의 중심으로 하고 반지름이 모눈 4칸인 원의 일부분을 2개 그립니다.

참고
직선은 자를 이용하여 그리고 원은 컴퍼스를 이용하여 그립니다.

27 반지름이 모눈 1칸, 모눈 2칸인 원을 그리고, 반지름이 모눈 1칸인 원의 일부분을 2개 그립니다.

28 지호: 원의 반지름은 정사각형의 한 변의 길이의 반과 같습니다.

29 원의 중심이 오른쪽으로 모눈 1칸씩 이동하고, 원의 반지름이 모눈 1칸, 2칸, 3칸으로 1칸씩 늘어나는 규칙입니다.

30 원의 중심이 오른쪽으로 모눈 3칸씩 이동하고, 원의 반지름은 변하지 않는 규칙입니다.

개념 1 ~ 7 **기초력 집중 연습** 72쪽

1 점 ㄴ　　2 점 ㄷ
3 점 ㄹ　　4 9
5 4　　6 10
7 4, 2　　8 12, 6
9　　10

7 (원의 지름)=(원의 반지름)×2=2×2=4 (cm)

8 (원의 반지름)=(원의 지름)÷2=12÷2=6 (cm)

유형 진단 TEST 73쪽

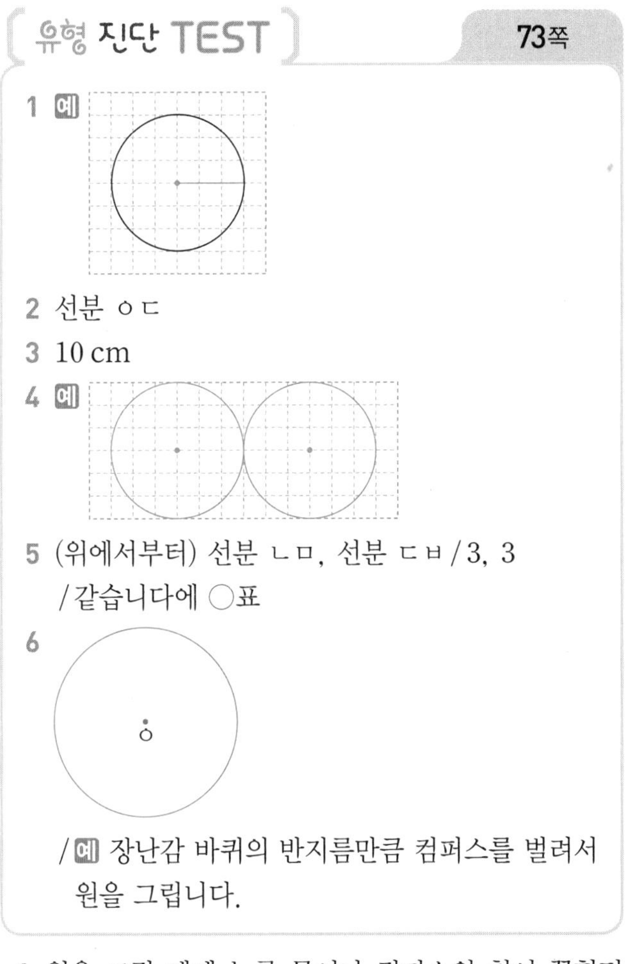

1 예

2 선분 ㅇㄷ

3 10 cm

4 예

5 (위에서부터) 선분 ㄴㅁ, 선분 ㄷㅂ/3, 3
/같습니다에 ○표

6
/예 장난감 바퀴의 반지름만큼 컴퍼스를 벌려서 원을 그립니다.

1 원을 그릴 때에 누름 못이나 컴퍼스의 침이 꽂혔던 곳을 찾아 점으로 표시하고 원의 중심과 원 위의 한 점을 이은 선분을 1개 긋습니다.

2 원의 중심과 원 위의 한 점을 이은 선분을 찾으면 선분 ㅇㄷ입니다.

3 컴퍼스를 5 cm만큼 벌렸으므로 반지름이 5 cm인 원이 그려집니다.
➔ (원의 지름)=5×2=10 (cm)

참고
한 원에서 지름은 반지름의 2배입니다.

4 원 1개를 먼저 그리고 이 원과 크기가 같은 다른 원을 그립니다.

5 지름을 각각 재어 보면 모두 3 cm로 같습니다.

참고
선분은 두 가지 방법으로 읽을 수 있습니다.
➔ 선분 ㄱㄹ=선분 ㄹㄱ

6 **평가 기준**
원을 그리고 장난감 바퀴의 반지름만큼 컴퍼스를 벌려서 원을 그리는 방법을 설명했으면 정답입니다.

2 STEP 꼬리를 무는 유형 74~75쪽

1 선분 ㅇㄷ　　2 10 cm
3 선분 ㅇㄴ, 선분 ㅇㄷ, 선분 ㅇㅁ
4 선분 ㄱㄷ　　5 8 cm
6 선분 ㄱㅁ, 선분 ㄷㅅ　　7 14 cm, 7 cm
8 10　　9 15 cm

10 예

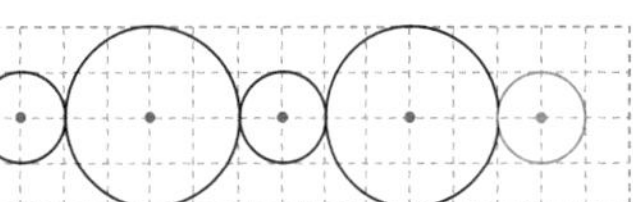

11

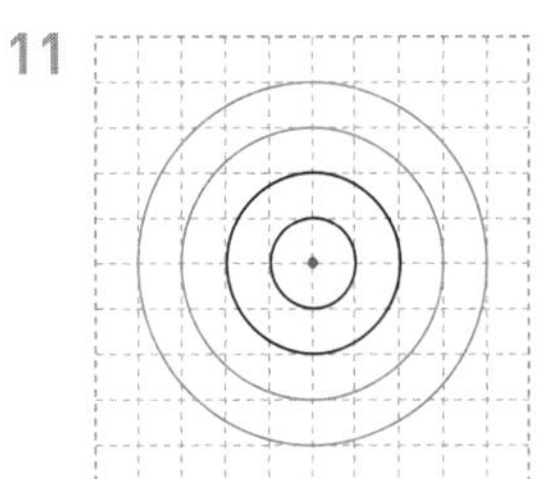

12

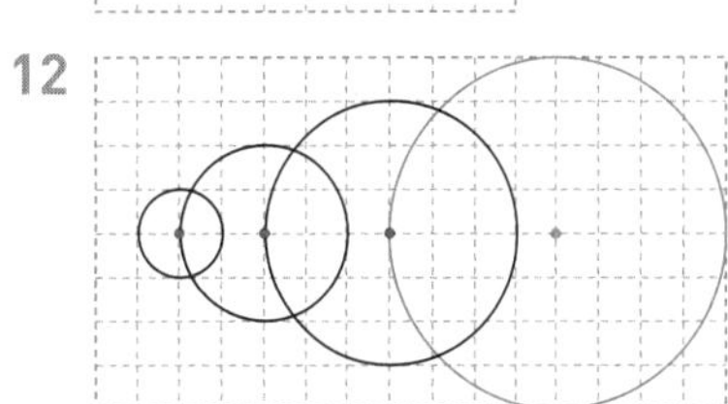

/예 원의 중심이 오른쪽으로 모눈 2칸, 3칸씩 이동하고 원의 반지름이 모눈 1칸, 2칸, 3칸으로 1칸씩 늘어나는 규칙입니다.

1 참고

원의 반지름은 원의 중심과 원 위의 한 점을 이은 선분입니다.

2 원의 중심과 원 위의 한 점을 이은 선분을 찾습니다.
➜ 10 cm

3 원의 중심과 원 위의 한 점을 이은 선분을 모두 찾습니다.

4 참고

원의 지름은 원 위의 두 점을 이은 선분 중 원의 중심을 지나는 선분입니다.

5 원 위의 두 점을 이은 선분 중 원의 중심을 지나는 선분을 찾습니다.
➜ 8 cm

6 원 위의 두 점을 이은 선분 중 원의 중심을 지나는 선분을 모두 찾습니다.

7 (원의 반지름)$=14\div2$
$=7$ (cm)

참고

(원의 반지름)=(원의 지름)$\div2$

8 (원의 지름)$=5\times2$
$=10$ (cm)

참고

(원의 지름)=(원의 반지름)$\times2$

9 (㉡의 길이)=(원의 지름)$=30$ cm
(㉠의 길이)=(원의 반지름)
=(원의 지름)$\div2$
$=30\div2$
$=15$ (cm)

10 원의 중심이 오른쪽으로 모눈 3칸씩 이동하고, 원의 반지름은 모눈 1칸인 원과 모눈 2칸인 원이 반복되는 규칙입니다.

11 원의 중심에 컴퍼스의 침을 꽂고 컴퍼스를 모눈 3칸, 4칸만큼 벌린 다음 차례로 원을 그립니다.

12 평가 기준

원의 중심과 반지름을 이용하여 규칙을 설명하고 원을 1개 더 그렸으면 정답입니다.

3 STEP 수학 독해력 유형 76~77쪽

독해력 유형 1 ❶ 9 cm ❷ 7 cm ❸ ㉡
쌍둥이 유형 1-1 ㉢
독해력 유형 2 ❶ 12 cm ❷ 12 cm ❸ 48 cm
쌍둥이 유형 2-1 56 cm

독해력 유형 1 ❶ 컴퍼스를 9 cm만큼 벌려서 그린 원의 반지름은 9 cm이므로 ㉡의 반지름은 9 cm입니다.
❷ (원의 반지름)=(원의 지름)$\div2$
$=14\div2$
$=7$ (cm)
❸ 각각의 반지름을 알아보면 ㉠ 7 cm, ㉡ 9 cm, ㉢ 7 cm이므로 크기가 다른 원은 ㉡입니다.

쌍둥이 유형 1-1 ❶ (원의 반지름)=(원의 지름)$\div2$
$=20\div2$
$=10$ (cm)
➜ ㉠의 반지름은 10 cm입니다.
❷ 컴퍼스를 10 cm만큼 벌려서 그린 원의 반지름은 10 cm이므로 ㉡의 반지름은 10 cm입니다.
❸ 각각의 반지름을 알아보면 ㉠ 10 cm, ㉡ 10 cm, ㉢ 8 cm이므로 크기가 다른 원은 ㉢입니다.

독해력 유형 2 ❶ (원의 지름)=(원의 반지름)$\times2$
$=6\times2$
$=12$ (cm)
❷ 정사각형의 한 변의 길이는 원의 지름과 같습니다.
(정사각형의 한 변의 길이)=(원의 지름)$=12$ cm
❸ (정사각형의 네 변의 길이의 합)
$=12+12+12+12$
$=48$ (cm)

쌍둥이 유형 2-1 ❶ (원의 지름)=(원의 반지름)$\times2$
$=7\times2$
$=14$ (cm)
❷ (정사각형의 한 변의 길이)=(원의 지름)$=14$ cm
❸ (정사각형의 네 변의 길이의 합)
$=14+14+14+14$
$=56$ (cm)

다른 풀이

정사각형의 네 변의 길이의 합은 원의 지름의 4배이므로 $14\times4=56$ (cm)입니다.

4 STEP 사고력 플러스 유형 78~81쪽

1-1 16 cm　1-2 22 cm　1-3 6 cm
2-1 4　2-2 10　2-3 5 cm
3-1 3군데　3-2 4군데　3-3 4개
4-1 ㉡
4-2 예 (다은이가 말한 원의 반지름)
=(원의 지름)÷2=10÷2=5 (cm)
➜ 7 cm>5 cm이므로 더 큰 원을 말한 사람은 서준입니다.　답 서준
5-1 14 cm
5-2 예 (선분 ㄱㄴ)=(작은 원의 반지름)=3 cm
(선분 ㄴㄷ)=(큰 원의 반지름)=8 cm
➜ (선분 ㄱㄷ)=(선분 ㄱㄴ)+(선분 ㄴㄷ)
=3+8=11 (cm)　답 11 cm
6-1 4 cm
6-2 예 (큰 원의 반지름)=28÷2=14 (cm)
(작은 원의 지름)=(큰 원의 반지름)=14 cm
➜ (작은 원의 반지름)=14÷2=7 (cm)
답 7 cm
7-1 단계 1 5배　단계 2 7 cm　단계 3 35 cm
7-2 60 cm
8-1 단계 1 24 cm　단계 2 8 cm　단계 3 64 cm
8-2 96 cm

1-1 (원의 지름)=(원의 반지름)×2=8×2=16 (cm)

1-2 (원의 지름)=(원의 반지름)×2=11×2=22 (cm)

1-3 (원의 지름)=(원의 반지름)×2=3×2=6 (cm)

2-1 (원의 반지름)=(원의 지름)÷2=8÷2=4 (cm)

2-2 (원의 반지름)=(원의 지름)÷2=20÷2=10 (cm)

2-3 컴퍼스를 원의 반지름만큼 벌려야 합니다.
(원의 반지름)=(원의 지름)÷2=10÷2=5 (cm)

3-1 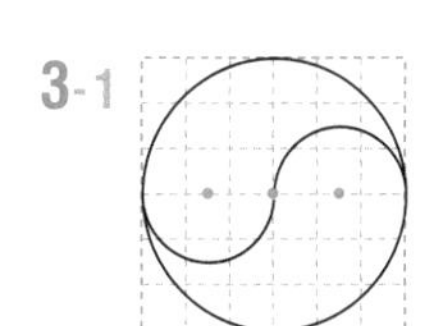 원 3개를 이용하여 그려야 하므로 컴퍼스의 침을 꽂아야 할 곳은 모두 3군데입니다.

3-2 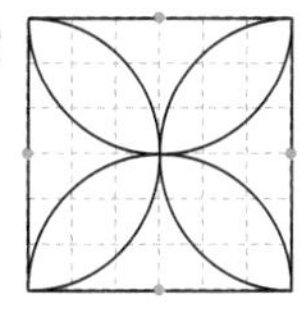 원 4개를 이용하여 그려야 하므로 컴퍼스의 침을 꽂아야 할 곳은 모두 4군데입니다.

3-3 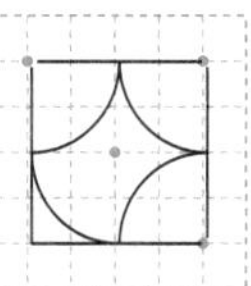 원 4개를 이용하여 그려야 하므로 컴퍼스의 침을 꽂아야 할 곳은 모두 4군데입니다.
➜ 원의 중심이 되는 점은 모두 4개입니다.

4-1 ㉠ (원의 지름)=20 cm
(원의 반지름)=20÷2=10 (cm)
➜ 10 cm<12 cm이므로 더 큰 원은 ㉡입니다.

다른 풀이
㉡ (원의 반지름)=12 cm
(원의 지름)=12×2=24 (cm)
➜ 20 cm<24 cm이므로 더 큰 원은 ㉡입니다.

4-2 **평가 기준**
원의 반지름 또는 지름으로 통일한 다음 길이를 비교하여 구했으면 정답입니다.

주의
7 cm<10 cm와 같이 주어진 길이를 비교하여 다은이가 말한 원의 크기가 더 크다고 생각하지 않도록 주의합니다.

5-1 (선분 ㄱㄴ)=(큰 원의 반지름)=9 cm
(선분 ㄴㄷ)=(작은 원의 반지름)=5 cm
➜ (선분 ㄱㄷ)=(선분 ㄱㄴ)+(선분 ㄴㄷ)
=9+5=14 (cm)

5-2 **평가 기준**
선분 ㄱㄷ은 작은 원의 반지름과 큰 원의 반지름의 합임을 이용하여 구했으면 정답입니다.

6-1 (큰 원의 반지름)=16÷2=8 (cm)
(작은 원의 지름)=(큰 원의 반지름)=8 cm
➜ (작은 원의 반지름)=8÷2=4 (cm)

6-2 **평가 기준**
큰 원의 반지름과 작은 원의 지름이 같음을 알고 작은 원의 반지름을 구했으면 정답입니다.

7-1 단계 1 선분 ㄱㄴ의 길이는 원의 반지름의 5배입니다.
단계 2 (원의 지름)=14 cm
➜ (원의 반지름)=14÷2=7 (cm)
단계 3 선분 ㄱㄴ의 길이는 원의 반지름의 5배이므로 7×5=35 (cm)입니다.

7-2 선분 ㄱㄴ의 길이는 원의 반지름의 5배입니다.
(원의 지름)=24 cm
➔ (원의 반지름)=24÷2=12 (cm)
(선분 ㄱㄴ)=12×5=60 (cm)

참고
선분 ㄱㄴ의 길이에는 원의 반지름이 5개 있으므로 (선분 ㄱㄴ)=(원의 반지름)×5로 구합니다.

8-1 단계 1 직사각형의 가로는 원의 반지름의 6배이므로 4×6=24 (cm)입니다.
단계 2 직사각형의 세로는 원의 반지름의 2배이므로 4×2=8 (cm)입니다.
단계 3 (직사각형의 네 변의 길이의 합)
=24+8+24+8=64 (cm)

8-2 직사각형의 가로는 원의 반지름의 6배이므로 6×6=36 (cm)이고 직사각형의 세로는 원의 반지름의 2배이므로 6×2=12 (cm)입니다.
➔ (직사각형의 네 변의 길이의 합)
=36+12+36+12=96 (cm)

다른 풀이
직사각형의 네 변의 길이의 합은 원의 지름의 8배이므로 12×8=96 (cm)입니다.

유형 TEST 82~84쪽

1 (왼쪽부터) 원의 중심, 반지름, 지름
2 ㉠
3 예
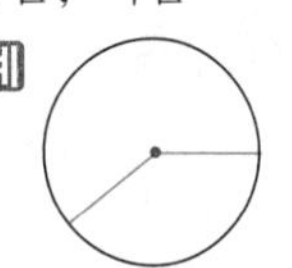
4 6 cm
5 선분 ㅇㄴ, 선분 ㅇㅁ
6 선분 ㄴㅁ
7 7 cm
8
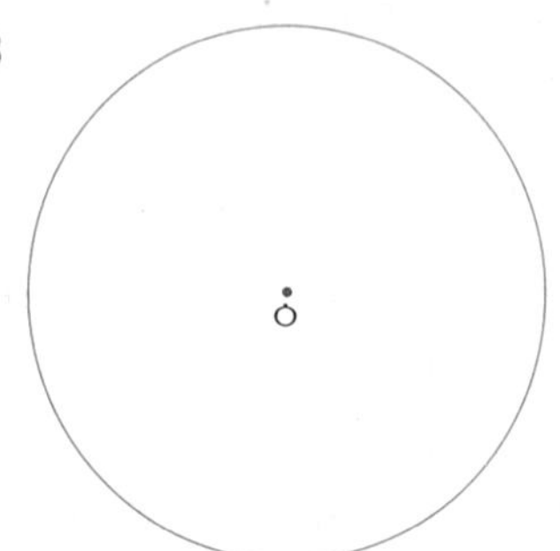
9 지름, 원의 중심
10 9
11 4군데
12
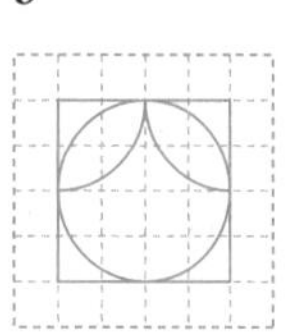
13 14 cm
14
15 나
16 64 cm
17 예 ❶ 컴퍼스를 원의 반지름만큼 벌려야 합니다.
(원의 반지름)=(원의 지름)÷2
=18÷2=9 (cm)
❷ 컴퍼스를 9 cm만큼 벌려야 합니다.
답 9 cm
18 예 ❶ (민서가 그린 원의 반지름)
=(원의 지름)÷2=12÷2=6 (cm)
❷ 8 cm>6 cm이므로 더 큰 원을 그린 사람은 시우입니다.
답 시우
19 예 ❶ (선분 ㄱㄴ)=(큰 원의 반지름)=7 cm
❷ (선분 ㄴㄷ)=(작은 원의 반지름)=2 cm
❸ (선분 ㄱㄷ)=(선분 ㄱㄴ)+(선분 ㄴㄷ)
=7+2=9 (cm)
답 9 cm
20 예 ❶ (큰 원의 반지름)=24÷2=12 (cm)
❷ (작은 원의 지름)=(큰 원의 반지름)=12 cm
❸ (작은 원의 반지름)=12÷2=6 (cm)
답 6 cm

1 원의 중심
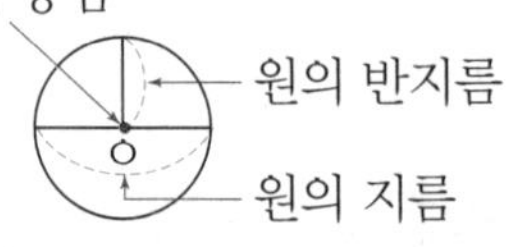

2 누름 못이 꽂혔던 점이 원의 중심입니다.

3 원의 중심과 원 위의 한 점을 이은 선분을 2개 긋습니다.

4 원의 중심 ㅇ과 원 위의 한 점을 이은 선분을 찾습니다. ➔ 6 cm

5 원의 중심 ㅇ과 원 위의 한 점을 이은 선분을 모두 찾습니다.

6 원 위의 두 점을 이은 선분 중 원의 중심을 지나는 선분을 찾습니다.

7 (선분 ㄱㄴ)=(선분 ㄷㄹ)=7 cm

참고
한 원에서 원의 지름은 모두 같습니다.

8 컴퍼스를 주어진 선분만큼 벌려서 원을 그립니다.

10 (원의 반지름)=(원의 지름)÷2
=18÷2=9 (cm)

11 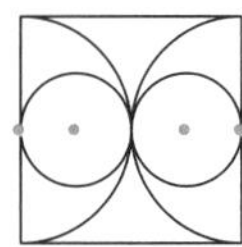

원 4개를 이용하여 그려야 하므로 컴퍼스의 침을 꽂아야 할 곳은 모두 4군데입니다.

12 정사각형을 그리고 반지름이 모눈 2칸인 원과 정사각형의 두 꼭짓점을 원의 중심으로 하고 반지름이 모눈 2칸인 원의 일부분을 2개 그립니다.

13 (원의 반지름)=7 cm
(원의 지름)=(원의 반지름)×2
=7×2=14 (cm)

참고
컴퍼스를 7 cm만큼 벌렸으므로 그린 원의 반지름은 7 cm입니다.

14 원의 중심은 오른쪽으로 모눈 2칸씩 이동하고, 반지름이 모눈 1칸인 원과 모눈 2칸인 원이 반복되는 규칙입니다.

15 가: 원의 반지름은 변하지 않고 원의 중심은 오른쪽으로 이동하는 규칙입니다.
나: 원의 중심은 아래쪽으로 이동하고 원의 반지름이 일정하게 늘어나는 규칙입니다.

16 (원의 지름)=8×2=16 (cm)
(정사각형의 한 변의 길이)=(원의 지름)=16 cm
(정사각형의 네 변의 길이의 합)
=16+16+16+16=64 (cm)

다른 풀이
정사각형의 네 변의 길이의 합은 원의 지름의 4배이므로 16×4=64 (cm)입니다.

17 채점 기준

❶ 원의 반지름을 구함.	4점	5점
❷ 컴퍼스를 몇 cm 벌려야 하는지 구함.	1점	

18 채점 기준

❶ 민서가 그린 원의 반지름을 구함.	3점	5점
❷ 더 큰 원을 그린 사람을 구함.	2점	

19 채점 기준

❶ 선분 ㄱㄴ의 길이를 구함.	2점	5점
❷ 선분 ㄴㄷ의 길이를 구함.	2점	
❸ 선분 ㄱㄷ의 길이를 구함.	1점	

20 채점 기준

❶ 큰 원의 반지름을 구함.	2점	5점
❷ 작은 원의 지름을 구함.	1점	
❸ 작은 원의 반지름을 구함.	2점	

앞 단원 유형 다시 보기 85쪽

① $\begin{array}{r} 17 \\ 4\overline{)69} \\ \underline{4} \\ 29 \\ \underline{28} \\ 1 \end{array}$ / 17, 1　② (　) (○)
③ ⑤

② 225÷3=75, 468÷6=78

③ 나머지는 나누는 수보다 작아야 하므로 나머지가 될 수 없는 수는 7입니다.

재미있는 창의·융합·코딩 86~87쪽

코딩1 20, 20/16/16, 16, 32, 32/32
창의2 4/병원

창의2
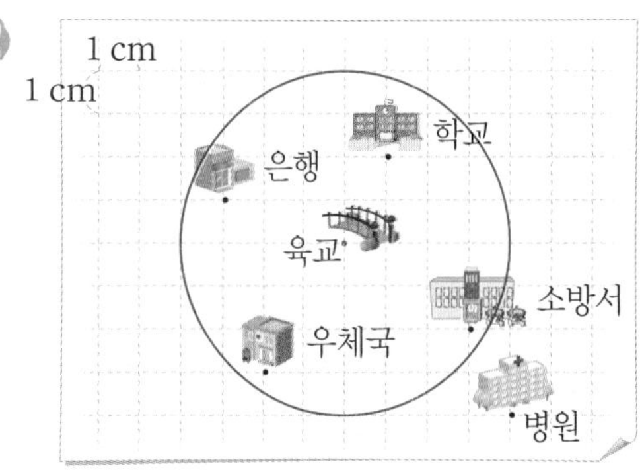

육교를 중심으로 반지름이 4 cm인 원 밖에 장소는 병원이므로 약속 장소는 병원입니다.

정답 및 풀이

4. 분수

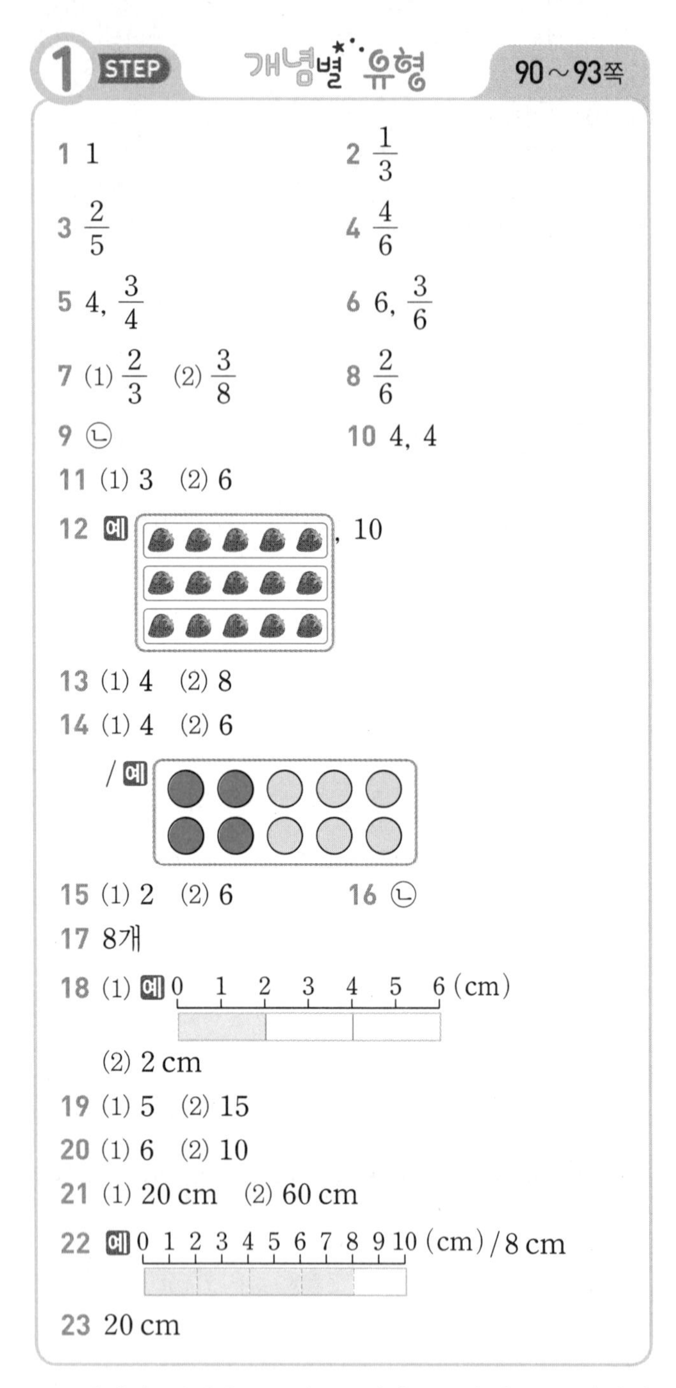

1 STEP 개념별 유형 90～93쪽

1 1

2 $\frac{1}{3}$

3 $\frac{2}{5}$

4 $\frac{4}{6}$

5 4, $\frac{3}{4}$

6 6, $\frac{3}{6}$

7 (1) $\frac{2}{3}$ (2) $\frac{3}{8}$

8 $\frac{2}{6}$

9 ㉡

10 4, 4

11 (1) 3 (2) 6

12 예 , 10

13 (1) 4 (2) 8

14 (1) 4 (2) 6 / 예

15 (1) 2 (2) 6

16 ㉡

17 8개

18 (1) 예 0 1 2 3 4 5 6 (cm)

(2) 2 cm

19 (1) 5 (2) 15

20 (1) 6 (2) 10

21 (1) 20 cm (2) 60 cm

22 예 0 1 2 3 4 5 6 7 8 9 10 (cm) / 8 cm

23 20 cm

3 색칠한 부분은 5묶음 중에서 2묶음이므로 전체의 $\frac{2}{5}$입니다.

참고

분수로 나타낼 때에는 $\frac{\text{(부분 묶음 수)}}{\text{(전체 묶음 수)}}$와 같이 나타낼 수 있습니다.

4 색칠한 부분은 6묶음 중에서 4묶음이므로 전체의 $\frac{4}{6}$입니다.

5 16을 4씩 묶으면 4묶음이 됩니다.
12는 4묶음 중에서 3묶음이므로 12는 16의 $\frac{3}{4}$입니다.

6 12를 2씩 묶으면 6묶음이 됩니다.
6은 6묶음 중에서 3묶음이므로 6은 12의 $\frac{3}{6}$입니다.

7 (1) 12를 4씩 묶으면 8은 3묶음 중에서 2묶음이므로 8은 12의 $\frac{2}{3}$입니다.
(2) 24를 3씩 묶으면 9는 8묶음 중에서 3묶음이므로 9는 24의 $\frac{3}{8}$입니다.

8 18을 3씩 묶으면 6묶음이 됩니다.
6은 6묶음 중에서 2묶음이므로 6은 18의 $\frac{2}{6}$입니다.

9 ㉠ 10을 2씩 묶으면 5묶음이 되고, 4는 5묶음 중에서 2묶음이므로 4는 10의 $\frac{2}{5}$입니다.

11 (1) 12의 $\frac{1}{4}$은 12를 똑같이 4묶음으로 나눈 것 중의 1묶음이므로 3입니다.
(2) 12의 $\frac{2}{4}$는 12를 똑같이 4묶음으로 나눈 것 중의 2묶음이므로 6입니다.

12 15를 똑같이 3묶음으로 나눈 것 중의 2묶음이므로 10입니다.

13 (1) 16을 똑같이 4묶음으로 나눈 것 중의 1묶음이므로 4입니다.
(2) 16을 똑같이 8묶음으로 나눈 것 중의 4묶음이므로 8입니다.

14 (1) 10을 똑같이 5묶음으로 나눈 것 중의 2묶음이므로 4입니다.
(2) 10을 똑같이 5묶음으로 나눈 것 중의 3묶음이므로 6입니다.

15 (1) 18을 똑같이 9묶음으로 나눈 것 중의 1묶음이므로 2입니다.
(2) 18을 똑같이 6묶음으로 나눈 것 중의 2묶음이므로 6입니다.

16 ㉡ 20의 $\frac{2}{5}$는 20을 똑같이 5묶음으로 나눈 것 중의 2묶음이므로 8입니다.

17 쿠키 18개를 똑같이 9묶음으로 나눈 것 중의 4묶음이므로 동생에게 준 쿠키는 8개입니다.

18 (2) 6 cm를 똑같이 3부분으로 나눈 것 중의 1이므로 2 cm입니다.

19 (1) 20 cm를 똑같이 4부분으로 나눈 것 중의 1이므로 5 cm입니다.
(2) 20 cm를 똑같이 4부분으로 나눈 것 중의 3이므로 15 cm입니다.

20 (1) 12 cm를 똑같이 2로 나눈 것 중의 1이므로 6 cm입니다.
(2) 12 cm를 똑같이 6으로 나눈 것 중의 1은 2 cm이므로 12 cm의 $\frac{5}{6}$는 10 cm입니다.

21 (1) 1 m=100 cm
100 cm를 똑같이 5부분으로 나눈 것 중의 1이므로 20 cm입니다.
(2) $\frac{1}{5}$ m는 20 cm이므로 $\frac{3}{5}$ m는 60 cm입니다.

22 10 cm를 똑같이 5부분으로 나눈 것 중의 4이므로 4칸을 색칠합니다. ➔ 8 cm

23 60 cm를 똑같이 3으로 나눈 것 중의 1이므로 20 cm입니다. ➔ 선희가 사용한 종이 테이프는 20 cm입니다.

개념 1~3 기초력 집중 연습 94쪽

1 $\frac{1}{5}$, $\frac{3}{5}$
2 $\frac{2}{4}$, $\frac{3}{4}$
3 3, 6
4 2, 10
5 6, 18
6 4, 10
7 $\frac{1}{6}$, $\frac{4}{6}$
8 6
9 20

유형 진단 TEST 95쪽

1 $\frac{3}{4}$
2 50 cm
3 (1) 20 (2) 50
4 4개
5 4, 3
6 운, 행/즐거운 여행

3 (1) 1시간은 60분이므로 60분의 $\frac{1}{3}$은 20분입니다.
(2) 60분의 $\frac{1}{6}$은 10분이므로 60분의 $\frac{5}{6}$는 50분입니다.

참고
1시간은 60분입니다.

4 초콜릿은 10개입니다.
➔ 10개의 $\frac{1}{5}$은 2개이므로 10개의 $\frac{2}{5}$는 4개입니다.

5 • 24를 3씩 묶으면 8묶음이므로 12는 24의 $\frac{4}{8}$입니다. ➔ ㉠=4
• 24를 4씩 묶으면 6묶음이므로 12는 24의 $\frac{3}{6}$입니다. ➔ ㉡=3
따라서 보관함의 비밀번호는 4731입니다.

6 14의 $\frac{6}{7}$은 12 ➔ 행, 14의 $\frac{1}{2}$은 7 ➔ 운

1 STEP 개념별 유형 96~99쪽

1 (1) 1, 2, 3, 4 (2) 5, 6, 7, 8, 9, 10
2 $\frac{7}{5}$
3 2, 4
4 $\frac{9}{9}$에 △표, $\frac{11}{7}$에 △표, $\frac{14}{15}$에 ○표
5 민서
6 (×) (×) (○)
7 $\frac{1}{3}$, $\frac{2}{3}$
8 딸기, 시럽
9 우유
10 $1\frac{3}{4}$
11 2와 6분의 5
12 $7\frac{2}{5}$와 $3\frac{2}{3}$에 색칠
13 $9\frac{7}{10}$ m
14 $\frac{9}{4}$
15 $1\frac{1}{3}$
16 (1) $\frac{9}{2}$ (2) $\frac{39}{7}$ (3) $3\frac{3}{5}$ (4) $4\frac{3}{8}$
17 우진
18 $\frac{7}{4}$ kg
19 $<$
20 $>$
21 (1) $<$ (2) $>$
22 $\frac{14}{3}$
23 ( ) (○)
24 현우

1 (1) 분자가 분모보다 작은 분수를 모두 찾습니다.
(2) 분자가 분모와 같거나 분모보다 큰 분수를 모두 찾습니다.

2 $\frac{1}{5}$이 7개이므로 $\frac{7}{5}$입니다.

3 수직선에서 작은 눈금 한 칸의 크기는 $\frac{1}{3}$입니다.
0에서부터 2칸 더 간 곳은 $\frac{2}{3}$, 0에서부터 4칸 더 간 곳은 $\frac{4}{3}$입니다.

4 분자가 분모보다 작은 분수에 ○표, 분자가 분모와 같거나 분모보다 큰 분수에 △표 합니다.

5 분자가 분모와 같거나 분모보다 큰 분수를 가지고 있는 사람을 찾습니다.
➜ $\frac{7}{8}$: 진분수, $\frac{13}{5}$: 가분수

6 $\frac{11}{5}$: 가분수, $\frac{6}{13}$: 진분수, $\frac{8}{8}$: 가분수

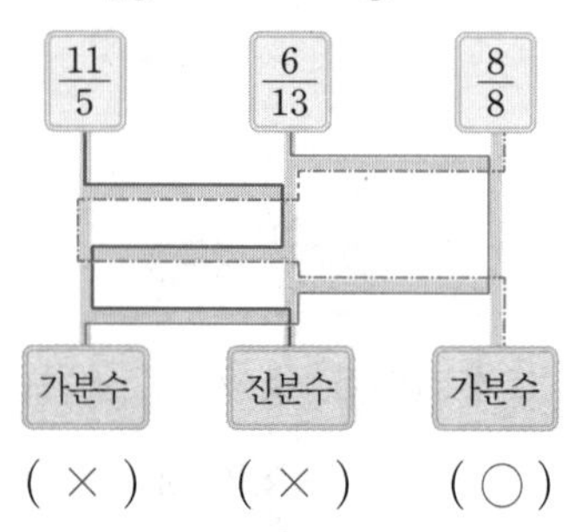

7 분모가 3이고 분자가 3보다 작은 분수를 모두 씁니다.
➜ $\frac{1}{3}$, $\frac{2}{3}$

8 필요한 양의 분자가 분모보다 작은 재료를 모두 찾으면 딸기, 시럽입니다.

9 필요한 양의 분자가 분모와 같거나 분모보다 큰 재료를 찾으면 우유입니다.

12 자연수와 진분수로 이루어진 분수: $7\frac{2}{5}$, $3\frac{2}{3}$

13 9 m와 $\frac{7}{10}$ m ➜ $9\frac{7}{10}$ m

14 $2\frac{1}{4}$은 $\frac{1}{4}$이 9개이므로 $\frac{9}{4}$입니다.

15 $\frac{3}{3}=1$이므로 $\frac{4}{3}=1\frac{1}{3}$입니다.

16 (1) $4=\frac{8}{2}$ ➜ $4\frac{1}{2}=\frac{9}{2}$
(2) $5=\frac{35}{7}$ ➜ $5\frac{4}{7}=\frac{39}{7}$
(3) $\frac{15}{5}=3$ ➜ $\frac{18}{5}=3\frac{3}{5}$
(4) $\frac{32}{8}=4$ ➜ $\frac{35}{8}=4\frac{3}{8}$

17 다은: $\frac{14}{7}=2$ ➜ $\frac{16}{7}=2\frac{2}{7}$ (×)
우진: $\frac{30}{3}=10$ ➜ $\frac{31}{3}=10\frac{1}{3}$ (○)

18 $1=\frac{4}{4}$ ➜ $1\frac{3}{4}=\frac{7}{4}$

참고

자연수 1은 분모와 분자가 같은 분수와 같습니다.
$1=\frac{1}{2}=\frac{3}{3}=\frac{4}{4}=\cdots\cdots$

19 색칠된 부분의 넓이를 비교하면 $1\frac{1}{6}<1\frac{5}{6}$입니다.

20 수직선에서는 오른쪽에 있는 수가 더 큰 수이므로 $\frac{9}{5}>1\frac{2}{5}$입니다.

21 (1) 분자가 큰 가분수가 더 큽니다.
$38<41$ ➜ $\frac{38}{9}<\frac{41}{9}$
(2) 자연수가 큰 대분수가 더 큽니다.
$8>6$ ➜ $8\frac{1}{7}>6\frac{5}{7}$

22 $2\frac{1}{3}=\frac{7}{3}$
$\frac{7}{3}<\frac{14}{3}$ ➜ $2\frac{1}{3}<\frac{14}{3}$

다른 풀이

$\frac{14}{3}=4\frac{2}{3}$
$2\frac{1}{3}<4\frac{2}{3}$ ➜ $2\frac{1}{3}<\frac{14}{3}$

23 보라색 실: $10\frac{1}{2}$ m$=\frac{21}{2}$ m
➜ $\frac{21}{2}$ m$>\frac{19}{2}$ m이므로 더 짧은 실은 파란색 실입니다.

24 $\frac{11}{8}<\frac{13}{8}$이므로 물을 더 많이 마신 사람은 현우입니다.

개념 4 ~ 7 기초력 집중 연습 100쪽

1 가　2 진　3 대

4 $\frac{14}{5}$　5 $\frac{17}{9}$　6 $\frac{38}{7}$

7 $1\frac{1}{9}$　8 $5\frac{4}{5}$　9 $8\frac{1}{6}$

10 >　11 <　12 >

13 <　14 <　15 =

16 $6\frac{1}{3}$　17 $\frac{41}{10}$

유형 진단 TEST 101쪽

1 예 0　1　2 (m)

2 1, 3/11　3 10

4 예 진분수는 분자가 분모보다 작아야 하는데 $\frac{7}{6}$ 은 분자가 분모보다 큽니다.

5 $\frac{11}{4}$에 ○표

6 (위에서부터) $3\frac{1}{8}$, $\frac{21}{8}$, $3\frac{1}{8}$

2 수직선에서 작은 눈금 한 칸의 크기는 $\frac{1}{8}$입니다.
㉠이 나타내는 수는 $1\left(=\frac{8}{8}\right)$에서 3칸 더 간 곳이므로 $1\frac{3}{8}=\frac{11}{8}$입니다.

4 **평가 기준**
분자가 분모보다 커서 진분수가 아님을 썼으면 정답입니다.

5 분모와 분자의 합이 15인 분수는 $\frac{7}{8}$, $\frac{11}{4}$이고 이중 가분수는 $\frac{11}{4}$입니다.

6

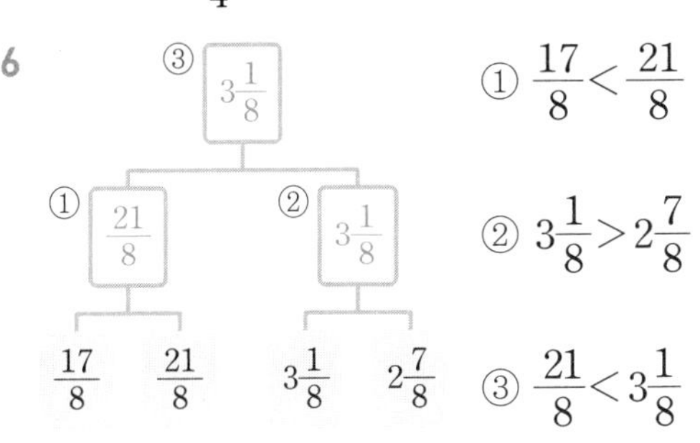

① $\frac{17}{8}<\frac{21}{8}$

② $3\frac{1}{8}>2\frac{7}{8}$

③ $\frac{21}{8}<3\frac{1}{8}$

2 STEP 꼬리를 무는 유형 102~103쪽

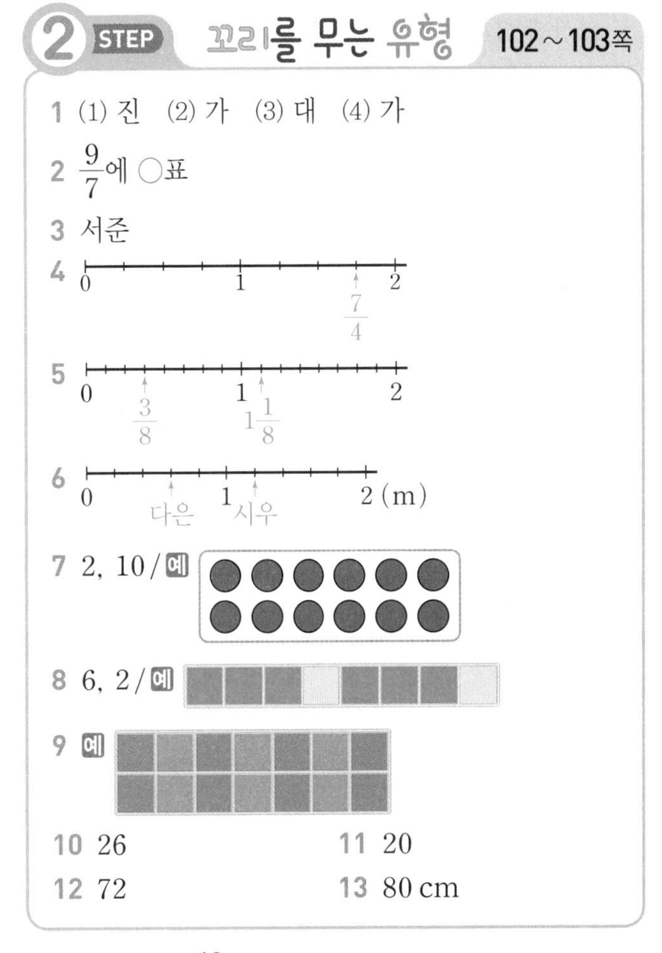

1 (1) 진　(2) 가　(3) 대　(4) 가

2 $\frac{9}{7}$에 ○표

3 서준

4

5

6

7 2, 10/예

8 6, 2/예

9 예

10 26　11 20

12 72　13 80 cm

3 대분수는 $1\frac{13}{14}$이므로 가지고 있는 색 테이프의 길이가 대분수인 사람은 서준입니다.

5 수직선 0에서부터 3칸 더 간 곳이 $\frac{3}{8}$이고 수직선 $1\left(=\frac{8}{8}\right)$에서부터 1칸 더 간 곳이 $1\frac{1}{8}$입니다.

6 다은: 수직선 0에서부터 3칸 더 간 곳 ➔ $\frac{3}{5}$ m
시우: 수직선 0에서부터 6칸 더 간 곳 ➔ $\frac{6}{5}$ m

7 빨간색: 12의 $\frac{1}{6}$은 2이므로 2개를 색칠합니다.
파란색: 12의 $\frac{5}{6}$는 10이므로 10개를 색칠합니다.

8 초록색: 8의 $\frac{3}{4}$은 6이므로 6칸을 색칠합니다.
노란색: 8의 $\frac{1}{4}$은 2이므로 2칸을 색칠합니다.

주의
조건에 맞게 색칠을 하였으나 규칙이 없다면 틀린 것임에 주의합니다.

9 보라색: 14의 $\frac{4}{7}$는 8이므로 8칸을 색칠합니다.
주황색: 14의 $\frac{3}{7}$은 6이므로 6칸을 색칠합니다.

11 ▲를 똑같이 5로 나눈 것 중의 2가 8이므로
1은 $8 \div 2 = 4$입니다.
▲를 똑같이 5로 나눈 것 중의 1이 4이므로
$\square = 4 \times 5 = 20$입니다.

13 막대를 똑같이 8로 나눈 것 중의 1이 10 cm이므로
막대의 전체 길이는 $10 \times 8 = 80$ (cm)입니다.

3 STEP 수학 독해력 유형 104~105쪽

독해력 유형 1 ❶ 9묶음 ❷ 2묶음 ❸ 7묶음
❹ $\frac{7}{9}$
쌍둥이 유형 1-1 $\frac{3}{8}$
독해력 유형 2 ❶ $\frac{7}{2}$, $\frac{9}{2}$ ❷ $\frac{9}{2}$ ❸ $4\frac{1}{2}$
쌍둥이 유형 2-1 $2\frac{2}{3}$

독해력 유형 1 ❸ 9묶음 중 2묶음을 먹었으므로 먹고 남은 귤은 $9-2=7$(묶음)입니다.
❹ 먹고 남은 귤은 9묶음 중 7묶음이므로 처음에 있던 귤의 $\frac{7}{9}$입니다.

쌍둥이 유형 1-1 ❶ 색종이 40장을 5장씩 묶으면 8묶음입니다.
❷ 사용한 색종이는 25장이므로 5장씩 5묶음입니다.
❸ 8묶음 중 5묶음을 사용했으므로 남은 색종이는 $8-5=3$(묶음)입니다.
❹ 사용하고 남은 색종이는 8묶음 중 3묶음이므로 처음에 있던 색종이의 $\frac{3}{8}$입니다.

독해력 유형 2 ❶ $1<2<7<9$이므로 분모가 2일 때 가분수의 분자가 될 수 있는 수는 7, 9입니다.
➔ $\frac{7}{2}$, $\frac{9}{2}$
❷ $\frac{7}{2}<\frac{9}{2}$ ❸ $\frac{9}{2}=4\frac{1}{2}$

쌍둥이 유형 2-1 ❶ $2<3<7<8$이므로 분모가 3일 때 가분수의 분자가 될 수 있는 수는 7, 8입니다.
➔ $\frac{7}{3}$, $\frac{8}{3}$
❷ $\frac{7}{3}<\frac{8}{3}$ ❸ $\frac{8}{3}=2\frac{2}{3}$

주의
가분수는 분자가 분모와 같거나 분모보다 커야 하므로 3보다 작은 수인 2는 분자에 올 수 없습니다.

4 STEP 사고력 플러스 유형 106~109쪽

1-1 16　1-2 15　1-3 4개
2-1 8　2-2 10　2-3 6
3-1 $2\frac{5}{6}$에 색칠　3-2 (○) (　)
3-3 지수　4-1 $\frac{2}{3}$, $\frac{2}{5}$, $\frac{3}{5}$
4-2 예 진분수이므로 분자가 분모보다 작은 분수를 만듭니다.
분모가 4일 때 만들 수 있는 진분수: $\frac{3}{4}$
분모가 7일 때 만들 수 있는 진분수: $\frac{3}{7}$, $\frac{4}{7}$
답 $\frac{3}{4}$, $\frac{3}{7}$, $\frac{4}{7}$
4-3 $\frac{5}{3}$, $\frac{7}{3}$, $\frac{7}{5}$　5-1 16개
5-2 예 27의 $\frac{1}{9}$은 3이므로 27의 $\frac{2}{9}$는 6입니다.
따라서 윤호가 사용한 공책은 6권이므로 남은 공책은 $27-6=21$(권)입니다. 답 21권
5-3 5 m　6-1 1, 2
6-2 예 $\frac{32}{9}$를 대분수로 나타내면 $3\frac{5}{9}$입니다.
$3\frac{5}{9}>3\frac{\square}{9}$이므로 □ 안에는 5보다 작은 수가 들어가야 합니다. 따라서 □ 안에 들어갈 수 있는 자연수는 1, 2, 3, 4입니다. 답 1, 2, 3, 4
6-3 2개
7-1 단계 1 $\frac{25}{6}$ 단계 2 $\frac{13}{6}$ 단계 3 $2\frac{1}{6}$
7-2 $1\frac{5}{9}$
8-1 단계 1 11, 19 단계 2 11 단계 3 $\frac{19}{11}$
8-2 $\frac{25}{8}$

1-1 24의 $\frac{1}{3}$은 8이므로 24의 $\frac{2}{3}$는 16입니다.

1-2 18의 $\frac{1}{6}$은 3이므로 18의 $\frac{5}{6}$는 15입니다.

1-3 바구니에 달걀이 12개 있으므로 12의 $\frac{1}{3}$은 4입니다.
➜ 사용할 달걀은 4개입니다.

2-1 $\frac{\square}{7}$가 진분수이므로 □ 안에는 7보다 작은 수가 들어가야 합니다.
따라서 □ 안에 들어갈 수 없는 수는 8입니다.

2-2 $\frac{\square}{10}$가 진분수이므로 □ 안에는 10보다 작은 수가 들어가야 합니다.
따라서 □ 안에 들어갈 수 없는 수는 10입니다.

2-3 $\frac{\square}{6}$가 가분수이므로 □ 안에는 6과 같거나 6보다 큰 수가 들어가야 합니다. 따라서 □ 안에 들어갈 수 있는 수는 6, 7, 8……이므로 가장 작은 자연수는 6입니다.

3-1 $\frac{13}{6}=2\frac{1}{6}$이므로 $2\frac{1}{6}<2\frac{5}{6}$입니다.

다른 풀이

$2\frac{5}{6}=\frac{17}{6}$이므로 $\frac{13}{6}<\frac{17}{6}$입니다.

3-2 $\frac{17}{4}=4\frac{1}{4}$이므로 $4\frac{1}{4}>2\frac{1}{4}$입니다.

다른 풀이

$2\frac{1}{4}=\frac{9}{4}$이므로 $\frac{17}{4}>\frac{9}{4}$입니다.

3-3 정후: $\frac{16}{7}=2\frac{2}{7}$

$2\frac{3}{7}>2\frac{2}{7}$이므로 가지고 있는 철사의 길이가 더 긴 사람은 지수입니다.

참고

- **분모가 같은 대분수와 가분수의 크기 비교**
  대분수를 가분수로 나타내어 가분수끼리 크기를 비교하거나 가분수를 대분수로 나타내어 대분수끼리 크기를 비교합니다.

4-1 진분수이므로 분자가 분모보다 작은 분수를 만듭니다.

- 분모가 3일 때: $\frac{2}{3}$
- 분모가 5일 때: $\frac{2}{5}$, $\frac{3}{5}$

주의

진분수는 분자가 분모보다 작아야 하므로 가장 작은 수인 2는 분모에 올 수 없습니다.

4-2 **평가 기준**

분모가 4일 때와 분모가 7일 때의 진분수를 모두 만들었으면 정답입니다.

4-3 가분수이므로 분자가 분모와 같거나 분모보다 큰 분수를 만듭니다.

- 분모가 3일 때: $\frac{5}{3}$, $\frac{7}{3}$
- 분모가 5일 때: $\frac{7}{5}$

5-1 20의 $\frac{1}{5}$은 4이므로 성하가 먹은 떡은 4개입니다.
따라서 남은 떡은 $20-4=16$(개)입니다.

5-2 **평가 기준**

사용한 공책 수를 구하여 전체 공책 수에서 사용한 공책 수를 빼서 남은 공책 수를 구했으면 정답입니다.

5-3 15 m의 $\frac{2}{3}$는 10 m이므로 나무를 묶는 데 사용한 끈은 10 m입니다.
따라서 남은 끈은 $15-10=5$ (m)입니다.

6-1 $\frac{17}{7}$을 대분수로 나타내면 $2\frac{3}{7}$입니다.
$2\frac{3}{7}>2\frac{\square}{7}$이므로 □ 안에는 3보다 작은 수가 들어가야 합니다.
➜ □ 안에 들어갈 수 있는 자연수는 1, 2입니다.

6-2 **평가 기준**

$\frac{32}{9}$를 대분수로 나타내고 크기를 비교하여 □ 안에 들어갈 수 있는 자연수를 모두 구했으면 정답입니다.

6-3 $\frac{15}{4}$를 대분수로 나타내면 $3\frac{3}{4}$입니다.
$3\frac{3}{4}>\square\frac{3}{4}$이므로 □ 안에는 3보다 작은 수가 들어가야 합니다.
➜ □ 안에 들어갈 수 있는 자연수는 1, 2이므로 모두 2개입니다.

7-1 단계 1 $4\frac{1}{6}$을 가분수로 나타내면 $\frac{25}{6}$입니다.

단계 2 보기에서 대분수를 찾으면 $2\frac{1}{6}$이고 $2\frac{1}{6}$을 가분수로 나타내면 $\frac{13}{6}$입니다.

단계 3 $\frac{7}{6}<\frac{11}{6}<\frac{13}{6}\left(=2\frac{1}{6}\right)<\frac{25}{6}\left(=4\frac{1}{6}\right)<\frac{29}{6}$

7-2 $1\frac{8}{9}=\frac{17}{9}$, $1\frac{5}{9}=\frac{14}{9}$

➔ $\frac{7}{9}<\frac{10}{9}<\frac{14}{9}\left(=1\frac{5}{9}\right)<\frac{17}{9}\left(=1\frac{8}{9}\right)<\frac{22}{9}$

참고

가분수가 더 많으므로 대분수를 가분수로 나타내어 비교하는 것이 더 편리합니다.

8-1 단계 1 두 수의 차가 8이므로 두 수는 □, □−8입니다. 두 수의 합이 30이므로 □+□−8=30, □+□=38, □=19입니다.

➔ 두 수는 19와 19−8=11입니다.

단계 2 19>11이므로 가분수의 분모가 될 수 있는 수는 11입니다.

단계 3 분자: 19, 분모: 11 ➔ $\frac{19}{11}$

8-2 두 수의 차가 17이므로 두 수는 □, □−17입니다. 두 수의 합이 33이므로 □+□−17=33, □+□=50, □=25입니다.

➔ 두 수는 25와 25−17=8입니다.

25>8이므로 가분수의 분모가 될 수 있는 수는 8입니다. ➔ $\frac{25}{8}$

유형 TEST 110~112쪽

1 3, $\frac{1}{3}$
2 8
3 >
4 ( )( )(○)
5 $1\frac{7}{12}$
6 $\frac{5}{7}$, $\frac{10}{7}$
7 50 cm
8 (선 잇기)
9 >
10 ㉡
11 45분
12 4에 ○표
13 6개
14 24
15 $\frac{8}{8}$에 ○표
16 $\frac{7}{6}$

17 예 ❶ 서희: $\frac{11}{5}=2\frac{1}{5}$

❷ $1\frac{3}{5}<2\frac{1}{5}$이므로 물을 더 많이 마신 사람은 서희입니다.

답 서희

18 예 ❶ 분모가 7일 때 만들 수 있는 진분수: $\frac{4}{7}$

❷ 분모가 9일 때 만들 수 있는 진분수: $\frac{4}{9}$, $\frac{7}{9}$

따라서 만들 수 있는 진분수는 $\frac{4}{7}$, $\frac{4}{9}$, $\frac{7}{9}$입니다.

답 $\frac{4}{7}$, $\frac{4}{9}$, $\frac{7}{9}$

19 예 ❶ 72의 $\frac{1}{8}$은 9이므로 72의 $\frac{3}{8}$은 27입니다.

포장하는 데 사용한 리본은 27 cm입니다.

❷ 따라서 남은 리본은 72−27=45 (cm)입니다.

답 45 cm

20 예 ❶ $\frac{15}{12}$를 대분수로 나타내면 $1\frac{3}{12}$입니다.

❷ $1\frac{3}{12}>1\frac{□}{12}$이므로 □ 안에는 3보다 작은 수가 들어가야 합니다. ❸ 따라서 □ 안에 들어갈 수 있는 자연수는 1, 2입니다.

답 1, 2

4 분자가 분모보다 작은 분수를 찾습니다.

5 대분수는 자연수와 진분수로 이루어진 분수입니다.

➔ $1\frac{7}{12}$

6 수직선에서 작은 눈금 한 칸의 크기는 $\frac{1}{7}$입니다.

0에서부터 5칸 더 간 곳은 $\frac{5}{7}$, 0에서부터 10칸 더 간 곳은 $\frac{10}{7}$입니다.

7 1 m=100 cm를 똑같이 2부분으로 나눈 것 중의 1은 50 cm입니다.

8 대분수를 가분수로 나타냅니다.

➔ $1\frac{2}{9}=\frac{11}{9}$, $2\frac{1}{9}=\frac{19}{9}$

9 45의 $\frac{5}{9}$는 25이므로 25>20입니다.

10 ㉡ 36을 4씩 묶으면 9묶음입니다. 12는 9묶음 중 3묶음이므로 36의 $\frac{3}{9}$입니다.

11 60분의 $\frac{3}{4}$은 45분이므로 민서가 수영한 시간은 45분입니다.

12 가분수는 분자가 분모와 같거나 분모보다 큰 분수입니다. 따라서 □ 안에 들어갈 수 없는 수는 5보다 작은 수이므로 4입니다.

13 15의 $\frac{2}{5}$는 6이므로 준성이가 가진 구슬은 6개입니다.

14 □를 똑같이 8로 나눈 것 중의 3이 9이므로 1은 $9 \div 3 = 3$입니다.
□를 똑같이 8로 나눈 것 중의 1이 3이므로
$□ = 3 \times 8 = 24$입니다.

15 분모와 분자의 합이 16인 분수는 $\frac{7}{9}$, $\frac{8}{8}$이고, 이 중에서 가분수는 $\frac{8}{8}$입니다.

16 $1\frac{5}{6} = \frac{11}{6}$
분모가 같은 가분수의 크기를 비교할 때에는 분자의 크기를 비교합니다.
➔ $7 < 8 < 11$이므로 $\frac{7}{6} < \frac{8}{6} < \frac{11}{6}\left(=1\frac{5}{6}\right)$입니다.

참고
세 분수의 크기를 비교할 때 가분수가 더 많으므로 대분수를 가분수로 나타내어 비교합니다.

17 채점 기준

❶ 서희가 마신 양을 대분수로 나타냄.	2점	5점
❷ 크기를 비교하여 물을 더 많이 마신 사람을 구함.	3점	

18 채점 기준

❶ 분모가 7일 때 만들 수 있는 진분수를 구함.	2점	5점
❷ 분모가 9일 때 만들 수 있는 진분수를 모두 구함.	2점	
❸ 만들 수 있는 진분수를 모두 구함.	1점	

19 채점 기준

❶ 사용한 리본의 길이를 구함.	3점	5점
❷ 사용하고 남은 리본의 길이를 구함.	2점	

20 채점 기준

❶ $\frac{15}{12}$를 대분수로 나타냄.	2점	5점
❷ □ 안에 들어갈 수 있는 자연수의 범위를 구함.	2점	
❸ □ 안에 들어갈 수 있는 자연수를 모두 구함.	1점	

앞 단원 유형 다시 보기 113쪽

1 (왼쪽부터) 반지름, 원의 중심, 지름
2 (1) 6 (2) 5
3 10 cm
4 3군데

1 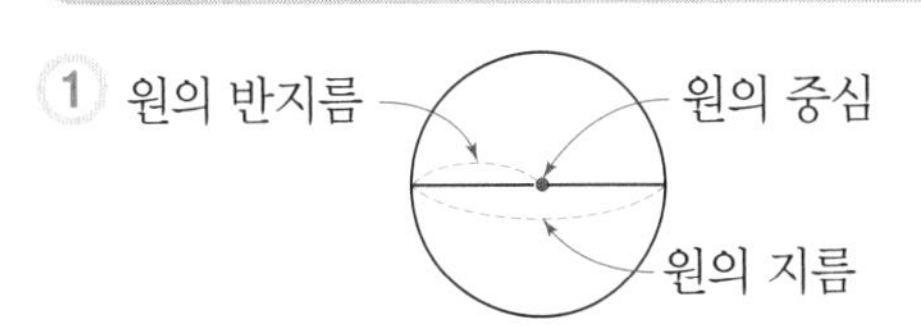

2 (1) (원의 지름)$=3 \times 2=6$ (cm)
(2) (원의 반지름)$=10 \div 2=5$ (cm)

3 컴퍼스를 원의 반지름만큼 벌려야 합니다.
(원의 반지름)$=20 \div 2=10$ (cm)

4 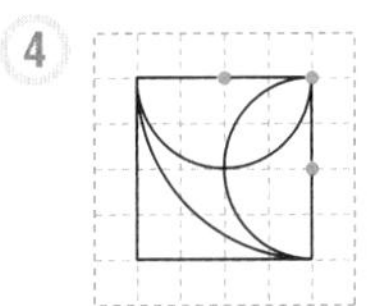

원 3개를 이용하여 그려야 하므로 컴퍼스의 침을 꽂아야 할 곳은 모두 3군데입니다.

재미있는 창의·융합·코딩 114~115쪽

코딩1 $\frac{6}{6}$, $\frac{6}{6}$, $\frac{6}{6}$

창의2 

창의2 $1\frac{6}{7} < 2\frac{1}{7}$ ➔ $\frac{4}{9} < \frac{5}{9}$ ➔ $\frac{10}{11} < 1\frac{3}{11}$
➔ $\frac{3}{4} > \frac{1}{4}$ ➔ $3\frac{3}{10} < \frac{37}{10}$

5. 들이와 무게

1 STEP 개념별 유형 118~123쪽

1 물병에 ○표
2 3, 1, 2
3 가
4 가, 나, 3
5 2배
6 2L / 2 리터
7 (1) 8000 (2) 5
8 4 L
9 ㉡
10 3 L 400 mL
11 ㉠
12 2 L 800 mL
13 (○) ( )
14 600
15 ○
16 2800 mL
17 (1) 종이컵 (2) 생수통
18 500
19 mL에 ○표
20 (1) mL (2) L
21 다은
22 8, 600
23 6, 900
24 4200, 4, 200
25 7 L 800 mL
26 5 L 900 mL
27 3 L 500 mL
28 (1) 2, 400 (2) 5, 500
29 4 L 100 mL
30 5500, 5, 500
31 1 L 300 mL
32 (선 잇기)
33 5 L 200 mL
34 (1) 6, 200 (2) 2, 800
35 (○) ( )
36 3L 500 mL

3 옮겨 담은 그릇의 주스와 두유의 높이를 비교하면 높이가 더 높은 가의 들이가 더 많습니다.

4 가가 나보다 컵 6－3＝3(개)만큼 물이 더 들어갑니다.

5 6÷3＝2(배)

6 참고
■L ➔ 읽기 ■ 리터 예 5 L ➔ 읽기 5 리터

7 (1) 1 L＝1000 mL ➔ 8 L＝8000 mL
(2) 1000 mL＝1 L ➔ 5000 mL＝5 L

8 물의 높이가 가리키는 눈금을 읽으면 4 L입니다.

9 ㉡ 주전자의 들이는 약 2 L입니다.

10 3 L보다 400 mL 더 많은 들이는 3 L 400 mL입니다.

11 ㉡ 1 L＝1000 mL이므로 1 L 70 mL＝1070 mL입니다.

12 2000 mL＝2 L이므로 2800 mL는 2 L 800 mL입니다.

14 200 mL로 3번쯤이므로 병의 들이는 약 600 mL입니다.

15 1 L＝1000 mL이므로 물병의 들이는 약 1000 mL입니다.

16 들이가 1000 mL인 비커 2개와 800 mL인 비커 1개이므로 양동이의 들이는 2800 mL입니다.

18 1 L＝1000 mL이고 1000 mL의 절반쯤 찼으므로 세제통의 들이는 약 500 mL입니다.

21 다은: 내가 어제 마신 물은 1600 mL야.

23 4 L 300 mL＋2 L 600 mL＝6 L 900 mL

25 4 L 600 mL＋3 L 200 mL＝7 L 800 mL

26 3 L 400 mL＋2 L 500 mL＝5 L 900 mL

27 (어항에 들어 있는 물의 양)
＝(처음에 들어 있던 물의 양)＋(더 부은 물의 양)
＝2 L 200 mL＋1 L 300 mL
＝3 L 500 mL

29
```
  5 L 800 mL
－1 L 700 mL
  4 L 100 mL
```

31 2 L 500 mL－1 L 200 mL＝1 L 300 mL

32
```
  8 L 900 mL        5 L 700 mL
－4 L 200 mL      －1 L 200 mL
  4 L 700 mL        4 L 500 mL
```

33 (남은 물의 양)
＝(처음에 있던 물의 양)－(마신 물의 양)
＝9 L 400 mL－4 L 200 mL
＝5 L 200 mL

34 (2)
```
  5    1000
  6 L  500 mL
－3 L  700 mL
  2 L  800 mL
```

35 mL끼리 뺄 수 없으면 1 L를 1000 mL로 받아내림해야 합니다.

36 (두 사람이 받은 수돗물의 양)
=(선주가 받은 수돗물의 양)
+(수혜가 받은 수돗물의 양)
=1 L 800 mL+1 L 700 mL
=3 L 500 mL

5 민서: 물병은 1 L 우유갑과 들이가 비슷하므로 물병의 들이는 약 1000 mL입니다.

6 (호영이가 마신 우유의 양)
=2 L 500 mL−2 L=500 mL
(우석이가 마신 우유의 양)
=1 L 900 mL−1 L 200 mL=700 mL

개념 1 ~ 7 기초력 집중 연습 124쪽

1 5000
2 7
3 2500
4 6900
5 3, 400
6 1, 50
7 6 L 500 mL
8 9 L 700 mL
9 7 L 100 mL
10 5 L 200 mL
11 2 L 400 mL
12 4 L 900 mL
13 8 L 900 mL
14 2 L 500 mL

9
$$\begin{array}{r} {}^{1}\quad\quad\quad\quad \\ 2\text{ L }600\text{ mL} \\ +4\text{ L }500\text{ mL} \\ \hline 7\text{ L }100\text{ mL} \end{array}$$

12
$$\begin{array}{r} {}^{6}\quad{}^{1000}\quad \\ \not{7}\text{ L }500\text{ mL} \\ -2\text{ L }600\text{ mL} \\ \hline 4\text{ L }900\text{ mL} \end{array}$$

유형 진단 TEST 125쪽

1 300 mL
2 8 L 400 mL
3 가
4 >
5 우진
6 500 mL, 700 mL

1 물의 높이가 가리키는 눈금을 읽으면 300 mL입니다.

2
$$\begin{array}{r} 5\text{ L }300\text{ mL} \\ +3\text{ L }100\text{ mL} \\ \hline 8\text{ L }400\text{ mL} \end{array}$$

3 9>3이므로 들이가 더 많은 그릇은 가입니다.

4 7 L 900 mL=7900 mL
➔ 7900 mL>7090 mL

다른 풀이
7090 mL=7 L 90 mL
➔ 7 L 900 mL>7 L 90 mL

1 STEP 개념별 유형 126~131쪽

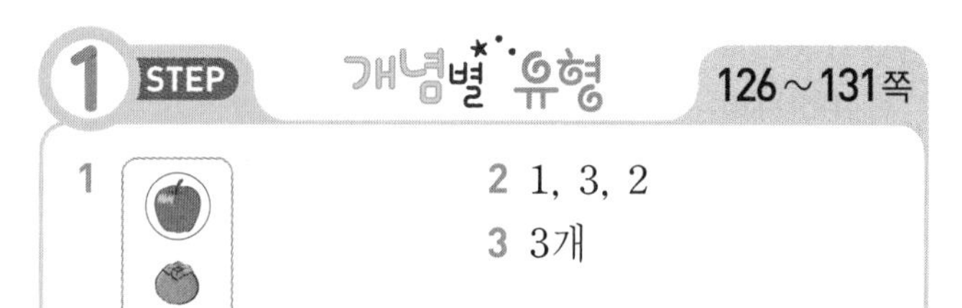

1 (그림)
2 1, 3, 2
3 3개
4 (1) 자두에 ○표, 자두에 ○표 (2) 자두
5 예 저울의 양쪽 접시에 감자와 양파를 각각 올려 무게를 비교하면 접시가 내려간 쪽이 더 무거운 것을 알 수 있습니다.
6 2 kg 700 g /
2 킬로그램 700 그램
7 (1) 3000 (2) 8 (3) 6000
8 (선 잇기)
9 3000 kg
10 1 kg 200 g
11 ㉢
12 5
13 ( )( )(○)
14 ㉢
15 ㉠, ㉣
16 (1) 지우개 (2) 의자 (3) 코끼리
17 (1) 1000 kg (2) 20배
18 kg에 ○표
19 (1) g (2) kg
20 ㉡
21 9 kg 800 g
22 1, 800
23 6800, 6, 800
24 5 kg 500 g
25 2 kg 600 g
26 4 kg 800 g
27 4, 300
28 (선 잇기)
29 ㉡
30 7 kg 300 g
31 1 kg 600 g
32 3300
33 7 kg 300 g
34 5 kg 300 g
35 4 kg 900 g
36 1 kg 700 g

1 접시가 내려간 쪽이 더 무거우므로 더 무거운 과일은 사과입니다.

3 연필: 100원짜리 동전 4개
물감: 100원짜리 동전 7개
➔ 물감이 연필보다 100원짜리 동전 $7-4=3$(개)만큼 더 무겁습니다.

4 (2) 키위와 자두 중 자두가 더 무겁고, 자두와 귤 중 자두가 더 무거우므로 가장 무거운 것은 자두입니다.

8 4 kg은 4000 g이므로 4 kg 100 g은 4100 g입니다.
4000 kg=4 t
4000 g=4 kg

9 1 t=1000 kg ➔ 3 t=3000 kg

10 1 kg보다 200 g 더 무거운 무게: 1 kg 200 g
➔ 책을 넣은 가방의 무게는 1 kg 200 g입니다.

참고
■ kg보다 ▲ g 더 무거운 무게를 ■ kg ▲ g이라고 합니다.

11 ㉢ 공책 한 권의 무게는 약 15 g입니다.

14 냉장고의 무게는 약 200 kg입니다.

15 1 t의 무게를 생각하여 1 t보다 무거운 것을 모두 찾으면 ㉠, ㉣입니다.

17 (1) 1 t=1000 kg
(2) $50\times20=1000$이므로 1 t=1000 kg은 50 kg의 약 20배쯤 됩니다.

19 (1) 연필 1자루의 무게는 1 kg보다 가벼우므로 g 단위로 나타냅니다.

20 무게가 1 t보다 무거운 것은 t 단위를 사용하기에 알맞습니다.

22 설탕 600 g을 더 올려놓은 후 저울의 눈금을 보면 1 kg 800 g입니다.

24 2 kg 300 g+3 kg 200 g=5 kg 500 g

25 (국어사전 2권의 무게)=1 kg 300 g+1 kg 300 g
=2 kg 600 g
따라서 국어사전 2권의 무게는 2 kg 600 g입니다.

26 (준우가 캔 고구마의 무게)
=3 kg 400 g+1 kg 400 g
=4 kg 800 g

28
  4 kg 500 g
−1 kg 400 g
  3 kg 100 g

29 ㉠ 5 kg 200 g−3 kg 200 g=2 kg=2000 g

30 9 kg 600 g−2 kg 300 g=7 kg 300 g

31 3 kg 900 g−2 kg 300 g=1 kg 600 g

32 6 kg 800 g−3 kg 500 g=3 kg 300 g=3300 g
➔ □=3300

다른 풀이
6 kg 800 g−3 kg 500 g=6800 g−3500 g
=3300 g ➔ □=3300

33 (먹고 남은 쌀의 양)
=(처음에 있던 쌀의 양)−(먹은 쌀의 양)
=8 kg 800 g−1 kg 500 g
=7 kg 300 g

35
  6   1000
  ~~7~~ kg 500 g
−2 kg 600 g
  4 kg 900 g

36 (파인애플의 무게)
=(파인애플이 담긴 그릇의 무게)−(빈 그릇의 무게)
=3 kg 200 g−1 kg 500 g
=1 kg 700 g

개념 8 ~ 14 기초력 집중 연습 132쪽

1	2000	2	9
3	2400	4	1050
5	7, 800	6	5, 300
7	4 kg 800 g	8	9 kg 800 g
9	9 kg 200 g	10	2 kg 600 g
11	2 kg 200 g	12	2 kg 700 g
13	9, 800	14	3, 400

9
  1
  2 kg 400 g
+6 kg 800 g
  9 kg 200 g

12
  5   1000
  ~~6~~ kg 100 g
−3 kg 400 g
  2 kg 700 g

유형 진단 TEST 133쪽

1 t
2 1 t
3 1 kg 200 g
4 4 kg 300 g
5 하윤
6 예 배, 소고기 / 예 2 kg 600 g

2 900 kg보다 100 kg 더 무거운 무게: 1000 kg
➜ 1000 kg=1 t

3 저울의 눈금을 읽으면 배추의 무게는 1200 g입니다.
➜ 1200 g=1 kg 200 g

4 (성호의 몸무게)−(유나의 몸무게)
=36 kg 500 g−32 kg 200 g
=4 kg 300 g

5 현서: 동전의 수가 6개로 같아도 50원짜리 동전과 500원짜리 동전의 무게가 다르므로 붓과 풀의 무게는 다릅니다.

6 예 (배의 무게)−(소고기의 무게)
=3 kg 200 g−600 g
=2 kg 600 g

2 STEP 꼬리를 무는 유형 134~135쪽

1 9 L 500 mL
2 2 L 300 mL
3 6 L 900 mL
4 3 L 900 mL
5 4 kg 900 g
6 1 kg 200 g
7 2 kg 100 g
8 ㉡
9 우유
10 물병
11 (위에서부터) 4, 300
12 (위에서부터) 900, 3
13 250, 2

1
```
   8 L 100 mL
 + 1 L 400 mL
 ------------
   9 L 500 mL
```

2
```
   7 L 600 mL
 − 5 L 300 mL
 ------------
   2 L 300 mL
```

3 4500 mL+2400 mL=6900 mL
=6 L 900 mL

4
```
   2 L 300 mL
 + 1 L 600 mL
 ------------
   3 L 900 mL
```

5 3 kg 400 g+1 kg 500 g=4 kg 900 g

6 8 kg 300 g−7 kg 100 g=1 kg 200 g

참고
■보다 ▲ 더 무거운 무게 ➜ ■+▲
■보다 ▲ 더 가벼운 무게 ➜ ■−▲

7 (서준이가 딴 딸기의 양)
=1 kg 700 g+400 g=2 kg 100 g

8 ㉠ 3200 mL=3 L 200 mL
➜ ㉠ 3 L 200 mL>㉡ 2 L 800 mL

다른 풀이
㉡ 2 L 800 mL=2800 mL
➜ 3200 mL>2800 mL

9 1200 mL=1 L 200 mL
➜ 1200 mL>1 L 100 mL이므로 우유가 더 많습니다.

10 1 L 300 mL=1300 mL
➜ 1 L 300 mL>1250 mL이므로 들이가 더 적은 것은 물병입니다.

11
```
   ㉠ kg 500 g
 +  2 kg  ㉡ g
 -------------
    6 kg 800 g
```
g 단위: 500+㉡=800 ➜ ㉡=300
kg 단위: ㉠+2=6 ➜ ㉠=4

12
```
    6 kg  ㉡ g
 − ㉠ kg 700 g
 -------------
    3 kg 200 g
```
g 단위: ㉡−700=200 ➜ ㉡=900
kg 단위: 6−㉠=3 ➜ ㉠=3

13
```
    1 kg  ㉠ g
 + ㉡ kg 700 g
 -------------
    3 kg 950 g
```
g 단위: ㉠+700=950 ➜ ㉠=250
kg 단위: 1+㉡=3 ➜ ㉡=2

3 STEP 수학 독해력 유형 136~137쪽

독해력 유형 1 ❶ 1 L 400 mL
❷ 토마토주스
쌍둥이 유형 1-1 수정과

독해력 유형 2 ❶ 3, 4 ❷ 6 kg
쌍둥이 유형 2-1 7 kg

독해력 유형 1 ❶ 2000원은 1000원의 2배이므로 2000원으로 살 수 있는 토마토주스의 양은 700 mL+700 mL=1400 mL=1 L 400 mL입니다.
❷ 1 L 200 mL<1 L 400 mL이므로 더 많은 양의 주스를 사려면 토마토주스를 사야 합니다.

쌍둥이 유형 1-1 ❶ 6000원은 2000원의 3배이므로 6000원으로 살 수 있는 식혜의 양은
500 mL+500 mL+500 mL
=1500 mL=1 L 500 mL입니다.
❷ 1 L 500 mL<1 L 800 mL이므로 더 많은 양의 음료를 사려면 수정과를 사야 합니다.

독해력 유형 2 ❷ 8−1=7 (kg), 7−2=5 (kg), 6−3=3 (kg), 5−4=1 (kg)
두 사람이 딴 귤의 무게의 차가 3 kg일 때를 찾아보면 서희가 딴 귤의 무게는 6 kg입니다.

다른 풀이
서희가 딴 귤의 무게를 □kg이라 하면 진하가 딴 귤의 무게는 (□−3) kg입니다.
□+□−3=9, □+□=12, □=6
따라서 서희가 딴 귤의 무게는 6 kg입니다.

쌍둥이 유형 2-1 ❶

두 사람이 캔 감자의 무게의 합(kg)	12	12	12	12	12	12
정우가 캔 감자의 무게(kg)	11	10	9	8	7	6
재희가 캔 감자의 무게(kg)	1	2	3	4	5	6

❷ 11−1=10 (kg), 10−2=8 (kg), 9−3=6 (kg), 8−4=4 (kg), 7−5=2 (kg), 6−6=0 (kg)
두 사람이 캔 감자의 무게의 차가 2 kg일 때를 찾아보면 정우가 캔 감자의 무게는 7 kg입니다.

4 STEP 사고력 플러스 유형 138~141쪽

1-1
```
   1
  2 L  300 mL
+ 6 L  800 mL
-------------
  9 L  100 mL
```
1-2
```
   1
  4 kg  600 g
+ 1 kg  800 g
-------------
  6 kg  400 g
```
1-3
```
  4     1000
  5 L  100 mL
− 3 L  400 mL
-------------
  1 L  700 mL
```
2-1 필통, 가위, 11
2-2 키위, 귤, 3
2-3 물감, 2개
3-1 6 L 800 mL
3-2 5 kg 500 g
3-3 2 L 200 mL
4-1 ㉮ 컵
4-2 예 각 컵으로 부은 횟수가 적을수록 컵의 들이가 많습니다.
➔ 8<9<11<12이므로 들이가 가장 많은 컵은 ㉰ 컵입니다. 답 ㉰ 컵
4-3 ㉰ 컵, ㉮ 컵, ㉯ 컵
5-1 1 t
5-2 예 (물건 10개의 무게)=20×10=200 (kg)
(물건이 실린 승강기의 무게)
=800 kg+200 kg=1000 kg=1 t 답 1 t
5-3 3 t
6-1 예 ㉮ 컵에 물을 가득 담아 5번 붓고 ㉯ 컵에 물을 가득 담아 1번 붓습니다.
6-2 예 ㉮ 그릇에 물을 가득 담아 3번 붓고 ㉯ 그릇에 물을 가득 담아 1번 붓습니다.
6-3 예 ㉮ 그릇에 물을 가득 담아 ㉯ 그릇이 찰 때까지 붓고 남는 것을 냄비에 붓습니다. /
예 600 mL−200 mL=400 mL이기 때문입니다.
7-1 단계 1 5 L 100 mL 단계 2 4 L 800 mL
7-2 8 L 700 mL
8-1 단계 1 600 g 단계 2 300 g
단계 3 1 kg 800 g 단계 4 100 g
8-2 300 g

1-1 mL끼리의 합이 1000 mL와 같거나 크면 1000 mL를 1 L로 받아올림해야 하는데 받아올림하지 않았습니다.
1-2 g끼리의 합이 1000 g과 같거나 크면 1000 g을 1 kg으로 받아올림해야 하는데 받아올림하지 않았습니다.
1-3 mL끼리 뺄 수 없으므로 1 L를 1000 mL로 받아내림하여 계산해야 하는데 받아내림하지 않았습니다.

2-1 필통: 100원짜리 동전 20개
가위: 100원짜리 동전 9개
➔ 필통이 가위보다 100원짜리 동전 $20-9=11$(개)만큼 더 무겁습니다.

2-2 귤: 바둑돌 12개, 키위: 바둑돌 15개
➔ 키위가 귤보다 바둑돌 $15-12=3$(개)만큼 더 무겁습니다.

2-3 물감: 바둑돌 8개, 붓: 바둑돌 6개
➔ 물감이 붓보다 바둑돌 $8-6=2$(개)만큼 더 무겁습니다.

3-1 5 L 300 mL+1500 mL
=5 L 300 mL+1 L 500 mL=6 L 800 mL

3-2 2 kg 100 g+3400 g
=2 kg 100 g+3 kg 400 g=5 kg 500 g

3-3 4 L 500 mL−2300 mL
=4 L 500 mL−2 L 300 mL=2 L 200 mL

4-1 각 컵으로 부은 횟수가 적을수록 컵의 들이가 많습니다. ➔ $4<5<6<7$이므로 들이가 가장 많은 컵은 ㉮ 컵입니다.

4-2 평가 기준
어항에 부은 컵의 횟수를 비교하여 들이가 가장 많은 컵을 바르게 구했으면 정답입니다.

4-3 각 컵으로 부은 횟수가 많을수록 컵의 들이가 적습니다. ➔ $12>8>6$이므로 들이가 적은 컵부터 순서대로 쓰면 ㉰ 컵, ㉮ 컵, ㉯ 컵입니다.

5-1 (상자 6개의 무게)=$50\times6=300$ (kg)
(상자가 실린 승강기의 무게)=700 kg+300 kg
=1000 kg=1 t

5-2 평가 기준
물건 10개의 무게를 구하여 물건을 실은 승강기의 무게를 바르게 구했으면 정답입니다.

5-3 (통나무 20개의 무게)=$35\times20=700$ (kg)
(통나무가 실린 컨테이너의 무게)
=2300 kg+700 kg=3000 kg=3 t

6-2 평가 기준
㉮ 그릇과 ㉯ 그릇을 모두 사용하여 수조에 물 3 L를 담는 방법을 바르게 썼으면 정답입니다.

6-3 평가 기준
㉮ 그릇과 ㉯ 그릇을 모두 사용하여 냄비에 물 400 mL를 담는 방법과 이유를 바르게 썼으면 정답입니다.

7-1 단계 1 1 L 700 mL+1 L 700 mL
+1 L 700 mL
=3 L 2100 mL=5 L 100 mL
단계 2 (어항의 들이)
=(3분 동안 수도꼭지에서 나온 물의 양)
−(흘러 넘친 물의 양)
=5 L 100 mL−300 mL=4 L 800 mL
따라서 어항의 들이는 4 L 800 mL입니다.

7-2 2 L 300 mL+2 L 300 mL+2 L 300 mL
+2 L 300 mL
=8 L 1200 mL=9 L 200 mL
(수조의 들이)
=(4분 동안 수도꼭지에서 나온 물의 양)
−(흘러 넘친 물의 양)
=9 L 200 mL−500 mL
=8 L 700 mL
따라서 수조의 들이는 8 L 700 mL입니다.

8-1 단계 1 (사과 2개의 무게)
=1 kg 900 g−1 kg 300 g=600 g
단계 2 600 g=300 g+300 g
➔ (사과 1개의 무게)=300 g
단계 3 (사과 6개의 무게)
=300 g+300 g+300 g+300 g+300 g
+300 g
=1800 g=1 kg 800 g
단계 4 (빈 바구니의 무게)
=1 kg 900 g−1 kg 800 g=100 g

8-2 (축구공 2개의 무게)
=2 kg 300 g−1 kg 500 g=800 g
800 g=400 g+400 g이므로 축구공 1개의 무게는 400 g입니다.
(축구공 5개의 무게)
=400 g+400 g+400 g+400 g+400 g
=2000 g=2 kg
축구공 5개를 넣은 상자의 무게가 2 kg 300 g이므로
(빈 상자의 무게)=2 kg 300 g−2 kg=300 g입니다.

유형 TEST 142~144쪽

1 5000 2 mL
3 가 4 1500 g
5 5 L 500 mL 6 ㉢
7 ㉡ 8 2 kg 500 g
9 2300 mL 10

$$\begin{array}{r} \overset{2}{\cancel{3}}\text{ kg } \overset{1000}{100}\text{ g} \\ -\ 1\text{ kg } 500\text{ g} \\ \hline 1\text{ kg } 600\text{ g} \end{array}$$

11 ㉡ / 예 주사기의 들이는 약 5 mL입니다.
12 키위, 9개 13 >
14 5 L 800 mL 15 당근
16 2 L 300 mL
17 예 ❶ 컵으로 부은 횟수가 적을수록 컵의 들이가 많습니다.
❷ ➔ 12<13<14<15이므로 들이가 가장 많은 컵은 ㉯ 컵입니다. 답 ㉯ 컵
18 예 ❶ (상자 5개의 무게)=80×5=400 (kg)
❷ (상자가 실린 승강기의 무게)
=600 kg+400 kg=1000 kg
❸ ➔ 1000 kg=1 t 답 1 t
19 예 ❶ ㉮ 그릇에 물을 가득 담아 ㉯ 그릇이 찰 때까지 붓고 남는 것을 수조에 붓습니다.
20 예 ❶ (빵 2개의 무게)
=1 kg 900 g−1 kg 500 g=400 g
❷ 400 g=200 g+200 g
➔ (빵 1개의 무게)=200 g
❸ (빵 8개의 무게)=200 g+200 g+200 g
+200 g+200 g+200 g+200 g+200 g
=1600 g=1 kg 600 g
❹ (빈 바구니의 무게)
=1 kg 900 g−1 kg 600 g=300 g
답 300 g

7 ㉡ 1 L 50 mL=1050 mL

8 5 kg 700 g−3 kg 200 g=2 kg 500 g

9 들이가 1000 mL인 비커 2개와 300 mL인 비커 1개이므로 냄비의 들이는 2300 mL입니다.

12 키위: 바둑돌 13개, 딸기: 바둑돌 4개
➔ 13−4=9(개)

13 3 kg 200 g=3200 g ➔ 3200 g>3090 g

14 2300 mL=2 L 300 mL
➔ 2 L 300 mL+3 L 500 mL=5 L 800 mL

15 고구마보다 감자가 더 무겁고, 감자보다 당근이 더 무거우므로 가장 무거운 것은 당근입니다.

16 수조에 들어 있는 물의 양: 2 L 200 mL
(더 부어야 하는 물의 양)
=4 L 500 mL−2 L 200 mL=2 L 300 mL

17 채점 기준

❶ 컵으로 부은 횟수와 컵의 들이의 관계를 앎.	2점	5점
❷ 들이가 가장 많은 컵을 구함.	3점	

18 채점 기준

❶ 상자 5개의 무게를 구함.	2점	5점
❷ 상자가 실린 승강기의 무게를 kg 단위로 구함.	2점	
❸ ❷를 t 단위로 나타냄.	1점	

19 채점 기준

❶ ㉮ 그릇과 ㉯ 그릇을 모두 사용하여 수조에 물 5 L를 담는 방법을 바르게 씀.	5점

20 채점 기준

❶ 빵 2개의 무게를 구함.	2점	5점
❷ 빵 1개의 무게를 구함.	1점	
❸ 빵 8개의 무게를 구함.	1점	
❹ 빈 바구니의 무게를 구함.	1점	

앞 단원 유형 다시 보기 145쪽

① 6, 3 ② 12 cm ③ 시럽 ④ $\frac{17}{5}$

① • 12를 똑같이 2로 나눈 것 중의 1은 6입니다.
➔ ㉠=6
• 12를 똑같이 4로 나눈 것 중의 1은 3입니다.
➔ ㉡=3

④ $\frac{19}{5}=3\frac{4}{5}$, $\frac{17}{5}=3\frac{2}{5}$
➔ $3\frac{1}{5}<\frac{17}{5}\left(=3\frac{2}{5}\right)<\frac{19}{5}\left(=3\frac{4}{5}\right)<4\frac{3}{5}$

재미있는 창의·융합·코딩 146~147쪽

코딩1 kg, kg/t, t/kg, t, t  16, 200

6. 자료의 정리

1 STEP 개념별 유형 150~155쪽

1 3명　2 23명　3 축구
4 24　5 여름　6 ㉡
7 봄, 여름, 겨울, 가을　8 8명
9 21명　10 체육
11 체육, 체육　12 ○ 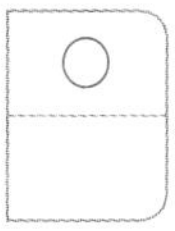
13 예 미희네 반 학생들　14 6, 7, 3, 16
15 ㉡
16 학생들이 좋아하는 반려동물 / 1, 5, 8
17 3명, 1명
18 (위에서부터) 3, 3 / 6, 1, 14
19 27명　20 그림그래프　21 10명, 1명
22 41권　23 3반　24 2반
25 ㉢　26 (　) (○) (○)

27 종류별 꽃의 수

꽃	꽃의 수
장미	◎◎◎◎◎○○
수국	◎◎○
튤립	◎◎◎○○○○

◎ 10송이
○ 1송이

28 ㉡

29 종목별 참여한 학생 수

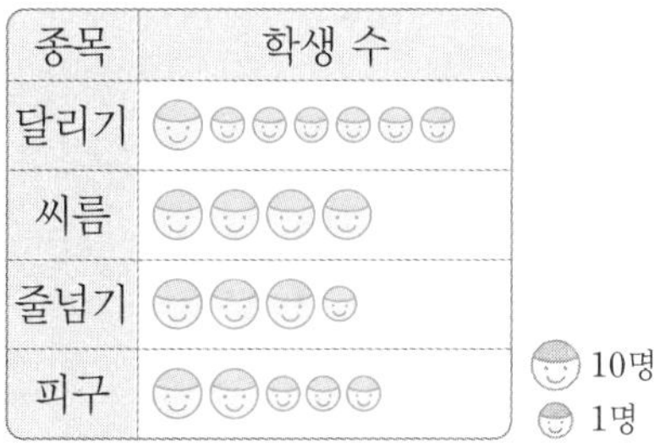

종목	학생 수
달리기	◎○○○○○○
씨름	◎◎◎◎
줄넘기	◎◎◎○
피구	◎◎○○○

◎ 10명
○ 1명

30 달리기　31 다 농장

32 농장별 귤 수확량

농장	수확량
가	◎○○
나	○○○○○○○○
다	◎◎◎○○
라	◎◎○○○○○

◎ 100 kg
○ 10 kg

33 그림그래프　34 표

1 표에서 농구를 찾아보면 농구를 좋아하는 학생은 3명입니다.

2 표에서 합계를 보면 조사한 학생은 모두 23명입니다.

3 학생 수를 비교해 보면 가장 많은 학생이 좋아하는 운동은 축구입니다.

4 (합계)$=4+5+9+6=24$(명)

5 5명이 태어난 계절은 여름입니다.

6 ㉡ 봄에 태어난 학생은 4명, 겨울에 태어난 학생은 6명이므로 겨울에 태어난 학생은 봄에 태어난 학생보다 $6-4=2$(명) 더 많습니다.

7 학생 수를 비교해 보면 $4<5<6<9$이므로 가장 적은 학생이 태어난 계절부터 순서대로 쓰면 봄, 여름, 겨울, 가을입니다.

8 표에서 1반 학생 중 영어를 좋아하는 학생을 찾아보면 8명입니다.

9 표에서 2반의 합계를 보면 조사한 2반 학생은 모두 21명입니다.

10 1반과 2반에서 좋아하는 과목의 학생 수가 같은 과목을 찾아보면 9명인 체육입니다.

11 1반: 학생 수를 비교해 보면 $9>8>6$이므로 1반에서 가장 많은 학생이 좋아하는 과목은 체육입니다.
2반: 학생 수를 비교해 보면 $9>7>5$이므로 2반에서 가장 많은 학생이 좋아하는 과목은 체육입니다.

주의
1반과 2반의 학생 수를 구분하여 비교해야 합니다.

14 색깔별로 학생 수를 세어 봅니다.
(합계)$=6+7+3=16$(명)

15 ㉠ 붙임딱지 붙이기: 붙임딱지판을 미리 만들어야 하고 직접 손 들기에 비해 조사 기간이 오래 걸리며 참여가 많지 않을 수 있습니다.
㉡ 직접 손 들기: 짧은 시간에 자료를 수집할 수 있으나 모든 학생이 한 번에 참여할 수 있어야 합니다.

16 (합계)$=2+1+5=8$(명)

17 비빔밥을 좋아하는 학생 중 남학생인 파란색으로 표시된 수를 세어 보면 3명, 여학생인 빨간색으로 표시된 수를 세어 보면 1명입니다.

주의
좋아하는 음식별로 색깔을 구분하여 항목별 수를 세어 봅니다.

18 남학생과 여학생을 구분하여 세어 봅니다.
(여학생 합계)=6+1+3+4=14(명)

19 13+14=27(명)

22 이 4개, 이 1개 ➔ 41권

23 이 2개, 이 3개인 반을 찾으면 3반입니다.

24 (10권)의 수를 비교하면 5>4>3>2이므로 학급문고가 가장 많은 반은 2반입니다.

참고
큰 그림의 수가 많을수록 자료의 수가 많습니다.

25 ㉢ 1반의 학급문고는 41권, 4반의 학급문고는 32권이므로 1반의 학급문고가 4반의 학급문고보다 더 많습니다.

26 꽃의 수가 모두 두 자리 수이므로 그림그래프로 나타낼 때 알맞은 그림의 단위는 10송이, 1송이입니다.

27 수국: ◎(10송이) 2개, ○(1송이) 1개
튤립: ◎(10송이) 3개, ○(1송이) 4개

28 ㉡ 그림은 그리기 쉽고 간단한 그림으로 나타내는 것이 좋습니다.

29 조사한 수에 맞게 그림그래프로 나타냅니다.

30 (10명)의 수가 가장 적은 종목을 찾으면 달리기입니다.

31 다 농장의 수확량은 320 kg이므로 ◎ 3개, ○ 2개를 그려야 합니다.

32 조사한 수에 맞게 그림그래프로 나타냅니다.

33 많고 적음을 그림으로 한눈에 쉽게 비교할 수 있는 것은 그림그래프입니다.

34 표의 합계를 보면 조사한 전체 학생 수를 쉽게 알 수 있습니다.

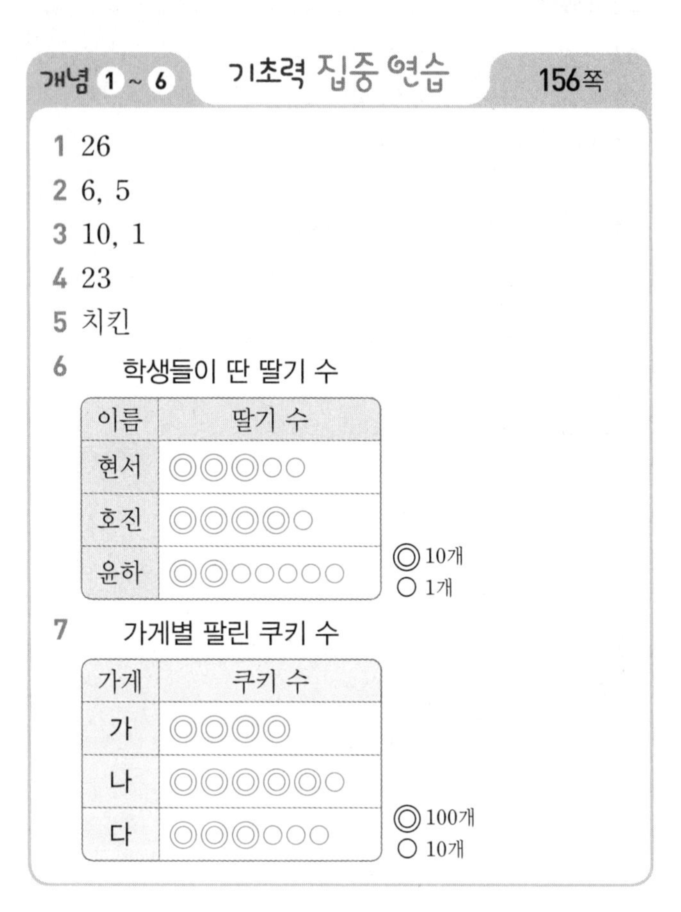

개념 1 ~ 6 기초력 집중 연습 156쪽

1 26
2 6, 5
3 10, 1
4 23
5 치킨
6 학생들이 딴 딸기 수

이름	딸기 수
현서	◎◎◎○○
호진	◎◎◎◎○
윤하	◎◎○○○○○

◎ 10개
○ 1개

7 가게별 팔린 쿠키 수

가게	쿠키 수
가	◎◎◎◎
나	◎◎◎◎◎○
다	◎◎◎○○○

◎ 100개
○ 10개

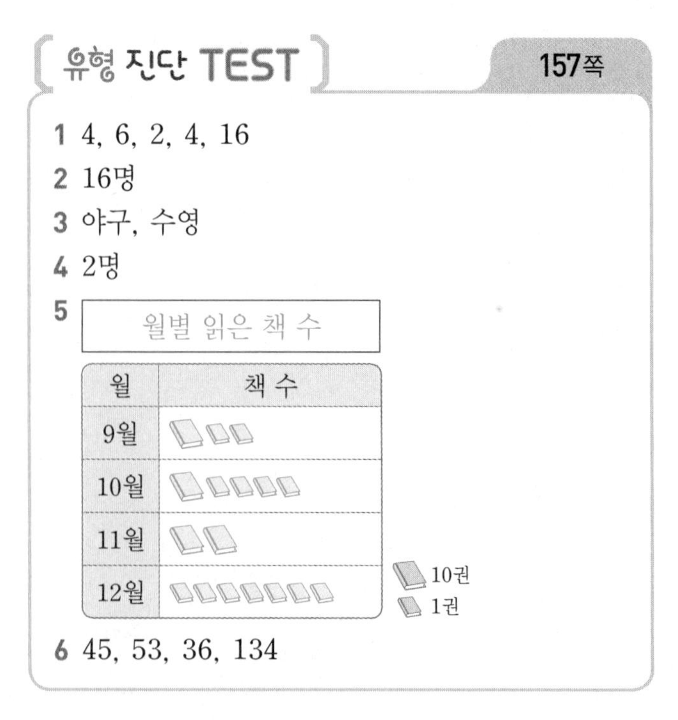

유형 진단 TEST 157쪽

1 4, 6, 2, 4, 16
2 16명
3 야구, 수영
4 2명
5 월별 읽은 책 수

월	책 수
9월	
10월	
11월	
12월	

10권
1권

6 45, 53, 36, 134

1 (합계)$=4+6+2+4=16$(명)

2 위 1의 표에서 합계를 보면 조사한 학생은 모두 16명입니다.

다른 풀이

자료의 수를 세어 보면 조사한 학생은 모두 16명입니다.

3 학생 수가 같은 운동을 찾아보면 야구와 수영을 배우고 싶은 학생이 4명으로 같습니다.

4 $6-4=2$(명)

5 조사한 수에 맞게 그림그래프로 나타내고 알맞은 제목을 씁니다.

6 은지: 4개, 5개 ➔ 45회

하연: 5개, 3개 ➔ 53회

준호: 3개, 6개 ➔ 36회

2 STEP 꼬리를 무는 유형 158~159쪽

1 신발, 9명　2 옷, 2명

3 초록　4 57대

5 16대　6 123 g

7 목장별 우유 생산량

목장	생산량
가	◎◎◎○○○○○
나	◎◎○○○○○○
다	◎◎◎○○
라	◎○○○○○○○

◎ 10 kg
○ 1 kg

8 목장별 우유 생산량

목장	생산량
가	◎◎◎△
나	◎◎△○
다	◎◎◎○○
라	◎△○○

◎ 10 kg
△ 5 kg
○ 1 kg

9 11　10 7, 24

11 (위에서부터) 1, 6

1 학생 수를 비교해 보면 $9>8>3>2$이므로 가장 많은 학생이 받고 싶은 선물은 신발이고 9명입니다.

2 학생 수를 비교해 보면 가장 적은 학생이 받고 싶은 선물은 옷이고 2명입니다.

3 학생 수를 비교해 보면 $3<5<7<8$이므로 지안이가 입은 윗옷의 색깔은 초록입니다.

4 1동: 32대, 3동: 25대

➔ $32+25=57$(대)

5 2동: 41대, 3동: 25대

➔ $41-25=16$(대)

6 젤리 100 g에 들어 있는 설탕 양: 70 g

초콜릿 100 g에 들어 있는 설탕 양: 53 g

➔ $70+53=123$ (g)

9 (가요를 좋아하는 학생 수)$=23-7-5=11$(명)

10 (컴퓨터를 배우고 싶은 학생 수)

$=24-5-4-8=7$(명)

11 (크림빵을 좋아하는 남학생 수)$=14-6-7=1$(명)

(도넛을 좋아하는 여학생 수)$=15-4-5=6$(명)

3 STEP 수학 독해력 유형 160~161쪽

독해력 유형 1 ❶ 240상자 ❷ 60상자

쌍둥이 유형 1-1 80상자

독해력 유형 2 ❶ 9명, 13명, 21명 ❷ 방송국

쌍둥이 유형 2-1 복지관

독해력 유형 1 ❶ (100상자) 2개, (10상자) 4개이므로 240상자입니다.

❷ 수확량이 300상자가 되려면 사과를

$300-240=60$(상자) 더 수확해야 합니다.

쌍둥이 유형 1-1 ❶ 달콤 과수원의 수확량은 (100상자) 1개, (10상자) 7개이므로 170상자입니다.

❷ 수확량이 250상자가 되려면 사과를

$250-170=80$(상자) 더 수확해야 합니다.

독해력 유형 2 ❶ 소방서: 2+7=9(명)
청와대: 9+4=13(명)
방송국: 10+11=21(명)
❷ 위 ❶에서 구한 학생 수를 비교해 보면 21>13>9이므로 두 반이 함께 현장 체험 학습을 가려면 방송국으로 가면 좋을 것 같습니다.

쌍둥이 유형 2-1 ❶ 장소별로 두 반 학생 수의 합을 구합니다.
요양원: 5+3=8(명)
복지관: 6+8=14(명)
박물관: 4+6=10(명)
❷ ❶에서 구한 학생 수를 비교해 보면 14>10>8이므로 두 반이 함께 봉사 활동을 가려면 복지관으로 가면 좋을 것 같습니다.

4 STEP 사고력 플러스 유형 162~165쪽

1-1 10, 1
1-2 100, 10
2-1 불고기, 햄
2-2 생선찜
2-3 초록, 노랑, 빨강, 파랑
3-1 38권
3-2 840 kg
4-1 17, 93 / 오늘 판매한 꽃의 수

꽃	꽃의 수
장미	❀❀❀❀❀✿
튤립	❀❀✿✿✿✿✿
국화	❀✿✿✿✿✿✿✿

❀ 10송이 ✿ 1송이

4-2 16, 114 /
학생들이 즐겨 보는 TV 프로그램

프로그램	학생 수
만화	☻☻☺☺☺☺☺
드라마	☻☺☺☺☺☺☺
예능	☻☻☻☺
음악	☻☻☻☻☺☺

☻ 10명 ☺ 1명

5-1 예 떡볶이
5-2 예 초콜릿맛 우유: 350갑, 멜론맛 우유: 210갑, 딸기맛 우유: 240갑, 바나나맛 우유: 420갑
➜ 420>350>240>210이므로 가장 많이 팔린 바나나맛 우유를 가장 많이 준비하면 좋을 것입니다. 답 예 바나나맛 우유
6-1 18개
6-2 예 1반이 모은 헌 종이는 33 kg, 3반이 모은 헌 종이는 40 kg입니다.
➜ (2반이 모은 헌 종이의 무게)
=108−33−40
=35 (kg) 답 35 kg
7-1 단계 1 21명, 16명, 5명
단계 2 반별 우유를 마시는 학생 수

반	1반	2반	3반
학생 수	◎◎○	◎△○	△

◎10명 △5명 ○1명

7-2 학생별 모은 붙임딱지 수

이름	설아	호진	윤경
붙임딱지 수	◎◎◎○○	△○○○	◎△○○

◎10장 △5장 ○1장

8-1 단계 1 58명 단계 2 23명 단계 3 35명
8-2 34명

1-1 소나무를 심고 싶은 학생은 51명이고 큰 그림 5개, 작은 그림 1개가 그려져 있으므로 큰 그림은 10명, 작은 그림은 1명을 나타냅니다.

2-1 학생 수를 비교해 보면 3<5<6<9이므로 계란찜보다 더 많은 학생이 좋아하는 반찬은 불고기, 햄입니다.

2-2 학생 수를 비교해 보면 3<5<6<9이므로 계란찜보다 더 적은 학생이 좋아하는 반찬은 생선찜입니다.

2-3 색종이의 수를 비교해 보면 11<15<17<21이므로 가장 적은 색깔의 색종이의 색부터 차례로 쓰면 초록, 노랑, 빨강, 파랑입니다.

3-1 가장 많은 책: 위인전, 30권
가장 적은 책: 만화책, 8권
➜ 합: 30+8=38(권)

3-2 생산량이 가장 많은 마을: 가 마을, 510 kg
생산량이 가장 적은 마을: 나 마을, 330 kg
➜ 합: 510+330=840 (kg)

4-1 튤립은 (10송이) 2개와 (1송이) 5개를 그립니다.
그림그래프를 보면 오늘 판매한 국화는 17송이입니다.
(합계)=51+25+17=93(송이)

4-2 예능은 (10명) 3개와 (1명) 1개를 그립니다.
그림그래프를 보면 드라마는 16명입니다.
(합계)=25+16+31+42=114(명)

5-1 떡볶이: 310인분, 라볶이: 220인분,
순대: 130인분, 어묵: 200인분
➔ 310>220>200>130이므로 가장 많이 팔린 떡볶이를 가장 많이 준비하면 좋을 것입니다.

5-2 **평가 기준**
가장 많이 팔린 우유는 어떤 우유인지 알고 다음 주에는 어떤 우유를 가장 많이 준비하면 좋을지 바르게 구했으면 정답입니다.

6-1 윤하가 딴 귤은 16개, 성민이가 딴 귤은 21개입니다.
(예서가 딴 귤 수)=55−16−21=18(개)

6-2 **평가 기준**
1반과 3반이 모은 헌 종이의 무게를 각각 구하여 2반이 모은 헌 종이의 무게를 바르게 구했으면 정답입니다.

7-2 모은 붙임딱지의 수는 설아가 32장, 호진이가 8장, 윤경이가 17장입니다.

8-1 단계1 (윷놀이와 제기차기를 좋아하는 학생 수의 합)
=116−18−40=58(명)
단계2 제기차기를 좋아하는 학생 수를 □명이라 하면 윷놀이를 좋아하는 학생 수는 (□+12)명입니다.
□+12+□=58, □+□=46, □=23
단계3 (윷놀이를 좋아하는 학생 수)
=23+12=35(명)

8-2 (화요일과 금요일의 입장객 수의 합)
=115−21−46=48(명)
화요일의 입장객 수를 □명이라 하면 금요일의 입장객 수는 (□+20)명입니다.
□+□+20=48, □+□=28, □=14
➔ (금요일의 입장객 수)=14+20=34(명)

유형 TEST

166~168쪽

1 우유
2 4, 2, 3, 3
3 12명
4 콜라
5 42명
6 다 마을
7 나 마을
8 ㉡
9 라 목장
10 8 kg
11 라 목장, 다 목장, 가 목장, 나 목장
12 목장별 우유 생산량

목장	생산량
가	◎○○○○○○○○
나	◎◎○
다	◎○○○
라	○○○○○○○○○

◎ 10 kg
○ 1 kg

13 하늘 농장
14 240, 300, 320, 860
15 6
16 피자
17 26, 100 / 학생들이 보고 싶은 동물

동물	학생 수
펭귄	◎◎◎◎○○
사자	◎◎◎○○
기린	◎◎○○○○○○

◎ 10명
○ 1명

18 예 ❶ 자장면: 400인분, 짬뽕: 230인분, 탕수육: 310인분, 볶음밥: 140인분
❷ 400>310>230>140이므로 가장 많이 팔린 자장면을 가장 많이 준비하면 좋을 것입니다.
답 예 자장면

19 예 ❶ 가 마을의 나무는 610그루, 다 마을의 나무는 450그루입니다.
❷ (나 마을의 나무 수)
=1400−610−450=340(그루)
답 340그루

20 예 ❶ (B형과 AB형인 학생 수의 합)
=27−11−7=9(명)
❷ AB형인 학생 수를 □명이라 하면 B형인 학생 수는 (□+3)명입니다.
□+3+□=9, □+□=6, □=3
→ AB형인 학생 수: 3명
➔ (B형인 학생 수)=3+3=6(명)
답 6명

1 위의 자료에서 시우를 찾아보면 시우가 좋아하는 음료는 우유입니다.

2 자료를 보고 겹치거나 빠뜨리지 않게 세어 표를 완성합니다.

3 위 **2**의 표에서 합계를 보면 조사한 학생은 모두 12명입니다.

4 학생 수를 비교해 보면 $4>3>2$이므로 가장 많은 학생이 좋아하는 음료는 콜라입니다.

5 가 마을은 (10명) 4개와 (1명) 2개이므로 42명입니다.

6 학생 수가 가장 많은 마을은 (10명)의 수가 5개인 다 마을입니다.

7 (10명)의 수를 비교하면 나 마을과 라 마을이 3개로 같으므로 (1명)의 수를 비교하면 $5>1$로 학생 수가 가장 적은 마을은 나 마을입니다. 따라서 현서가 사는 마을은 나 마을입니다.

8 자료를 그림으로 한눈에 비교하기 쉬운 것은 그림그래프입니다.

9 $13>9$이므로 다 목장보다 우유 생산량이 적은 목장은 라 목장입니다.

10 나 목장: 21 kg, 다 목장: 13 kg
➔ 나 목장은 다 목장보다 우유 생산량이 $21-13=8$ (kg) 더 많습니다.

11 우유 생산량을 비교해 보면 $9<13<18<21$이므로 우유 생산량이 가장 적은 목장부터 순서대로 쓰면 라 목장, 다 목장, 가 목장, 나 목장입니다.

14 (합계)$=240+300+320=860$ (kg)

15 (1반에서 치킨을 좋아하는 학생 수)
$=18-7-5=6$(명)

16 피자: $7+9=16$(명), 도넛: $5+5=10$(명),
치킨: $6+7=13$(명)
➔ $16>13>10$이므로 피자를 간식으로 정하면 좋을 것 같습니다.

17 펭귄은 ◎(10명) 4개와 ○(1명) 2개를 그립니다.
그림그래프를 보면 기린을 보고 싶은 학생은 26명입니다.
(합계)$=42+32+26=100$(명)

18 채점 기준

채점 기준	점수	총점
❶ 각각의 음식이 몇 인분씩 팔렸는지 구함.	3점	5점
❷ 다음 주에는 어떤 음식을 가장 많이 준비하면 좋을지 구함.	2점	

19 채점 기준

채점 기준	점수	총점
❶ 가 마을과 다 마을의 나무 수를 각각 구함.	2점	5점
❷ 나 마을의 나무 수를 구함.	3점	

20 채점 기준

채점 기준	점수	총점
❶ B형과 AB형인 학생 수의 합을 구함.	2점	5점
❷ B형인 학생 수를 구함.	3점	

앞 단원 유형 다시 보기 169쪽

1 ㉠ 2 8 L 800 mL
3 3 t 4 4 kg 300 g

1 ㉡ 2080 mL$=2$ L 80 mL

2 1 L 600 mL$+7$ L 200 mL$=8$ L 800 mL

3 1000 kg$=1$ t
➔ 3000 kg$=3$ t이므로 하마의 무게는 3 t입니다.

4 파인애플: 1200 g$=1$ kg 200 g
5 kg 500 g>1 kg 800 g>1200 g($=1$ kg 200 g)이므로 가장 무거운 것은 5 kg 500 g, 가장 가벼운 것은 1200 g입니다.
➔ 5 kg 500 g-1200 g$=4$ kg 300 g

재미있는 창의·융합·코딩 170~171쪽

코딩1 (위에서부터) 32/10, 7/
찬성에 ○표, 여학생에 ○표

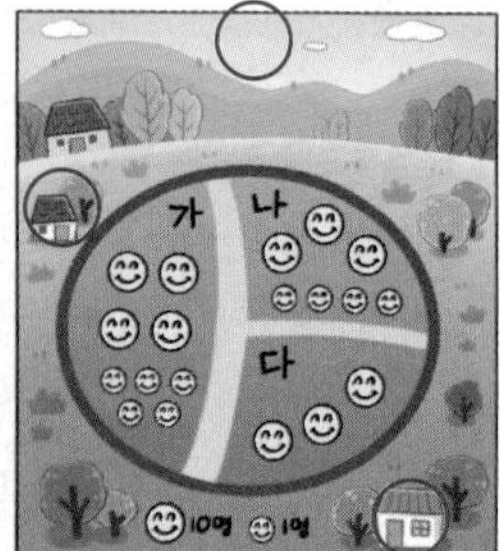

/가, 45

단원평가 정답 및 풀이

1~2쪽 1. 곱셈

1 226	2 (1) 207 (2) 728
3 250	4 예 $\begin{array}{r} 35 \\ \times 24 \\ \hline 140 \\ 700 \\ \hline 840 \end{array}$
5 3017	6 ㉡
7 1113	8 123×4=492, 492
9 639	10 608개
11 ㉠	12 >
13 6750원	14 3
15 480개월	16 ㉠, ㉡, ㉢
17 1176쪽	18 (위에서부터) 7, 6
19 180	20 1387

2 (1) $\begin{array}{r} 9 \\ \times 23 \\ \hline 27 \\ 180 \\ \hline 207 \end{array}$ (2) $\begin{array}{r} 52 \\ \times 14 \\ \hline 208 \\ 520 \\ \hline 728 \end{array}$

3 $\begin{array}{r} {}^{1} \\ 125 \\ \times \quad 2 \\ \hline 250 \end{array}$

5 $\begin{array}{r} {}^{2} \\ 431 \\ \times \quad 7 \\ \hline 3017 \end{array}$

6 ㉠ 62×32=1984

7 $\begin{array}{r} 53 \\ \times 21 \\ \hline 53 \\ 1060 \\ \hline 1113 \end{array}$

9 가장 큰 수: 213, 가장 작은 수: 3
➜ 213×3=639

10 304×2=608(개)

11 30×40=1200
㉠ 60×20=1200 ㉡ 70×20=1400

12 7×45=315 ➜ 320>315

13 750×9=6750(원)

14 7×5=35이므로 7×□=21입니다. ➜ □=3

15 12×40=480(개월)

16 ㉠ 127×3=381
㉡ 19×20=380
㉢ 21×18=378
➜ 381>380>378이므로 계산 결과가 큰 순서대로 기호를 쓰면 ㉠, ㉡, ㉢입니다.

17 1주일에 7일씩 4주: 7×4=28(일)
➜ 42×28=1176(쪽)

다른 풀이

(1주일 동안 읽는 동화책 쪽수)=42×7=294(쪽)
(4주 동안 읽는 동화책 쪽수)=294×4=1176(쪽)

18 두 번 곱해지는 자리에 가장 큰 수를 써넣습니다.

19 어떤 수를 □라 하면 □+15=27, □=12입니다.
➜ 바르게 계산한 값: 12×15=180

20 ㉠−㉡=46−27=19 ➜ ㉢=19
㉠+㉡=46+27=73 ➜ ㉣=73
㉠◆㉡=㉢×㉣=19×73=1387

3~4쪽 2. 나눗셈

1 1, 10	2 18
3 21	4 14
5 $\begin{array}{r} 362 \\ 2\overline{)724} \\ 6 \\ \hline 12 \\ 12 \\ \hline 4 \\ 4 \\ \hline 0 \end{array}$	6 9, 3
	7 ㉡
	8 (선 잇기)

9 14, 1/3×14=42, 42+1=43

10 20개	11 ㉠
12 38명	13 ㉡
14 ⑤	15 36개, 1개
16 49, 16, 1	17 12줄
18 ⑤	19 66
20 1, 2, 4, 8	

2
$$\begin{array}{r} 18 \\ 3\overline{)54} \\ \underline{3} \\ 24 \\ \underline{24} \\ 0 \end{array}$$

3
$$\begin{array}{r} 21 \\ 2\overline{)42} \\ \underline{4} \\ 2 \\ \underline{2} \\ 0 \end{array}$$

4 $42 \div 3 = 14$

6 $48 \div 5 = 9 \cdots 3$ ➔ 몫: 9, 나머지: 3

7 ㉠ $60 \div 5 = 12$

8 $125 \div 3 = 41 \cdots 2$, $469 \div 4 = 117 \cdots 1$

9 $43 \div 3 = 14 \cdots 1$ ➔ 확인 $3 \times 14 = 42$, $42 + 1 = 43$

10 $80 \div 4 = 20$(개)

11 ㉠ $48 \div 2 = 24$ ㉡ $92 \div 4 = 23$
➔ $24 > 23$

12 $152 \div 4 = 38$(명)

13 $78 \div 5 = 15 \cdots 3$
㉠ 몫은 15입니다.

14 나머지가 5가 될 수 없는 식은 나누는 수가 5이거나 5보다 작은 것입니다. ➔ □÷5

참고
나머지는 나누는 수보다 작습니다.

15 $217 \div 6 = 36 \cdots 1$

16 $3 \times 16 = 48$, $48 + 1 = 49$
(3: 나누는 수, 16: 몫, 1: 나머지, 49: 나누어지는 수)
➔ $49 \div 3 = 16 \cdots 1$

17 (운동장에 있는 학생 수)$= 25 + 35 = 60$(명)
➔ $60 \div 5 = 12$(줄)

18 ① $48 \div 4 = 12$ ② $84 \div 7 = 12$ ③ $72 \div 6 = 12$
④ $108 \div 9 = 12$ ⑤ $99 \div 9 = 11$

19 어떤 수를 □라 하면 □$\div 7 = 9 \cdots 3$입니다.
$7 \times 9 = 63$, $63 + 3 = 66$ ➔ □$= 66$

20 $32 \div 1 = 32$ (○), $32 \div 2 = 16$ (○),
$32 \div 3 = 10 \cdots 2$ (×), $32 \div 4 = 8$ (○),
$32 \div 5 = 6 \cdots 2$ (×), $32 \div 6 = 5 \cdots 2$ (×),
$32 \div 7 = 4 \cdots 4$ (×), $32 \div 8 = 4$ (○),
$32 \div 9 = 3 \cdots 5$ (×)
➔ 32를 나누어떨어지게 하는 수: 1, 2, 4, 8

5~6쪽 3. 원

1

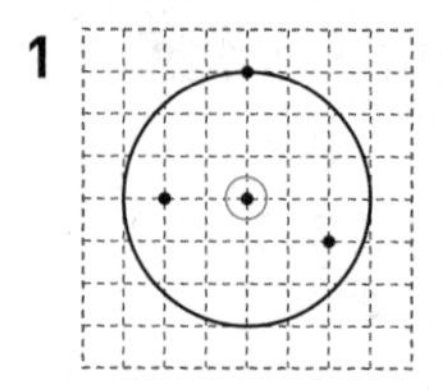

2 (왼쪽에서부터) 반지름, 지름

3 예

4

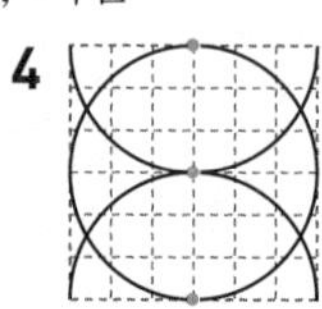

5 5 cm

6 3군데

7 8 cm

8 4개

9 예

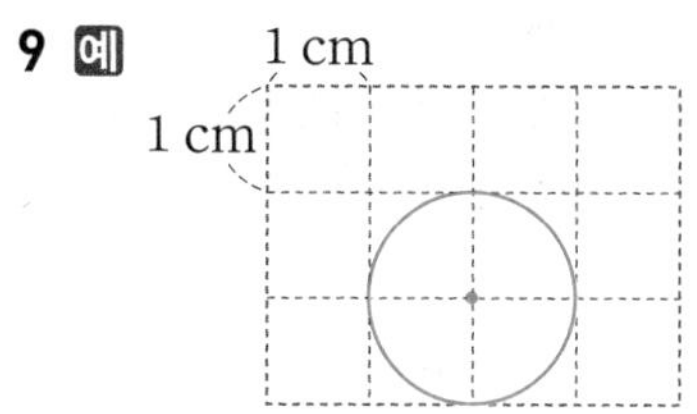

10 예

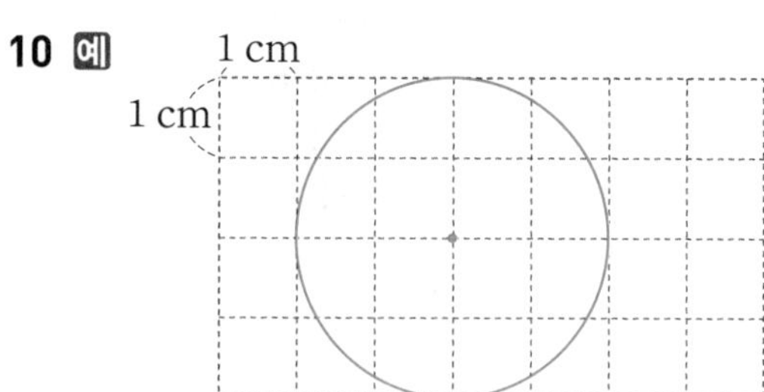

11 1개

12 2 cm, 4 cm

13

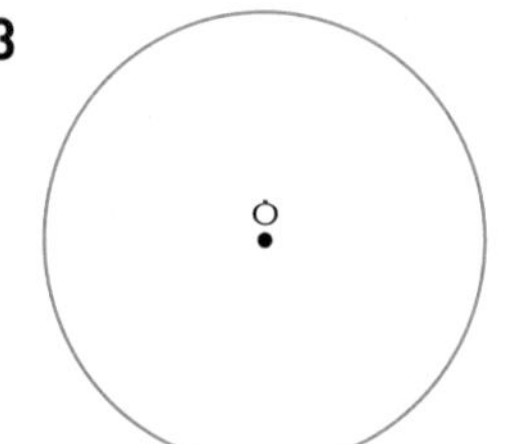

14

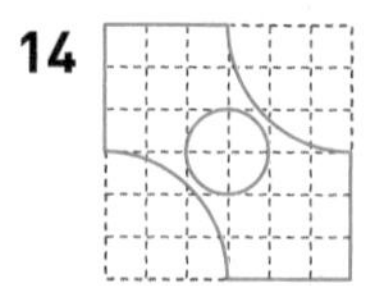

15

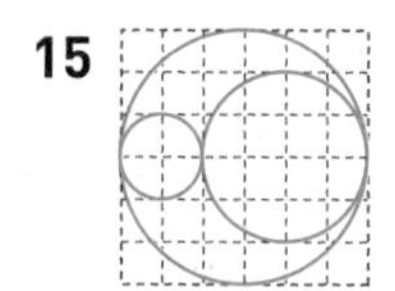

16 예

17

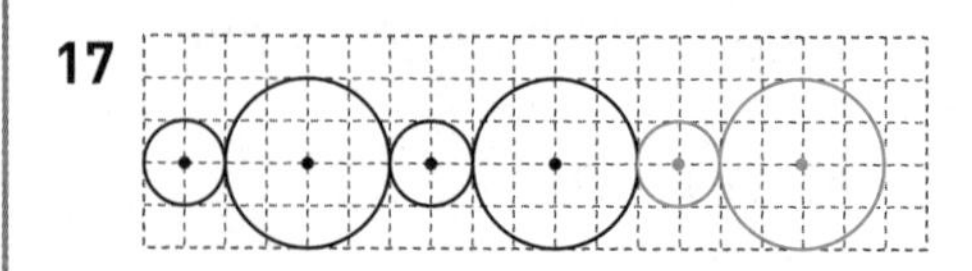

18 6 cm

19 16 cm, 4 cm

20 75 cm

2 원의 중심과 원 위의 한 점을 이은 선분을 원의 반지름이라 하고, 원 위의 두 점을 이은 선분이 원의 중심을 지날 때, 이 선분을 원의 지름이라고 합니다.

3 원의 중심과 원 위의 한 점을 잇는 선분을 1개 긋습니다.

5 한 원에서 반지름은 지름의 반입니다.
➔ (반지름)=(지름)÷2=10÷2=5 (cm)

6 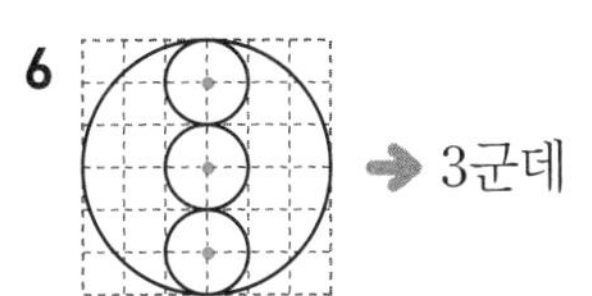
➔ 3군데

7 컴퍼스를 4 cm가 되도록 벌려서 그린 원의 반지름은 4 cm입니다.
➔ (지름)=4×2=8 (cm)

8 반지름: 선분 ㅇㄱ, 선분 ㅇㄴ, 선분 ㅇㄷ, 선분 ㅇㅂ
➔ 4개

11 한 원에는 중심이 1개 있습니다.

12 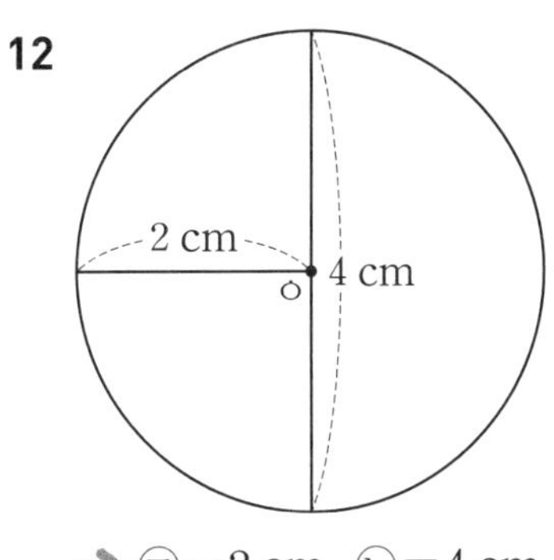

➔ ㉠=2 cm, ㉡=4 cm

13 컴퍼스를 주어진 선분의 길이만큼 벌린 후 점 ㅇ을 원의 중심으로 하는 원을 그립니다.

다른 풀이
주어진 선분을 자로 재어 보면 길이가 1.5 cm입니다. 따라서 컴퍼스를 1.5 cm가 되도록 벌려서 원을 그립니다.

14 컴퍼스의 침을 꽂아야 할 곳을 찾아 왼쪽 모양과 똑같이 그립니다.

16 원의 중심과 반지름을 정하여 크기가 같은 원을 2개 그립니다.

17 원의 중심은 일직선에 놓여 있고 원의 반지름이 1칸, 2칸이 반복되는 규칙입니다.

18 (작은 원의 지름)=24÷2=12 (cm)
㉠=(작은 원의 반지름)=12÷2=6 (cm)

19 (가로)=2×8=16 (cm)
(세로)=2×2=4 (cm)

20 선분 ㄱㄹ의 길이는 반지름의 5배와 같습니다.
➔ 15×5=75 (cm)

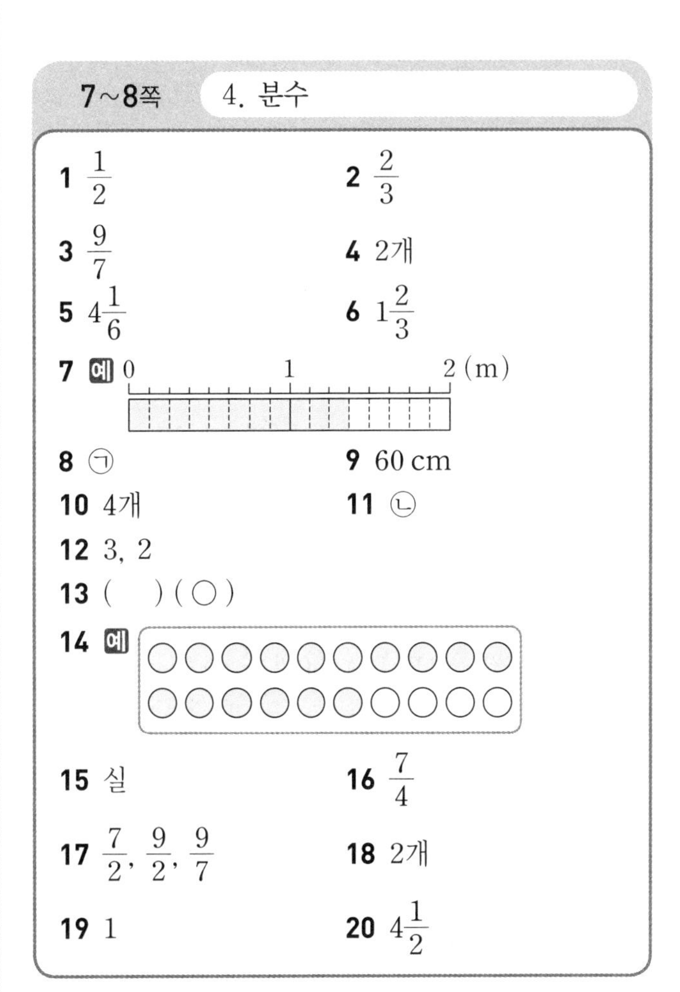
7~8쪽 4. 분수

1 $\frac{1}{2}$ 2 $\frac{2}{3}$
3 $\frac{9}{7}$ 4 2개
5 $4\frac{1}{6}$ 6 $1\frac{2}{3}$
7 예 0 1 2 (m)
8 ㉠ 9 60 cm
10 4개 11 ㉡
12 3, 2
13 ( )(○)
14 예 ○○○○○○○○○○ ○○○○○○○○○○
15 실 16 $\frac{7}{4}$
17 $\frac{7}{2}$, $\frac{9}{2}$, $\frac{9}{7}$ 18 2개
19 1 20 $4\frac{1}{2}$

2 9를 3씩 묶으면 3묶음이 되므로 6은 9의 $\frac{2}{3}$입니다.

3 작은 눈금 한 칸의 크기는 $\frac{1}{7}$이고 ㉠이 나타내는 곳은 0에서 오른쪽으로 작은 눈금 9칸 간 곳이므로 $\frac{9}{7}$입니다.

4 $\frac{7}{4}$: 가분수 $1\frac{1}{6}$: 대분수 $\frac{4}{5}$, $\frac{9}{11}$: 진분수
➔ 진분수는 모두 2개입니다.

5 $\frac{25}{6}$에서 자연수로 표현되는 가분수 $\frac{24}{6}$는 자연수 4로 나타내고 나머지 $\frac{1}{6}$은 진분수로 하여 $4\frac{1}{6}$로 나타냅니다.

6 피자는 1판과 $\frac{2}{3}$판만큼 있으므로 대분수로 나타내면 $1\frac{2}{3}$입니다.

7 한 칸은 $\frac{1}{8}$이고 $\frac{11}{8}$은 $\frac{1}{8}$이 11칸이므로 $\frac{11}{8}$은 11칸을 색칠합니다.

8 ㉠ 16의 $\frac{5}{8}$ ➔ 10
㉡ 20의 $\frac{4}{5}$ ➔ 16

9 1 m=100 cm
$\frac{3}{5}$ m는 100 cm를 똑같이 5부분으로 나눈 것 중의 3부분이므로 60 cm입니다.

10 10의 $\frac{2}{5}$ ➔ 4
따라서 지혜가 먹은 체리는 4개입니다.

11 24의 $\frac{3}{8}$ ➔ 9
따라서 24의 $\frac{3}{8}$만큼 되는 곳은 ㉡입니다.

12 • 30을 6씩 묶으면 18은 30의 $\frac{3}{5}$ ➔ ㉠=3
• 35를 7씩 묶으면 14는 35의 $\frac{2}{5}$ ➔ ㉡=2

13 $1\frac{4}{5}=\frac{9}{5}$ ➔ $\frac{9}{5}>\frac{7}{5}$
$\frac{13}{6}=2\frac{1}{6}$ ➔ $2\frac{1}{6}<2\frac{5}{6}$

14 20의 $\frac{4}{5}$ ➔ 16
따라서 ○를 16개 색칠합니다.

15 $3\frac{1}{2}=\frac{7}{2}$ ➔ $\frac{7}{2}<\frac{9}{2}$이므로 더 긴 것은 실입니다.

16 $\frac{3}{8}$ ➔ 분모와 분자의 합: 11, 진분수
$\frac{7}{4}$ ➔ 분모와 분자의 합: 11, 가분수
$\frac{9}{5}$ ➔ 분모와 분자의 합: 14, 가분수

17 가분수: 분자가 분모와 같거나 분모보다 큰 분수
➔ 만들 수 있는 가분수: $\frac{7}{2}$, $\frac{9}{2}$, $\frac{9}{7}$

18 $1\frac{5}{6}=\frac{11}{6}$, $2\frac{1}{6}=\frac{13}{6}$, $3\frac{1}{6}=\frac{19}{6}$
➔ $1\frac{5}{6}\left(=\frac{11}{6}\right)$보다 크고 $\frac{19}{6}$보다 작은 분수는 $2\frac{1}{6}$, $\frac{17}{6}$로 모두 2개입니다.

19 $\frac{8}{3}=2\frac{2}{3}$ ➔ $2\frac{\square}{3}<2\frac{2}{3}$에서 □ 안에 알맞은 수는 1입니다.

20 가장 큰 가분수를 만들려면 분모에 가장 작은 수를, 분자에 가장 큰 수를 놓아야 합니다.
가장 큰 가분수: $\frac{9}{2}$ ➔ $4\frac{1}{2}$

9~10쪽 5. 들이와 무게

1 ㉡ **2** L에 ○표
3 1 kg 500 g / 1 킬로그램 500 그램
4 3400 mL **5** ㉢
6 시계 **7** 나
8 1600 mL **9** 5 kg 900 g
10 1 t **11** 4개
12 6 kg 700 g **13** =
14 3 L 800 mL **15** 감자
16 4, 500 **17** 11 kg
18 ㉯ 컵 **19** 오렌지주스
20 2000 mL

1 지우개보다 의자가 더 무겁습니다.

2 mL보다 큰 들이는 L를 사용하여 나타냅니다.

3 1 kg 500 g ➔ 읽기 1 킬로그램 500 그램

4 3 L는 3000 mL와 같으므로 3 L 400 mL는 3400 mL입니다.

7 그릇에 담긴 물의 양이 더 많은 쪽이 들이가 더 많습니다.

8 물의 양은 1000 mL짜리 비커 1개와 600 mL이므로 물병의 들이는 1600 mL입니다.

9
$$\begin{array}{r} 4\,\text{kg}\ \ 200\,\text{g} \\ +\,1\,\text{kg}\ \ 700\,\text{g} \\ \hline 5\,\text{kg}\ \ 900\,\text{g} \end{array}$$

10 1000 kg=1 t
따라서 이삿짐의 무게는 1 t입니다.

11 8−4=4(개)

12
$$\begin{array}{r} \overset{8}{\not 9}\,\text{kg}\ \ \overset{1000}{200}\,\text{g} \\ -\,2\,\text{kg}\ \ 500\,\text{g} \\ \hline 6\,\text{kg}\ \ 700\,\text{g} \end{array}$$

13 1 L 400 mL=1400 mL

14 2 L 300 mL+1 L 500 mL=3 L 800 mL

15 고구마보다 감자가 더 가볍고, 당근보다 고구마가 더 가벼우므로 가장 가벼운 것은 감자입니다.

16 700+□=1200 ➜ □=500
1+□+2=7 ➜ □=4

17 소고기의 무게를 □kg이라 하면
□+□−4=18, □+□=22, □=11이므로
소고기의 무게는 11 kg입니다.

다른 풀이

돼지고기의 무게를 □kg이라 하면 소고기의 무게는 (□+4) kg입니다.
□+□+4=18, □+□=14, □=7이므로 돼지고기의 무게는 7 kg입니다.
따라서 소고기의 무게는 7+4=11 (kg)입니다.

18 물을 부은 횟수가 가장 많은 컵이 들이가 가장 적은 컵입니다.
5>4>3이므로 들이가 가장 적은 컵은 ㉯ 컵입니다.

19 포도주스 1병: 1000원, 500 mL
포도주스 3병: 3000원, 1500 mL
오렌지주스 1병: 3000원, 2 L=2000 mL
➜ 2 L>1500 mL이므로 3000원으로 더 많은 양의 주스를 사려면 오렌지주스를 사야 합니다.

20 (중기가 마신 물의 양)
=2 L 500 mL−1 L 200 mL
=1 L 300 mL
(유라가 마신 물의 양)=2 L−1 L 300 mL
=700 mL
➜ 1 L 300 mL+700 mL=1300 mL+700 mL
=2000 mL

11~12쪽 6. 자료의 정리

1 3명 **2** 4, 3 **3** 10개, 1개
4 51개 **5** 딸기 맛 **6** 드럼
7 21 **8** 플루트
9 예 학생들이 만든 연 **10** 예 같은 반 학생들
11 6, 7, 5, 18 **12** 달리기, 25명
13 줄다리기 **14** 102명
15 3일 동안 수확한 귤의 양

일	귤의 양
1일	◎◎○○○○○○○
2일	◎◎◎
3일	◎○○○○○○○○

◎ 10상자
○ 1상자

16 12상자 **17** 과자, 빵
18 90줄 **19** 참치김밥
20 일주일 동안 팔린 김밥 수

종류	김밥 수
치즈김밥	◎◎◎◎△
참치김밥	◎◎◎◎◎◎○
멸치김밥	◎◎◎△○

◎ 100줄
△ 50줄
○ 10줄

1 자료를 보면 초록색을 좋아하는 학생은 3명입니다.

4 (10개 사탕)이 5개, (1개 사탕)이 1개이므로 51개입니다.

5 (10개)의 수가 가장 많은 것은 딸기 맛이므로 가장 많이 가지고 있는 사탕은 딸기 맛입니다.

7 (합계)=12+4+5=21(명) ➜ ㉠=21

8 4<5<12이므로 가장 적은 학생들이 좋아하는 악기는 플루트입니다.

14 달리기: 25명, 줄다리기: 43명, 부채춤: 34명
➜ 25+43+34=102(명)

16 30−18=12(상자)

18 치즈김밥: 450줄, 멸치김밥: 360줄
➜ 450−360=90(줄)

19 치즈김밥: 450줄, 참치김밥: 610줄,
멸치김밥: 360줄
➜ 610>450>360이므로 참치김밥을 가장 많이 준비하면 좋을 것 같습니다.

14~16쪽 총정리 수학 성취도 평가

1 지름 2 5, 40/5
3 1304 4 300 mL
5 예 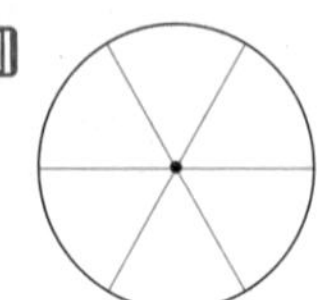 6 21
7 (그림) 8 $\frac{11}{3}$
9 ㉡ 10 484개
11 7 kg 800 g 12 2100 mL
13 25자루 14 15명
15 박물관
16 좋아하는 과목별 학생 수

과목	학생 수
국어	☺☺☺☺☺☺☺☺
수학	☺☺☺☺
영어	(10명)☺ ☺☺☺☺

10명, 1명

17 영어, 국어, 수학
18 예 원의 반지름이 변하지 않고」+2점
원의 중심이 오른쪽으로 2칸씩 옮겨집니다.」+2점
19 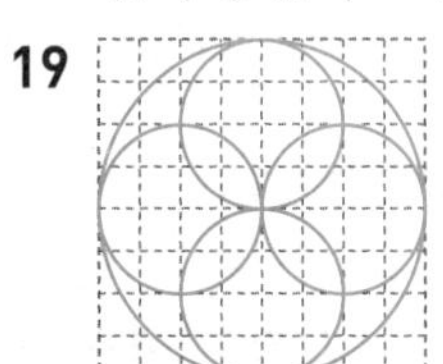
20 (위에서부터) $\frac{13}{5}$, $2\frac{1}{5}$, $\frac{13}{5}$
21 1120번
22 예 (현주네 학교 3학년 학생 수)
=26×4=104(명)」+1점
(한 모둠의 학생 수)=104÷8=13(명)」+2점
답 13명」+1점
23 예 (동생의 몸무게)
=32 kg 100 g−1 kg 300 g
=30 kg 800 g」+2점
(지혜와 동생의 몸무게의 합)
=32 kg 100 g+30 kg 800 g
=62 kg 900 g」+1점 답 62 kg 900 g」+1점
24 3942
25 96 cm

4 눈금을 읽으면 300 mL이므로 물의 양은 300 mL입니다.

5 원 위의 두 점을 이은 선분이 원의 중심을 지나도록 긋습니다.

6 56의 $\frac{3}{8}$ ➔ 21

7 $3\frac{1}{7}=\frac{22}{7}$

8 $\frac{11}{3}=3\frac{2}{3}$ ➔ $3\frac{2}{3}>3\frac{1}{3}$

9 ㉠ 43÷3=14⋯1
㉡ 66÷4=16⋯2

10 121×4=484(개)

11
  3 kg 700 g
+4 kg 100 g
  7 kg 800 g

12 2 L 100 mL=2100 mL

13 75÷3=25(자루)

14 25−3−7=15(명)

15 15>7>3 ➔ 박물관

16 국어: 8명 ➔ ☺ 8개, 수학: 4명 ➔ ☺ 4개,
영어: 14명 ➔ ☺ 1개, ☺ 4개

17 14>8>4 ➔ 영어, 국어, 수학

20 $\frac{9}{5}=1\frac{4}{5}$ ➔ $1\frac{4}{5}<2\frac{1}{5}$, $1\frac{3}{5}=\frac{8}{5}$ ➔ $\frac{8}{5}<\frac{13}{5}$,
$2\frac{1}{5}=\frac{11}{5}$ ➔ $\frac{11}{5}<\frac{13}{5}$

21 줄넘기를 한 날: 14일
➔ 14×80=1120(번)

24 곱이 가장 큰 곱셈식을 만들려면 십의 자리에 가장 큰 수인 7을 놓아야 합니다.
74×53=3922, 73×54=3942
3942>3922이므로 계산 결과가 가장 큰 곱셈식은 73×54=3942입니다.

25 (가로)=4×10=40 (cm), (세로)=4×2=8 (cm)
➔ (사각형의 네 변의 길이의 합)
=40+8+40+8=96 (cm)